VILAINES FILLES

Megan Abbott

VILAINES FILLES

Roman

*Traduit de l'anglais
par Jean Esch*

JC Lattès

Titre de l'édition originale :

DARE ME

publiée par Regan Arthur Books,
un département de Little, Brown
and Company, New York

Couverture : Bleu T
Photo : © Irene Lamprakou/Getty Images

ISBN : 978-2-7096-4385-6

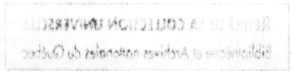

Pour mes parents, qui m'ont appris l'ambition.

La malédiction de l'enfer sur le parvenu doucereux
Qui mit finalement le Capitaine à terre
Prit les organes vitaux rouges rouges de son cœur
Et fit ouvrir leurs becs aux rapaces clac clac.

John Crowe Ransom

Prologue

« Il s'est passé quelque chose, Addy. Je crois que tu devrais venir. »

L'air est lourd, embrumé, agréable. Il est bientôt deux heures du matin et je suis au sommet de la crête, le pouce appuyé sur le bouton argenté : 27-G.

« Dépêche-toi, s'il te plaît. »

L'interphone bzzzzz, la porte émet un bruit sourd, j'entre.

Tandis que je traverse le hall, elle continue à bourdonner, les murs de verre vibrent.

Comme l'exercice sur les tornades à l'école primaire, Beth et moi collées l'une à l'autre, nos jambes qui se touchent à travers nos jeans. Le bruit de notre respiration.

11

Avant que l'on cesse tous de croire qu'une tornade, ou n'importe quoi d'autre, pouvait nous atteindre, jamais.

« Je ne peux pas regarder. Quand tu arriveras, ne m'oblige pas à regarder, s'il te plaît. »

Dans l'ascenseur, jusqu'en haut, mes jambes flageolent, 1-2-3-4, les chiffres brillent, incandescents.

Il fait noir dans l'appartement, une lampe posée sur le sol projette un cône halogène dans le coin le plus reculé.

« Enlève tes chaussures », dit-elle d'une petite voix, et ses bras maigres comme des bréchets se balancent de droite à gauche.

Nous sommes dans l'entrée, qui s'infiltre dans le coin salle à manger, avec sa table laquée semblable à une flaque d'encre.

Juste derrière, je vois le salon, traversé par un canapé modulable en cuir, les sangles noires sont serrées, comme autour de ma poitrine.

Ses cheveux sont humides, son visage livide. Sa tête semble se tourner d'un côté à l'autre, pour m'éviter, elle ne veut pas me montrer ses yeux.

Je crois que je n'ai pas envie de les voir.

« Il s'est passé quelque chose, Addy. C'est grave. »

« C'est quoi ça, là-bas ? » je demande finalement, le regard fixé sur le canapé, avec l'impression qu'il est vivant, que son cuir noir se soulève comme la carapace d'un scarabée.

« C'est quoi ? dis-je en élevant la voix. Il y a quelque chose derrière ? »

Elle refuse de regarder, c'est comme ça que je sais.

Mes yeux se posent d'abord sur le sol. Je vois scintiller des cheveux entortillés dans la trame du tapis.

Puis, en avançant, j'en vois davantage.

« Addy, murmure-t-elle. *Addy*... C'est bien ce que je crois ? »

1.

Après un match, il faut une demi-heure sous la douche pour ôter toute la laque. Pour décoller toutes les paillettes. Pour dénicher la dernière épingle enfouie dans vos cheveux.

Parfois, vous restez des heures sous le jet brûlant, à examiner votre corps, à compter chaque bleu. À caresser les endroits sensibles. À regarder les remous à vos pieds, le tourbillon étincelant. Comme une sirène qui perd ses écailles.

En fait, vous essayez juste de ralentir les battements de votre cœur.

Vous pensez : *C'est mon corps, je peux lui faire faire des choses. Je peux le faire tournoyer, sauter, voler.*

Après, vous vous plantez devant le miroir embué, les traînées fuchsia ont disparu, les cils ne brillent plus. Il n'y a plus que vous, et vous ressemblez à quelqu'un que vous n'avez jamais vu.

Vous ne ressemblez à personne.

Au départ, être cheerleader, c'était pour occuper mes journées, toutes nos journées.

De quatorze à dix-huit ans, une fille a besoin de tuer tout ce temps, cette attente interminable, cette démangeaison, à chaque heure, chaque jour, avant qu'il se passe enfin un événement, n'importe quoi.

« Il y a quelque chose de dangereux dans l'ennui des adolescentes. »

La Coach avait dit ça un jour, un après-midi d'automne, il y a longtemps, des feuilles cassantes tourbillonnaient à nos pieds.

Mais elle ne l'avait pas dit comme une mère, ni comme un prof ou le directeur, ni, pire que tout, comme le conseiller d'orientation. Elle avait dit cela comme si elle *savait* et comprenait.

Toutes ces images embrumées de cheerleaders qui batifolent dans les vestiaires, les pompons étalés sur des poitrines nues bourgeonnantes. Tous ces fantasmes infinis et ces rêves cochons de garçons, ils sont vrais, en un sens.

Il y a surtout du bruit et de la sueur, la brutalité des corps de filles meurtris et cabossés, les pieds endoloris à force de marteler le sol, les coudes éraflés.

Mais c'est aussi très beau à voir, nous toutes dans cet espace clos et humide, mieux protégées que n'importe où ailleurs.

Plus je le faisais, plus j'étais dépendante. Ça donnait de l'importance aux choses. C'était une épine dorsale dans ma vie qui n'en avait pas, et cette épine dorsale irradiait dans mes côtes, mes clavicules, elle maintenait mon cou bien droit.

Ce n'était pas rien. Ne dites pas le contraire.

Et c'est la Coach qui nous a tout donné. On n'avait jamais eu ça avant. Alors, pouvez-vous me reprocher d'essayer de le garder ? De me battre pour ça, jusqu'au bout ?

C'était elle qui m'avait montré toutes les merveilles obscures de l'existence, la vraie vie, la vie que j'avais juste vue trembloter du coin de l'œil. Avais-je jamais ressenti quoi que ce soit avant qu'elle me montre ce que ressentir voulait dire ? En repoussant avec ses poings serrés les recoins de son monde exigu, elle m'a montré ce que vivre voulait dire.

Et me voici, Addy Hanlon, seize ans, des cheveux qui ressemblent à de la mélasse et une peau tendue comme un élastique. Je suis sur le parquet du gymnase, avec ma copine Beth à côté de moi, sourires radieux et jambes bronzées artificiellement, avec nos queues-de-cheval qui s'agitent en rythme.

Regardez comme mes yeux papillotent, ouverts, fermés, comme s'il était impossible de tout voir.

Je n'ai jamais été une de ces adolescentes au visage fermé, un chewing-gum logé dans le coin de la bouche, qui lèvent les yeux au ciel et poussent de longs soupirs. Je n'ai jamais été ce genre de filles. Mais je les connais. Et quand elle est arrivée, j'ai vu tous leurs masques s'écailler.

Sous la peau, nous sommes tous pareils, non ? Nous voulons tous des choses que nous ne comprenons pas. Des choses que nous ne pouvons même pas nommer. Le désir est si intense, semblable à de petites ailes sur nos cœurs.

Alors regardez-moi, là, dans les vestiaires, avant le match.

Je brosse la poussière, les peluches de moquette sur mes tennis éclatantes. Blanchies par mes soins avec des gants en caoutchouc, le nez pincé, étourdie par les odeurs d'eau de Javel, et je les adore. Elles me donnent un sentiment de puissance. Ce sont les chaussures que j'ai achetées le jour où je suis entrée dans l'équipe.

2.

Son premier jour. Nous l'avons toutes examinée avec le plus grand soin, têtes penchées. Certaines d'entre nous, dont moi peut-être, ont même croisé les bras sur la poitrine.

La Nouvelle Coach.

Il y a tellement de choses à remarquer, à considérer et à mettre sur les plateaux de la balance, qui penchaient toujours vers le mépris. Sa taille, à peine un mètre soixante-cinq, les pointes de pied vers l'extérieur comme une danseuse, le corps ferme, une clavicule dorée qui saille, le front haut.

Les contours bien nets de sa coupe au carré lustrée ; si vous regardez d'assez près, vous apercevez les traces des coups de ciseaux (s'est-elle fait couper les cheveux ce matin, juste avant de venir ? Elle devait être si enthousiaste), sa façon de dresser le menton, à la manière d'une baguette servant à pointer, en se tournant d'un côté et de l'autre, en nous regardant. Et surtout, sa beauté saisissante, claire et vibrante, comme une cloche. Elle nous frappe de plein fouet. Mais nous ne nous laisserons pas ébranler.

Avachies, en train de nous prélasser, les poches et les mains fourmillant et s'agitant – `quel âge à ton avis ? regarde le sifflet, putain` –, allant et venant les textos vont et viennent entre les téléphones pris de hoquet. Tout cela en la regardant d'un air absent, ou la tête baissée, accaparées par d'importantes histoires de téléphone.

Ce que ça doit être difficile pour elle.

Mais debout devant nous, le dos droit comme un sergent instructeur, c'est elle qui manie le regard le plus dur.

Ses yeux parcourent l'alignement décalé, elle nous juge. Elle juge chacune d'entre nous. Je sens que ses yeux me découpent en lambeaux – mes jambes arquées, ou les cheveux indisciplinés qui collent sur ma nuque, ou mon soutien-gorge mal ajusté, et moi qui me trémousse, qui me gratte, toujours incapable de rester immobile. Contrairement à elle.

« Fish n'en aurait fait qu'une bouchée, murmure Beth. On pourrait en faire rentrer deux comme elle dans Fish. »

Fish, le poisson, c'était ainsi que l'on surnommait Templeton, notre dernière coach. Celle qui était enlisée dans la cinquantaine bien tassée, avec le corps épais et massif d'un marsouin semi-actif, rond et lisse, avec toujours les mêmes clous d'oreilles en or, le polo à col mou et les baskets à semelle épaisse, inélégante. Tenant toujours son carnet à spirales défraîchi qui contenait tous les exercices, joliment écrits à la main, et qui lui servait depuis l'époque où les cheerleaders se contentaient d'agiter des pompons en levant haut la jambe, encore plus haut.

Sa triste bouche pendait mollement autour de son sifflet, elle passait presque toutes ses journées assise à son bureau, à jouer au solitaire sur l'ordinateur. Nous avions repéré, à travers les volets de sa fenêtre, les cartes qui voltigeaient sur l'écran. J'avais presque de la peine pour elle.

Elle avait baissé les bras depuis longtemps. Devant l'arrogance grandissante de chaque nouvelle classe de filles, plus intrépides, plus insolentes que les précédentes.

Fish nous appartenait, à nous les filles. À Beth, surtout. Beth Cassidy, notre capitaine.

Moi, sa lieutenante éternelle, depuis l'âge de neuf ans, chez les poussins. Son bras droit, son *fidus Achates*[1]. C'est ainsi qu'elle m'appelle, et c'est ce que je suis. Tout le monde s'incline devant Beth et, ce faisant, devant moi.

Et Beth fait ce qui lui plaît.

Il n'y avait vraiment pas besoin d'une coach.

Et maintenant, ça. Ça.

---

1. Le fidèle Achate, ami et écuyer d'Énée. *(Toutes les notes sont du traducteur.)*

Fish a soudain été rappelée en Floride pour s'occuper du bébé inattendu de sa petite-fille adolescente, et la voici.

La nouvelle.

Le sifflet pend entre ses doigts, comme un porte-bonheur, une amulette, et il va falloir compter avec elle.

Impossible de ne pas le savoir en la regardant.

« Bonjour », dit-elle d'une voix douce, mais ferme. Elle n'a pas besoin de l'élever. Tout le monde se penche en avant. « Je suis la Coach French. »

Et tu es ma chienne. L'écran de mon portable s'allume, caché dans ma paume. Beth.

« Je vois que nous avons du pain sur la planche », dit-elle, et ses yeux se braquent sur moi, mon téléphone est comme une sirène, une cible.

Je le sens qui vibre dans ma main, mais je ne le regarde pas.

Devant elle, il y a une caisse en plastique contenant du matériel. Elle lève gracieusement le pied, jusque sous le bord supérieur de la caisse, et elle la renverse, éparpillant des palets de hockey sur le parquet brillant.

« Là-dedans », dit-elle en poussant la caisse vers nous avec son pied.

Tous nos yeux sont fixés dessus.

« Je crois qu'on ne tiendra pas toutes dedans », dit Beth.

La Coach, le visage aussi vide que le tableau noir au-dessus d'elle, la regarde.

Le moment s'éternise, les doigts de Beth crissent sur le clapet nacré de son portable.

La Coach ne cille pas.

Les téléphones dégringolent dans la caisse, tous. Celui de RiRi, d'Emily, de Brinnie Cox et des autres. Celui de

Beth en dernier. Couleurs acidulées, l'un après l'autre. *Clic, clac*, ils s'entrechoquent, un tintamarre de sons de cloches, de chants d'oiseaux, de rythmes disco, qui finit par se taire de lui-même.

Après cette scène, je remarque l'expression de Beth. Je vois déjà comment elle va réagir.

« Colette French, dit-elle avec un petit sourire en coin. On dirait un nom d'actrice porno, le genre classe qui refuse de faire de l'anal.

— J'ai entendu parler d'elle », dit Emily, encore essoufflée et étourdie par le dernier enchaînement. Nous avons toutes les jambes qui tremblent. « Elle a conduit l'équipe de Fall Wood jusqu'aux demi-finales de l'État.

— Dans tes rêves », rétorque Beth.

Les épaules d'Emily s'affaissent.

Aucune d'entre nous n'est véritablement cheerleader pour la gloire, les trophées, les tournois. Aucune d'entre nous, peut-être, ne sait pourquoi nous faisons ça, sauf que c'est un rempart contre la routine et la souffrance d'une journée d'école. Vous portez ce blouson comme une armure, les jours de match, et les jupes qui volent. Qui pourrait vous toucher ? Personne.

Ma question est la suivante :

La Nouvelle Coach. En nous observant durant cette première semaine, a-t-elle vu au-delà de nos cheveux lustrés et de nos jambes brillantes, de nos arcades sourcilières pailletées et de nos bravades de filles ? A-t-elle vu tout ce qu'il y a dessous, tous nos malheurs, notre haine envers nous-mêmes, mais encore plus envers les autres ? A-t-elle pu voir autre chose derrière ça, une chose frémissante et vraie, une chose prête à être transformée, fabriquée, créée ? A-t-elle vu qu'elle pouvait nous construire, en plongeant ses mains dans nos entrailles étincelantes et déterminées, pour faire de nous de magnifiques gladiateurs adolescents ?

3.

Ce n'est pas immédiat. Pas de conversion renversante.

Mais chaque jour de cette semaine, la Nouvelle Coach continue à maintenir notre attention : un exploit.

Nous la laissons nous entraîner, nous faisons des culbutes. Nous lui montrons tous nos numéros ; nos bouches sont fermées et nos roues, fluides.

Ensuite, nous lui faisons voir notre chorégraphie la plus acclamée, celle avec laquelle nous avons conclu la dernière saison de basket : une succession de flips en ligne, en touchant les orteils, et un grand final pour lequel nous portons toutes Beth en grand écart, les bras en V au-dessus de la tête.

La Coach a presque l'air de nous regarder, le pied posé sur l'énorme combiné stéréo qui débite une musique saccadée.

Après quoi, elle nous demande ce qu'on a d'autre.

« Tout le monde a adoré cette choré, babille Brinnie Cox. Ils nous ont demandé de la refaire pour la remise des diplômes. »

Nous avons tous envie qu'elle la boucle.

La Coach est tout simplement plus tendue, plus vive que ce à quoi on s'attendait, et, dès cette première semaine, on s'en aperçoit. Elle se plante devant nous dans une posture légère mais pleine d'assurance.

Pas moyen de la décontenancer, nous sommes étonnées.

Nous pouvons décontenancer tout le monde, pas uniquement Fish, mais aussi l'interminable et triste cohorte de suppléants, de profs de géométrie aux épaules poussiéreuses et de conseillers d'orientation à la peau parcheminée.

Voyons les choses en face, nous constituons la seule animation dans ce tombeau fait de faux plafonds et de pavés de verre. Nous sommes la seule chose qui bouge, qui respire et qui saute.

Et nous le savons. Vous sentez que nous le savons.

Regardez-les, voilà ce que nous les entendons dire – tous – quand, le Jour du Match, nous arpentons les couloirs, en meute, avec nos queues-de-cheval qui se balancent, nos jupes semblables à des diamants.

Pour qui se prennent-elles ?

Nous savons très bien qui nous sommes.

De même que la Coach sait qui elle est. Ça se voit à la fois dans son attitude distante et dans son sang-froid. Tellement indifférente à nos idioties. Lassée de tout ça. Une lassitude que nous connaissons.

D'emblée, elle a gagné quelque chose, même si – ou parce que – elle n'a rien demandé, elle s'en fiche. Non pas parce qu'elle s'ennuie, mais parce que nous ne sommes pas assez intéressantes pour elle.

Pour l'instant, du moins.

Le deuxième jour, elle prend le gras d'Emily entre ses doigts. Emily, avec ses yeux de fée et ses seins en pomme, lève les bras langoureusement au-dessus de sa tête dans un bâillement épique. Oh, nous connaissons ce numéro, ce numéro qui exaspère tant Mme Dieterle et fait rougir M. Callahan, obligé de croiser les jambes.

La main de la Coach surgit de nulle part et se tend vers la bande de peau dévoilée par le débardeur d'Emily qui s'est relevé. Elle pince les rondeurs et tord la peau, violemment. Si violemment que la bouche d'Emily émet un petit bruit sec. Un hoquet, comme un jouet que l'on presse.

« Tu m'arrangeras ça », dit la Coach.

Ses yeux quittent la peau coincée entre ses doigts pour remonter vers ceux d'Emily, accablés.

Arranger ça. Carrément.

Arranger ça ? Arranger ça ? Emily sanglote dans les vestiaires, et Beth fait des cercles furieux avec ses yeux, sa tête, son cou.

« Elle n'a pas le droit de dire des choses pareilles, non ? » gémit Emily.

Emily dont les seins comme des ballons et la chute de reins font le bonheur de tous les garçons ; leurs cous gagas se tendent pour suivre sa démarche, uniquement pour voir, au coin du couloir, sa jupette danser.

Et toutes ces affiches, ces cours de sensibilisation sur l'image du corps et le risque de faire éclater des vaisseaux sanguins sur ton visage, de te perforer l'œsophage si tu n'arrêtes pas de te fourrer des boules de coco dans le gosier tous les soirs, en sachant qu'il faudra qu'elles ressortent, pauvre petite fille faible.

Pour toutes ces raisons, la Coach ne peut certainement *pas* dire à une fille, une adolescente sensible, préoccupée par son physique, de faire disparaître ce petit bourrelet si doux autour de sa taille, n'est-ce pas ?

Si.

La Coach peut dire tout ce qu'elle veut.

Et voilà Emily agenouillée au-dessus de la cuvette des toilettes après l'entraînement, me suppliant de lui donner un coup de pied dans le ventre pour qu'elle puisse expulser le reste, toute cette pâte à cookies et les tacos ; l'odeur me dégoûte. Emily, une fille faite entièrement de donuts, de fromage râpé et de Haribo.

Alors, je lui donne un coup de pied, oui.

Elle en ferait autant pour moi.

Le mercredi, Brinnie Cox dit qu'elle envisage d'arrêter.

« Je ne peux plus continuer, se lamente-t-elle devant Beth et moi. Vous avez entendu ma tête cogner contre le tapis à la sortie ? Je crois que Mindy l'a fait exprès. C'est facile pour une porteuse. Son corps est comme un gros morceau de caoutchouc. On n'est pas entraînées pour faire des cascades.

— C'est justement pour ça qu'on *s'entraîne* », dis-je.

Je sais que Brinnie aimerait mieux agiter des pompons, remuer les hanches et se taper sur le cul durant la mi-temps, ou même tout le temps.

Brinnie est la fille que Beth et moi avons toujours traitée le plus durement, par agacement. « Je n'aime pas ses grandes dents, ni ses cannes de poulet, disait Beth. Vire-la-moi. »

Une fois où on s'exerçait aux doubles sauts de cerceau, Beth et moi avons fait des remarques à voix haute, dans le gymnase, sur la sœur dépravée de Brinnie qui avait été surprise en train de se faire peloter par l'adjoint du surveillant, jusqu'à ce que Brinnie se précipite dans les douches pour pleurer.

« Tout ce que je sais, zézaie-t-elle maintenant à travers ses grandes dents, c'est que j'ai super mal à la tête.

— Si tu as un vaisseau sanguin qui a éclaté, répond Beth, peut-être que tu es en train de saigner lentement à l'intérieur du crâne.

— Tu as sûrement déjà des lésions au cerveau, j'ajoute en l'observant de près. Je suis désolée, mais c'est la vérité.

— Si ça se trouve, le sang comprime ton cerveau contre ta boîte crânienne, dit Beth, et ça va finir par te tuer. »

Brinnie a les yeux écarquillés, noyés de larmes, je sais que nous avons atteint notre objectif.

Le dernier jour de cette première semaine, la Coach convoque une réunion spéciale.

Ce qui provoque des textos et des appels inquiets. Il est question de compression d'effectifs dans l'équipe, de qui peut-il bien s'agir ?

Mais son annonce est simple.

« Il n'y aura plus de capitaine d'équipe », déclare-t-elle, debout devant nous.

Tout le monde regarde Beth.

Je connais Beth depuis l'école primaire, depuis que nous avons entrelacé nos corps dans des sacs de couchage en camp de vacances, depuis que nous nous sommes faites « frères de sang ». Je connais Beth et je peux déchiffrer chacun de ses haussements de sourcils, de ses mouvements d'orteils. Elle a pour certaines choses – le calcul, les permissions de sortir de cours, sa mère, les panneaux de stop – un mépris inflexible qui dicte ses réactions.

Un jour, elle a plongé la brosse à dents de sa mère dans la cuvette des toilettes, et elle surnomme son père « la Taupe », même si personne ne se rappelle pour quelle raison ; et fut une époque où elle traitait notre prof d'éducation physique d'enculé, sans que personne ait jamais pu le prouver.

Mais il y a des choses que tout le monde ignore à son sujet.

Elle fait du cheval, elle possède une bibliothèque de littérature érotique cachée, elle mesure à peine plus de un mètres cinquante, mais elle a les jambes les plus puissantes que je connaisse.

Je pourrais ajouter ceci : en quatrième, non, l'été suivant, pendant une *beer party*, Beth a posé sa bouche de petite fille méprisante sur Ben Trammel, vous voyez où. Je me souviens de la scène. Il avait un grand sourire, il lui tenait la tête et agrippait ses cheveux comme s'il avait attrapé une truite à mains nues, et tout le monde l'a su. Mais je n'ai rien dit. Les gens en parlent encore. Pas moi.

Je n'ai jamais su pourquoi elle avait fait ça, ni toutes les autres choses qu'elle a faites depuis. Je n'ai jamais posé de questions, ce n'est pas notre genre.

Nous ne jugeons pas.

Mais le plus important, c'est ceci : Beth a toujours été notre capitaine, ma capitaine, même chez les poussins, même au collège, et maintenant encore dans les Big Leagues.

Beth a toujours été capitaine, et moi sa lieutenante d'enfer, depuis le jour où, après trois semaines passées à faire des roues ensemble dans le jardin derrière chez elle, nous avons été prises dans l'équipe.

Elle est née pour ça, et nous n'avons jamais envisagé cette activité autrement.

Parfois, je me dis que ce capitanat est l'unique raison pour laquelle Beth vient au lycée, se donne la peine de nous fréquenter, et tout le reste.

« Je ne vois pas l'intérêt d'avoir une capitaine. Je ne vois pas ce que ça vous apporte, dit la Coach dont le regard glisse sur Beth. Mais merci pour les services rendus, Cassidy. »

Rendez-moi votre insigne, votre arme.

Tout le monde tapote nerveusement ses baskets, et RiRi scrute Beth de façon théâtrale, en cambrant le dos pour voir sa réaction.

Mais Beth n'a aucune réaction.

Beth semble n'en avoir rien à faire.

Elle ne bâille même pas.

« J'ai cru que ça se passerait mal, me murmure Emily en faisant des squats sautés dans les vestiaires, un peu plus tard. Comme la fois où elle s'est énervée contre le prof de maths remplaçant et qu'elle a rayé sa voiture avec une clé. »

Connaissant Beth, je devine que nous ne verrons pas tout de suite sa véritable réaction.

« Comment on va faire maintenant ? » se demande Emily, bondissant, essoufflée, rognant ses rondeurs. Pour *arranger ça*. « Qu'est-ce que ça signifie ? »

Nous le découvrons bientôt : c'est la fin des heures passées à discuter du régime citron et de celles qui se sont fait avorter durant les vacances.

La Coach ne s'intéresse pas à tout ça, évidemment. Elle dit que nous ferions mieux de nous reprendre.

À la fin de cette première semaine nouvelle méthode, nos jambes sont flasques, nos corps, mous. Nos mouvements manquent de nerf. Elle dit que nous avons l'air négligé et juvénile, comme des pré-ados de chez Disney sur un char de défilé. Elle a raison.

Alors, c'est sprint dans les gradins pour tout le monde.

Oh, endurer une telle souffrance. Gravir et descendre à toute vitesse ces marches, au rythme incessant de son sifflet. Vingt et une grandes marches et quarante-trois petites. Encore, encore, encore.

Nos colonnes vertébrales.

On le sent partout.

Stairway to hell, nous appelons ça, Beth dit que c'est de la mauvaise poésie.

Mais lors de l'entraînement du samedi, nous commençons déjà – certaines d'entre nous – à attendre cette douleur avec impatience, car c'est une sensation réelle.

Et nous savons que nous serons bien meilleures rapidement, sans nous blesser, car nous avons une discipline de fer.

4.

Les sprints dans les gradins sont un supplice, et j'ai l'impression que tout mon corps tremble – *boum boum boum* –, mes dents s'entrechoquent, c'est presque du bonheur – *boum boum boum, boum boum boum* –, j'ai l'impression que je pourrais mourir de cette douleur retentissante – *boum* –, j'ai l'impression que mon corps va exploser en mille morceaux, et on court, court, court. Je ne veux pas que ça s'arrête.

C'est si différent d'avant, toutes ces journées où nous passions notre temps à nous faire les ongles et des tatouages temporaires, à attendre cap'taine Beth, qui arrivait toujours deux minutes avant le début du match, après avoir fumé un joint avec Todd Grinnell ou fait des gargarismes au peppermint derrière la porte de son placard de vestiaire, ce qui ne l'empêchait pas de nous époustoufler quand elle bondissait sur les épaules de Mindy et de Cori, et s'étirait pour exécuter une arabesque.

En ce temps-là, nous nous en fichions, nos mouvements étaient négligés et mous. Nous nous badigeonnions de paillettes, nous faisions des sauts carpés et remuions le cul sur Kanye West. Tout le monde nous adorait. Ils savaient que nous étions des nanas sexy. Ça suffisait.

Cheerbutantes, ils nous appellent comme ça, les profs.

Cheerlébrités, on s'appelle comme ça, nous.

Nous passions les saisons à fureter, en meute, avec nos queues-de-cheval toutes de la même longueur, nos baskets Nfinity assorties, tout était synchrone, nos paupières tachetées d'or, et personne ne pouvait nous toucher.

Mais il y avait de la paresse dans tout ça, je m'en aperçois maintenant. Une démangeaison incontrôlable, et parfois même moi, en regardant les autres élèves dans les salles de classe, ceux qui participaient à des débats ou prenaient des photos pour l'annuaire, les sportives aux jambes épaisses et les musiciennes qui balançaient leurs étuis à violon cabossés, je me demandais ce que ça faisait de s'investir autant.

Maintenant, tout est différent.

Beth joue avec sa paille, le grincement me tape sur les nerfs.

Je devrais être chez moi, en train de dessiner des paraboles, et au lieu de cela je suis dans la voiture de Beth. Elle avait besoin de sortir de chez elle pour ne plus entendre les bruissements du peignoir en soie de sa mère au bout du couloir.

Beth et sa mère, deux impalas qui s'affrontent cornes à cornes depuis que Beth a commencé à parler, répliquant avec froideur pour la première fois.

« Ma fille, m'a dit un jour Mme Cassidy pendant qu'elle s'enduisait le cou de Crème de la Mer, est une délinquante depuis le jour de sa naissance. »

Alors je suis montée dans la voiture de Beth en pensant qu'un petit tour pourrait avoir un pouvoir magique apaisant, comme on promène un bébé qui a des coliques.

« L'exam a lieu demain, dis-je en tripotant mon cahier de maths.

— Elle habite à Fairhurst, dit-elle en m'ignorant.

— Qui ça ?

— French. La Coach.

— Comment tu le sais ? »

Beth ne hausse même pas les épaules. Elle n'a jamais, jamais, répondu à une question à laquelle elle n'avait pas envie de répondre.

« Tu veux aller voir ? C'est pas terrible.

— Non, j'ai pas envie », dis-je, mais j'en ai envie. Évidemment.

« C'est pas à cause de cette histoire de capitaine ? je demande tout doucement, comme si j'hésitais à le dire à voix haute.

— Quelle histoire de capitaine ? » répond Beth sans me regarder.

La maison de Fairhurst est assez grande. Une habitation dans le style ranch, sur deux niveaux. Une maison, quoi. Mais elle a quelque chose. Savoir que la Coach est à l'intérieur, derrière cette grande baie vitrée, avec cette lumière tamisée, mordorée, ça ajoute un plus.

Il y a un tricycle dans l'allée, décoré de serpentins, roses et fins, qui flottent dans l'air du soir.

« Une petite fille, dit Beth, froidement. Elle a une petite fille. »

« Ne pensez pas à une pyramide comme à un objet immobile, nous dit la Coach. N'y pensez pas comme à une construction. C'est une chose vivante. »

Avec Fish, quand nous faisions des pyramides, nous pensions à nous empiler les unes sur les autres. Pour la construire couche par couche.

Maintenant, nous apprenons qu'une pyramide, ce n'est pas des filles qui se grimpent dessus et qui ne bougent plus ensuite. Il s'agit de donner vie à quelque chose. Toutes ensemble. Chacune de nous est un organe qui nourrit les autres organes, pour créer une entité plus grande.

Nous apprenons que nos corps nous appartiennent, sont à l'équipe, et c'est tout.

Nous apprenons qu'il n'existe personne d'autre sur terre quand nous sommes sur le parquet. Nous afficherons nos sourires, crispés et faux, mais à l'intérieur, nous ne pensons qu'au Numéro. Le Numéro est tout.

En bas, nos solides porteuses, Mindy et Cori, mes pieds reposent sur les épaules de Mindy, son corps vibre à travers le mien, le mien vibre à travers Emily au-dessus de moi.

Quand les porteuses centrales sont en place, la voltigeuse monte, non pas en escaladant, ni en se faisant hisser, ce n'est pas un escalier avec une succession de marches fastidieuses. Non, nous bondissons et nous nous balançons pour soulever tout le monde, et grâce à ce mouvement vous prenez conscience que vous faites partie de quelque chose. Quelque chose de réel.

« Une pyramide est un corps, il a besoin de sang, de pulsations et de chaleur. UN, DEUX, TROIS. Ce qui la maintient droite, ce qui la maintient en vie, c'est l'union de vos corps, le rythme que vous construisez ensemble. À chaque compte, vous ne formez plus qu'une, vous créez la vie QUATRE, CINQ, SIX. »

Et je sens Mindy sous moi, sa force, nous bougeons comme une seule et même personne, nous hissons Beth, et elle aussi fait partie de nous, son sang coule en moi, son cœur bat avec le mien. C'est le même cœur.

« Le seul moment où la pyramide est immobile, c'est quand vous le décidez, dit la Coach. Tous vos corps en forment un seul, et VOUS NE BOUGEZ PAS. Vous êtes du marbre. Vous êtes de la pierre.

« Et vous ne bougerez pas, car vous ne le pourrez pas, car vous n'êtes pas cette petite nana canon qui sautille dans le couloir, cette fille qui agite sa queue-de-cheval, la bouche pleine de vide. Vous n'êtes pas jolies, vous n'êtes pas des jeunes créatures mignonnes, vous n'êtes pas une fille, ni même une personne. Vous êtes l'élément vital d'une chose unique, la chose parfaite. Jusqu'à… SEPT, HUIT. Et…

« On la détruit. »

Après, le corps vidé, les membres luisants, nous l'interrogeons.

Sans une goutte de sueur, raide, elle toise nos reins épuisés, les bouteilles d'eau qui roulent sur nos poitrines et nos fronts.

« Coach, vous étiez dans quel lycée avant ? » demande l'une de nous.

« Coach, il est comment votre mari ? »

« Coach, c'est votre voiture sur le parking ou celle de votre mari ? »

Nous essayons tous les jours, la plupart d'entre nous. Les informations arrivent lentement, à la dérobée. Elle est allée à l'école à Stony Creek, son mari travaille en ville, dans une tour de bureaux aux murs réfléchissants, c'est lui qui lui a offert cette voiture. À peine des informations. Le minimum qu'elle puisse partager, en partageant quand même quelque chose.

Si concentrée, si absorbée, elle répond à nos questions seulement quand nous avons fini nos sprints, nos ponts, nos centaines d'abdos qui brûlent le ventre, les dos qui glissent et font crisser le parquet.

Cette beauté, cette beauté rayonnante, elle la porte presque comme une chose honteuse, une robe à volants sur laquelle elle ne cesse de tirer, une breloque qui tinte et qu'elle immobilise sous sa main.

C'est au moment où elle nous quitte, après nous avoir congédiées, que RiRi s'exclame :

« Hé, Coach, hé, Coach ! C'est quoi ce que vous avez à la cheville ? »

Le tatouage se faufile au-dessus de sa socquette, une tache violette.

Elle ne tourne même pas la tête, à croire qu'elle n'a pas entendu.

« C'est *quoi*, Coach ?

— Une erreur », dit-elle.

De sa petite voix dure. *Une erreur.*

Ah, la coach coulée dans l'acier avec un passé insouciant, un passé grivois.

« Je parie qu'on va la retrouver dans un vieil épisode de *Girls Gone Wild on Campus : les années de préhistoire*[1]. » C'est Beth, évidemment. Sur l'ordinateur portable d'Emily. Beth qui entre le nom de la Coach sur YouTube, pour aller à la pêche.

Elle ne trouve rien. Bizarrement, je m'y attendais. Avec quelqu'un d'aussi inflexible, vous ne pouvez rien trouver.

Après l'entraînement, Emily, qui rétrécit, est allongée à plat dos sur le linoléum des vestiaires, elle s'enroule sur elle-même, encore et encore, elle se débat pour devenir plus ferme, pour se tailler un corps conforme aux exigences de la Coach. Je reste avec elle, je lui tiens les pieds, j'empêche ses chevilles potelées de bouger.

Il s'avère que la Coach n'est pas partie, elle non plus. Elle est dans son bureau, au téléphone. Nous la voyons à travers la vitre, elle ouvre et ferme les stores, la main refermée autour de la baguette en plastique. Elle regarde le parking. Ouverts, fermés, ouverts, fermés.

Après avoir raccroché, elle ouvre la porte de son bureau. Le *shh !* de la porte qui s'ouvre en grand, et c'est parti.

Elle ouvre la porte et nous voit, un hochement de tête pour nous autoriser à entrer.

Le bureau sent la cigarette, comme le canapé dans la salle des profs, avec cette tache durcie à l'endroit qui est défoncé, au milieu. Tout le monde a son explication concernant cette tache.

---

1. Émission de téléréalité très dévêtue.

Sur le bureau, il y a une photo de sa petite fille. La Coach précise qu'elle se prénomme Caitlin, elle a quatre ans, une bouche sale, la peau rougie et un regard si vide que je me demande comment on peut faire des enfants.

« Ce qu'elle est mignonne, lâche Emily. On dirait une sorte de poupée. »

Une sorte de poupée.

La Coach regarde la photo comme si elle ne l'avait jamais vue. Elle plisse les paupières.

« Ils sont furieux après moi à la garderie, dit-elle, en donnant l'impression de réfléchir au problème. Je suis toujours la dernière à venir la chercher. La dernière maman, du moins. »

Elle pose la photo et nous regarde.

« Je me souviens de ça », dit-elle en montrant les bracelets clinquants qui couvrent nos avant-bras.

Elle nous explique qu'elle en fabriquait quand elle était gamine, elle n'en revient pas qu'ils soient encore à la mode. Elle appelle ça des bracelets de l'amitié. Nous, jamais nous ne les appellerions comme ça.

« Ce sont juste des bracelets », dis-je.

Elle me regarde en allumant une cigarette avec une vieille allumette toute fine, comme le type qui nous vend des cubis de vin derrière sa boutique dans Shelter Road.

« On appelait ça "Le serpent autour du bâton", dit-elle en soulevant avec son doigt recourbé celui que porte Emily, alors que sa cigarette rougeoie.

— C'est un Escalier chinois », dis-je.

Je ne sais pas pourquoi je ne cesse de la reprendre.

« Et celui-ci ? » demande-t-elle en appuyant sur mon poignet, le bout de sa cigarette au ras de ma peau.

Je regarde la cendre et le doigt bronzé de la Coach.

« Un Nœud m'Aime Pas, répond Emily avec un grand sourire. C'est le plus facile. Je sais qui te l'a fait. »

Je ne dis rien.

La Coach me regarde.

« Les garçons ne font pas ce genre de choses.

— C'est sûr que non, dit Emily, et on voit presque sa langue darder.

— Je ne sais même pas qui me l'a donné », dis-je.

Puis je me souviens que c'était Casey Jaye, la fille avec qui j'avais fait des acrobaties en camp de cheerleaders l'été dernier, mais Beth ne l'aimait pas, et puis le camp était terminé, de toute façon. C'est curieux comme des gens que vous fréquentez en camp vous paraissent si proches, et une fois l'été passé, vous ne les revoyez plus jamais.

La Coach a les yeux posés sur moi, je remarque l'ombre d'une ride au coin de sa bouche.

« Montre-moi, dit-elle en écrasant sa cigarette. Montre-moi comment faire un Nœud m'Aime Pas. »

Je lui explique que je n'ai pas de fil, mais Emily en a, au fond de sa besace.

Nous lui montrons comment faire, puis nous la regardons entortiller les fils. Elle comprend très vite, ses doigts virevoltent. Y a-t-il une chose qu'elle ne sache pas faire ?

« Ça me revient, dit-elle. Regardez celui-ci. »

Elle nous montre comment fabriquer ce qu'on appelle une Langue de Chat, qui ressemble en fait à une Échelle brisée, croisée avec une simple tresse ; puis un autre qu'elle appelle le Grand Méchant et que je n'arrive pas du tout à suivre.

Quand elle a fini le Grand Méchant, elle le fait tour-noyer autour de son doigt et me le lance d'une pichenette. Je vois le visage d'Emily tressaillir de jalousie.

« C'est tout ce que vous avez pour vous distraire, les filles ? » demande-t-elle.

Non, ce n'est pas tout.

« C'est comme si elle s'intéressait réellement à nos vies, répète Emily à qui veut bien l'entendre, en tripotant mon nouveau bracelet.

— Pathétique, dit Beth. Même *moi* je ne m'intéresse pas à nos vies. »

Son doigt glisse sous mon bracelet, et elle tire dessus, par petits coups, jusqu'à ce qu'il se casse.

Le lendemain, après les cours, sur le parking, je vois la Coach marcher vers sa petite voiture métallisée.

Je traîne, ma bouteille de soda light à la main, en atten-dant Beth, qui me sert de chauffeur et juge bon parfois de me faire patienter pendant qu'elle baratine M. Feck, qui lui refile des paquets d'autorisations de quitter les cours, des feuilles roses qui volettent, sorties du tiroir de son bureau.

Je ne remarque même pas que la Coach m'a vue, jusqu'à ce qu'elle me fasse signe, en montrant sa portière ouverte d'un mouvement de tête.

« Allez, viens, dit-elle. Monte. »

Comme si elle savait que j'attendais cette invitation.

Tout en conduisant, elle agite un de ces curieux jus de fruits à l'aspect boueux qu'elle boit en permanence, et qui vous font grincer des dents. Je crois qu'aucune de nous ne l'a jamais vue manger.

« Vous avez toutes un tas de mauvaises habitudes, dit-elle en regardant mon soda.

— C'est du light, dis-je, mais elle continue à secouer la tête.

— On va corriger ça. L'époque des Funyuns[1] au déjeuner et des lampes bronzantes, c'est terminé.

— OK », dis-je, mais je ne dois pas paraître très convaincante.

Pour commencer, je n'ai jamais mangé de Funyuns de ma vie.

« Vous allez voir », dit-elle.

Avec son cou et son dos si droits, ses sourcils épilés dessinant des arcs de cercle précis. Le bracelet de tennis qui brille comme de l'or et les cheveux soyeux. Elle est absolument parfaite.

« Alors, lequel de ces joueurs de football est ton mec ? demande-t-elle en regardant par la vitre.

— Hein ? Aucun.

— Tu n'as pas de petit copain ? » Elle se redresse légèrement. « Comment ça se fait ?

— Il n'y a pas grand-chose d'intéressant à Sutton Grove High », dis-je comme pourrait le dire Beth.

Je regarde le paquet de cigarettes posé sur le tableau de bord entre nous ; je m'imagine en train d'en prendre une pour la mettre dans ma bouche. M'en empêcherait-elle ?

« Dis voir... C'est qui le gars avec les cheveux tout bouclés ? » Elle se tapote le front. « Et le nez crochu ?

---

1. Biscuits à apéritif au goût d'oignon.

— Dans l'équipe ?

— Non, répond-elle en se penchant un peu vers le volant. Je le vois des fois courir sur la piste avec ces baskets décorées de têtes de mort.

— Jordy Brennan ? »

Il y avait un groupe de garçons, dix ou douze, avec lesquels vous pouviez éventuellement traîner, flirter et boire dans les soirées, ou pendant une semaine, même un mois.

Jordy Brennan n'en faisait pas partie. Il était là, simplement, et encore. À peine un spot sur l'écran radar de mon lycée.

« Je n'ai jamais pensé à lui, dis-je.

— Il est mignon. »

À voir la façon dont elle inspire, en tournant le volant, on sent qu'elle pense à Jordy Brennan, pendant juste une seconde.

Alors je pense à lui, moi aussi.

Ma chemise fait une boule dans mon dos, les mains nerveuses et chaudes de Jordy courent partout, et, avant que je m'en aperçoive, ma jupe de cheerleader tourne autour de ma taille et remonte sur mon ventre, ses mains sont là aussi, et les miennes serrées comme des petites boules de nerf, vais-je le faire ?

Ces pensées occupent mon esprit, pendant que je m'agite sous mon couvre-lit vert cette nuit-là. Je n'ai jamais connu ça à ce point, une douleur vive, là en bas, juste là, et une pulsation, le souffle coupé.

Jordy Brennan, à qui je n'ai jamais adressé un regard.

Ensuite, je suis le point d'appeler Beth pour notre autopsie nocturne, mais je décide de ne pas le faire.

Je pense qu'elle sera fâchée contre moi que je ne l'aie pas attendue après les cours. Ou pour une autre raison. Elle est souvent fâchée contre moi, surtout depuis l'été dernier et le camp de cheerleaders, quand les choses ont commencé à changer entre nous. J'en ai eu assez de tous mes devoirs de lieutenante et de ses méthodes radicales, alors je me suis mise à m'entraîner avec d'autres filles du camp. Entre Beth et moi, c'est profond. Nous avons une longue histoire qui nous relie solidement.

Alors j'appelle Emily à la place et nous parlons pendant presque une heure de *basket toss*[1], de sa périostite tibiale et de la cire spéciale que Brinnie Cox a achetée aux Bermudes pour arracher tous ses poils de fille.

De tout, sauf des garçons et de la Coach. Ma tête est une chose brûlante qui cliquette. Je veux la calmer. Je veux la faire taire et je serre mes jambes l'une contre l'autre, tendues, et je replie mon estomac sur lui-même. J'écoute inlassablement la voix grinçante d'Emily, la façon dont elle crépite, en dansant d'un pied léger, sans jamais, jamais dire quoi que ce soit.

---

1. Acrobatie chez les cheerleaders consistant à lancer une personne en l'air, à plusieurs, avant de la rattraper.

5.

Nous nous améliorons sans cesse.

Nous répétons différents mouvements, concentrées. Emily a réussi à faire son flip arrière, ce que nous n'aurions jamais cru. Nous sommes plus fortes et nous apprenons à sentir le corps des autres, à savoir quand nous ne tomberons pas.

La nuit, dans mon lit, j'entends les bruits sourds sur le parquet du gymnase, j'entends ce bruit dans mes os, au centre de mon corps.

Je sens déjà la poussée de mes muscles sous ma peau. Je commence même à manger, car si je ne mange pas, j'ai des vertiges. La première semaine, je me suis évanouie deux fois en cours de maths, et la deuxième fois, je me suis cogné la tête BANG sur le bord d'une table.

Je ne peux pas tolérer ça, dit la Coach.

« Tu ne peux pas faire du tapis de course avant l'école et espérer ensuite tenir jusqu'au déjeuner avec seulement ton Coca Light », dit-elle en venant me voir dans le bureau de l'infirmière. Elle fait irruption avec une telle détermination que l'infirmière Vance, avec son torse de bûcheron, deux fois plus grande qu'elle, fait un bond en arrière.

Ses mains fouillent dans mon sac à main, elle me lance le sachet de bonbons sans sucre sur la poitrine.

Je suis censée les jeter, ce que je fais illico.

« Ne t'inquiète pas, dit-elle. Avec moi, personne ne grossit. »

Alors je commence avec les blancs d'œuf, les amandes et les épinards, semblables à des feuilles de nénuphar fanées entre mes dents. C'est très ennuyeux, ce n'est pas du tout comme manger, car vous ne sentez pas le crissement sucré sur votre langue toute la journée et toute la nuit, qui chante au bord de vos dents.

Mais mon corps se tend. Dur et lisse, comme le sien ; la taille réduite à presque rien, comme la sienne.

La démarche, sa démarche, les pieds comme une ballerine. Je me demande si la Coach a été danseuse autrefois, les cheveux attachés en un chignon brun féroce, les clavicules saillantes.

Nous copions toutes cette démarche.

Sauf Beth, et certaines autres filles comme Tacy Slaussen, plus sensible au regard noir de Beth, à sa façon de porter sa jupe taille basse, de rejoindre discrètement l'équipe des étudiants de première année, perchés dans les gradins pour nous regarder. Sa façon de tendre le bras pour arracher le pompon sur les chaussettes d'une des filles et le plonger dans son gobelet de Coca.

Voilà ce que fait Beth, pendant que certaines d'entre nous deviennent fermes et belles.

Jordy Brennan, rapide sur la piste, un cordon emmêlé et souple sort de ses petits écouteurs.

Je l'observe quatre jours d'affilée, sous les gradins, le poignet enroulé autour d'un poteau, mes doigts se crispent et se relâchent.

« Tu as un faible pour les septums déviés, Addy-Lubie ? demande Beth.

— Je ne sais pas, dis-je en grattant mes paumes.

— C'est quoi, cette histoire, d'abord ? Il est aussi ennuyeux qu'une planche de bois. »

Elle fait tinter le poteau des gradins en aluminium.

« Il a l'air de quelqu'un qui pense, dis-je en sautillant un peu sur la pointe des pieds, avec l'impression d'être une cheerleader idiote. Et peut-être qu'il pense vraiment à des choses.

— Des pensées profondes, dit Beth en resserrant sa queue-de-cheval. Sur les chaussures Puma. »

Je ne lui ai pas répété ce qu'avait dit la Coach. Je n'avais pas envie, quelque part, que Beth sache qu'elle m'avait ramenée chez moi.

Beth quitte le squelette des gradins et glisse jusqu'au bord de la piste.

Il court vers nous, le *pff-pff* résonne bruyamment en moi et produit des secousses entre mes cuisses.

« Jordy Brennan ! crie Beth, d'une voix forte et claire. Viens ici. »

Ça cogne dans ma poitrine quand il ralentit pour s'arrêter juste après nous, puis il fait demi-tour et se met à marcher à grandes enjambées comme un type cool.

« Ouais ? fait-il, et de près ses yeux aussi verts et inexpressifs qu'un tapis de poker.

— Jordy Brennan, dit Beth en jetant sa cigarette par terre, c'est ton jour de chance. »

Un quart d'heure plus tard, nous roulons tous les trois à bord de sa Malibu vérolée, Beth le dirige vers l'épicerie de Royston Road, là où tous les joueurs de foot achètent leur bière au type lugubre derrière le comptoir, avec un supplément de cinq dollars uniquement pour le sac en plastique.

Nous prenons des bouteilles d'un litre, que je n'ai jamais aimées, la bière est tiède et amère quand vous arrivez à la moitié, et nous poussons jusqu'à Sutton Ridge, là où cette fille a sauté dans le vide au printemps dernier.

Dix-sept ans, le cœur brisé, elle a sauté.

RiRi a tout vu depuis la voiture de Blake Barnett.

Juste avant, RiRi a vu un chat-huant jaillir de derrière le réservoir d'eau.

Elle a levé les yeux, tout comme Blake, vers la crête ravinée. Un endroit hanté par des Indiens ruinés, c'est du moins ce qu'on entendait dire quand on était gamins, à Halloween. Des jeunes filles apaches faisaient le saut de l'ange par amour, à cause des hommes blancs qui les avaient abandonnées.

Ensemble, RiRi et Blake ont regardé.

Blake a reconnu une fille de St Reggie et il a failli l'appeler, mais il ne l'a pas fait.

Les bras écartés, les mains tournoyant bizarrement, elle marchait à reculons, très vite.

RiRi a regardé, du début à la fin.

Elle a dit que c'était affreux et beau d'une certaine façon.

J'en suis sûre, sauter de si haut, dans la luxuriance sombre de ce ravin en deuil.

Nous contemplons peut-être toutes cette même gorge les nuits où nous macérons dans nos chagrins de femme.

Beth grimpe plus haut que nous sur la crête, en balançant sa bouteille de bière avec une grâce étonnante, Jordy appuie sa tête de gars costaud contre moi et m'embrasse en bavant pendant une demi-heure ou plus.

Il me confie que c'est un endroit particulier pour lui.

Parfois, la nuit, il monte jusqu'ici en courant, il écoute sa musique et il oublie tout.

« Peut-être, dit-il, que c'est pareil pour toi, le fait d'être cheerleader. »

Puis il promène ses mains sur moi, en douceur, ses grands yeux vides bien fermés, avec ses longs cils de fille. Et la drôle de façon dont son nez penche légèrement vers la droite, comme un nez de boxeur.

« Elle est mignonne, hein, Jordy ? » J'entends la voix de Beth flotter quelque part. « Quand elle te regarde dans les yeux ? »

Je pose mes lèvres sur sa pommette, près de son nez tordu, et il frissonne.

Ses cils mes chatouillent, ses grosses mains de garçon sont solennelles et turbulentes ; je sens toutes sortes d'interrogations et de surprises déferler en lui.

Tout cela m'émeut, puissamment, et cette journée dégage un parfum rare, le crépuscule vire au violet, et je dois être soûle, car je crois entendre la voix de Beth, au loin, tenir des propos insensés, me demander si je me sens différente et aimée.

Le nom de Jordy Brennan apparaît sur mon téléphone cette nuit-là, un texto austère plein de « tu » et d'interrogations prudentes. Mais la chose qui existait là-bas, ce sentiment qui était blotti en moi au bord du ravin, a déjà disparu.

Son désir, sa victoire si facile, et bien, ça m'ennuie. J'en connais chaque subtilité, car il n'y en a aucune.

Au lieu de cela, j'ai envie de revoir la Coach et de lui raconter. Je me demande ce qu'elle dira.

Beth m'appelle ensuite, et nous avons une longue conversation sinueuse, nous sentons encore le poids des bières.

Elle me demande si je me souviens quand nous nous suspendions aux cages à poules, en entrelaçant nos jambes, nous étions devenues très fortes, personne ne pouvait nous battre, et aucune de nous deux ne pouvait battre l'autre, mais nous décidions de lâcher les mains ensemble, à trois, et elle trichait toujours, je la laissais faire, debout sous elle, les yeux levés avec un grand sourire édenté, un sourire pré-orthodontique.

Ces réminiscences ne ressemblent pas à Beth, mais elle est ivre, et je crois qu'elle continue à boire, le cognac de sa mère ; elle paraît ébranlée par l'épisode du ravin, ou bien par d'autres choses.

« Je déteste la façon dont tout change, toujours, dit-elle. Mais pas toi. »

Le lendemain, sur le parking, la Coach penche la tête et m'adresse un soupçon de sourire.

Dans mon désir de lui présenter la chose, je ressens une étrange fierté. Comme si elle m'avait demandé d'exécuter un mouvement pour elle. « Montre-moi un *pop cradle*, Addy. Redresse-toi, redresse-toi… » Et me voilà avec les jambes tendues, et cette sensation quand mes pieds atterrissent sur le parquet, les effroyables vibrations dans mes chevilles, mes jambes, mes hanches.

Alors, je lui dis, en passant ma main sur ma bouche, comme si j'osais à peine le dire. *J'ai un peu fricoté. Jordy Brennan. Jordy Brennan. Comme vous me l'avez dit.*

« C'est lequel ? »

Je sens quelque chose tanguer en moi. Lequel ?

« Vous l'avez vu sur la piste. Vous m'avez parlé de lui. Vous m'avez parlé de lui et de ses baskets. Et de son nez tordu. »

Elle me regarde, calmement.

« Alors, il embrasse bien ? » demande-t-elle, et je ne sais toujours pas si elle se souvient de lui.

Je ne réponds pas.

« Il a ouvert la bouche d'emblée ? » demande-t-elle.

Tout d'abord, je crois avoir mal entendu.

« Ou est-ce que tu l'as obligé à faire un effort ? poursuit-elle avec un sourire en coin.

— Non, ce n'était pas du tout ça. » Est-ce qu'elle se moque de moi ?

« Alors, c'était comment ?

— Je ne sais pas. » J'évite son regard, j'ai le visage en feu. Bizarrement, j'ai l'impression de parler à un garçon, un mec, plus âgé, ou d'une autre école. « Je crois que je n'ai pas envie que ça aille plus loin. »

Elle me regarde et hoche la tête, comme si j'avais prononcé des paroles sages.

« Tu es une fille intelligente, Addy. » Après une pause, elle ajoute : « On peut commettre un tas d'erreurs, rien qu'en s'interrogeant sur les garçons. »

Je hoche la tête à mon tour, en pensant au mot qu'elle utilise, le mot « garçon ». Car c'est ce qu'est Jordy Brennan : un garçon. Un garçon. Pas même un mec.

La Coach est mariée à un homme, après tout. La Coach connaît le monde des hommes. Qui peut dire combien et quel genre.

Elle fait tinter ses clés de voiture entre ses doigts et se glisse à l'intérieur de sa voiture.

Elle me regarde à travers la vitre, avec un clin d'œil, mais c'est entre nous. Nous avons partagé quelque chose.

Et ça la rapproche de moi.

6.

« Où elle est ? » murmure RiRi, et ses boucles dorées se balancent de droite à gauche.

Beth est en retard à l'entraînement, et je me demande si elle va venir.

Quelque chose a changé en elle, et je crois que c'est un peu comme si elle continuait à être capitaine sans pouvoir commander : elle gratte un membre amputé.

La semaine dernière elle a manqué deux fois notre AG nocturne, quand nous nous attardons sur les ragots de la journée : qui s'est humilié, qui a un soutif miteux et qui a un gros cul qui alourdit toute l'équipe. Nous échangeons ces conversations tous les soirs depuis toujours. Mais mardi, j'ai oublié d'appeler, et jeudi, elle n'a pas répondu. Mais je l'entendais respirer, d'une certaine façon, je sentais

54

qu'elle regardait l'écran de son portable clignoter *Addy Addy.*

La Coach fait rouler le chariot du magnétoscope dans le gymnase, les doigts serrés autour de la télécommande.

« Il y a un certain progrès », déclare-t-elle.

Nous nous regardons. Ces jupes à volants jaunes qui bondissent sur l'écran, bronzage artificiel et queues-de-cheval sautillantes, comme toujours. Mais nous ne remuons plus les hanches. Nous évoluons parfaitement en rythme, nous formons un triple V, nous sautons et touchons nos orteils toutes en même temps. Quand nous effectuons notre enchaînement, je n'en crois pas mes yeux, ou presque ; on dirait un seul et long mille-pattes qui s'enroule et se déroule.

Nous sommes synchrones. Nous sommes fermes. Nous sommes guerrières et précises.

« Où est Cassidy ? » demande la Coach, et tous nos regards se détachent de l'écran.

Si vous avez ne serait-ce que dix secondes de retard – des secondes qu'elle compte en tapant du pied comme notre prof de gym en cours élémentaire –, vous êtes privée d'entraînement. Un jour, Emily a débarqué à la cinquième seconde, le front dégoulinant de sang : en voulant se dépêcher, elle s'était coincé la tête dans la porte de son casier.

« Je crois que… » J'essaie d'inventer une excuse.

Au même moment, je vois la poche du sweat-shirt à capuche de Tacy Slaussen émettre un clignotement rouge, une basse attaque le refrain d'un morceau de rap.

Elle avait oublié que son portable était allumé, et la voilà prise au piège.

Je sais que c'est la sonnerie de Beth.

Tous les ans, il y a des nouvelles comme Tacy qui ont le béguin pour Beth, prêtes à sécher le dernier cours pour aller lui chercher une boisson énergisante ou relever des défis, comme traverser en courant le centre commercial de Sutton Grove avec le jean descendu sur les hanches pour montrer son string aux vigiles. Beth adore faire courir ces filles.

Je lance un regard noir à Tacy, j'essaie de l'obliger à rester calme, mais son visage est ravagé par la panique.

En un éclair, la Coach est sur elle, la main dans la poche de Tacy.

Le téléphone glisse sur le sol en tournoyant furieusement, jusqu'à la cloison en accordéon derrière laquelle l'équipe junior scande joyeusement son cri de ralliement.

La mâchoire de Tacy tremble.

Étant donné que nous n'avons jamais vu la Coach dans cette situation, je ne sais pas pourquoi nous avons toutes l'impression qu'un marteau nous écrase la poitrine. Mais c'est le cas.

La Coach ne dit rien. Pendant dix, vingt secondes.

Elle ne semble pas particulièrement en colère.

Elle a plutôt l'air las.

C'est du mépris.

« Vous toutes, avec vos putains de téléphones et vos pauvres petits textos, dit-elle en secouant la tête. Il y a dix ou douze ans, c'étaient les bouts de papier pliés qu'elles faisaient circuler en classe. C'est tout aussi pathétique. Non, ça l'est plus.

En une fraction de seconde, c'est comme si tout notre travail acharné, encore figé sur l'écran du téléviseur, avait été balayé.

Et je me sens tellement bête avec mon putain de portable débile, et les petites housses que j'ai achetées – rose vif, rayée, léopard –, ce portable qui ne quitte jamais ma paume, une créature vivante qui, maintenant, semble battre à la place de mon cœur.

Et nous savons tous qui est la fautive.

Tacy secoue la tête de droite à gauche ; c'est pire, bien pire, que la fois où Beth l'a expulsée de sa voiture parce qu'elle avait renversé de l'alcool de pêche sur ses bottes en cuir neuves, brillantes comme de la réglisse, magnifiques, et foutues depuis.

« Je suis désolée, Coach, bredouille Tacy. Je suis désolée. »

La Coach se contente de la regarder, et son regard me fait penser à la virole du bec Bunsen, fermée à fond.

Plus tard, la Coach, en train de fumer devant la fenêtre entrouverte de son bureau, repense à cette pauvre Tacy avec ses cheveux ternes, raides, et ses sourcils surpris.

« C'est un mouton », soupire-t-elle.

Je suis soulagée de ne pas être une de ces filles pathétiques avec leur putain de téléphone.

« Une équipe a besoin de moutons, ajoute-t-elle. Très bien. »

J'opine, la tempe appuyée contre le carreau froid, les jambes encore tremblantes après l'entraînement.

« Mais je ne perds pas mon temps avec des moutons, dit-elle. Ça ne rapporte rien. »

Je hoche la tête de nouveau, plus lentement, mon front crisse contre le carreau.

« Mais toi, Hanlon. Tu as compris ce que tu veux, dit-elle en regardant fixement sa cigarette, comme si celle-ci lui disait quelque chose. Et c'est ce que tu dois faire. »

Je continue à hocher la tête, en me tenant bien droite, en me redressant pour elle.

Elle regarde toujours sa cigarette, mais son visage se relâche lentement, il s'adoucit sous l'effet de la jeunesse, de la peur et de l'étonnement.

Je n'avais pas encore vu ça chez elle, et c'est comme si les années filaient à reculons : deux filles réfugiées dans les toilettes se cachent pour échapper aux horreurs du monde, brûlant leur gorge et leurs poumons, pour avoir le courage d'affronter ces mêmes horreurs avec de grands sourires et des chaussures blanches.

Beth se présente à l'entraînement le lendemain. Un mot émanant du Living Heart Medical Spa informe la Coach que Beth souffrait, la veille, de graves crampes menstruelles qui ont nécessité une séance de thérapie acoustique en urgence.

« Sans blague, Coach, ils font tinter des grosses four-chettes, comme celles qui servent à retourner les steaks sur un barbecue, explique Beth, et aucune de nous n'ose la regarder. Et rien que le bruit, ça vous siffle dans tout le corps et ça vous remet les ovaires d'aplomb. »

Beth passe sa main sur ses hanches, comme pour nous montrer que ses ovaires sont tranquilles et domptés main-tenant. Elle les a vaincus.

« C'est dur d'être une fille », ajoute Beth en secouant la tête avec une lassitude très travaillée.

La Coach la regarde, les mains légèrement refermées autour de sa planchette à pince. Impassible.

Elle refuse de jouer.

Au lieu de ça, elle regarde à travers Beth, sans la voir.

« Le timing est mauvais au niveau des sauts groupés », dit-elle en lui tournant le dos.

C'est tout ?

« Et je sais pourquoi, ajoute-t-elle. Je vois tout ce sucre qui vous enveloppe. La mauvaise hygiène de vie vous fait briller. »

Soudain, j'ai totalement oublié Beth et je sens uniquement toute cette graisse sur moi. Malgré tous mes efforts, je fais des écarts, et j'ai l'impression que la Coach ne regarde que moi, et qu'elle voit les roulés à la cannelle que j'ai mangés en douce ce matin. J'en ai mal aux dents. J'en ai le ventre gonflé. Je me sens faible et souillée.

« On va en mettre un sacré coup aujourd'hui. On va travailler des endroits que même les diapasons ne peuvent pas atteindre. En ligne. »

C'est à ce moment que nous comprenons : nous payons pour les péchés de Beth.

Ça commence par les sauts, puis ce sont les levers de jambe, les abdos sur le parquet et la course dans le gymnase, jusqu'à ce que RiRi vomisse dans un coin, un mélange liquide de Slim-Fast et de donuts sans sucre.

Beth, elle, tient bon. Je dois le reconnaître. Au moins, elle n'aggrave pas notre cas. La sueur brille sur son corps, tachette ses cils, elle l'essuie. Elle assure.

Elle ne s'assoit pas après, alors que nous nous écroulons toutes sur les tapis, nos membres en sueur entremêlés. Elle ne s'assoit pas, elle ne veut pas laisser échapper sa

détermination. Elle possède une telle fierté que, même si je
méfie d'elle, de son agressivité, de ses provocations, je ne
peux pas dire qu'il n'y a pas autre chose qui rayonne en
moi. Une ancienne braise ravivée. Beth, cette vieille Beth,
avant le lycée, avant Ben Trammel, tous les garçons et
l'auto-apitoiement, le divorce, l'Adderall[1] et les exclusions.

Cette même Beth sur le parking à vélos, au cours
élémentaire, avec ses nattes qui pendent, menton dressé,
serrant dans ses poings une paire de ciseaux émoussés et la
plantant dans le pneu de Brady Carr. Brady Carr qui
m'avait poussée du tourniquet, m'arrachant un long
lambeau de peau, de la cheville jusqu'au genou.

En arrachant le caoutchouc du pneu, les ongles en sang,
elle leva les yeux vers moi avec un sourire jusqu'aux
oreilles, les dents de devant écartées, sauvage et héroïque.

Comment oublier cela ?

Nous voulons toutes « passer au stade supérieur », c'est
l'expression que nous employons. Pour nous, le stade supérieur, ça veut dire faire un vrai *basket toss* avec trois ou
quatre filles qui lancent une voltigeuse, à cinq, six, sept
mètres du sol, et la voltigeuse qui retombe dans leurs bras
en faisant des vrilles. Même Beth n'a jamais fait ça, pas
aussi haut, pas sans tapis. Nous n'avons jamais été ce genre
d'équipe, une équipe de tournois. Une équipe sérieuse.

Une fois qu'on maîtrise le *basket toss*, on peut faire
de vraies cascades, de vraies pyramides, car il y a des

---

1. L'Adderall est une amphétamine régulièrement utilisée par les étudiants améri-
cains.

pyramides qui se terminent par de véritables vols planés, avec des filles propulsées dans les airs. Le truc dément, à couper le souffle, dont nous avons toujours rêvé.

Toute la journée nous avons regardé des *basket tosses* sur YouTube, nous avons regardé une succession de filles alertes se faire projeter en l'air par leurs camarades plus costaudes et essayer ensuite de monter le plus haut possible. Bras écartés, dos arqué, elles veulent attraper quelque chose, et elles s'arrêtent seulement quand il le faut.

Mais on regarde surtout des filles tomber.

« Une fille de St Reggie est morte en faisant un *basket toss* à cette hauteur l'an dernier, dit Emily d'une voix grave, comme si elle donnait une conférence de presse à la télé. Elle est retombée à plat ventre sur les bras des autres filles, et sa rate a éclaté comme un ballon.

— La rate, ça n'éclate pas, rétorque Beth, sans que l'on sache très bien d'où lui vient ce savoir.

— Mais j'ai entendu dire qu'elle avait une mononucléose, dit une autre fille.

— Quel rapport ?

— Ça fait gonfler la rate.

— Personne ici n'a la mononucléose.

— On ne le sait pas forcément.

— Dans l'école de ma cousine, c'est interdit, dit une fille.

— On ne peut pas interdire la mononucléose, rétorque Beth.

— Tu n'as même pas le droit de le faire sur des parquets à ressorts.

— Qui est capable de mettre ses talons derrière sa tête comme ça ? s'interroge RiRi en levant une jambe.

— Toi, dit Beth. Tous les samedis soir.

— Alors, tu te sens prête, Beth ? demande Emily.

— Prête pour quoi ? »

Tacy fait rouler ses yeux.

« Comme si ça pouvait être quelqu'un d'autre que toi, Beth. Tu es la Top Girl. »

Beth sourit presque.

C'est un soulagement. De voir à quel point elle le désire. Quand la Coach lui aura donné ce numéro, tout ira mieux. *Peut-être même*, pensé-je, l'esprit dérangé par la faim, *qu'elles deviendront amies.*

Évidemment, nous le désirons toutes. (Y compris moi, avec mes douze centimètres de plus que Beth, un drame de la naissance.) C'est le numéro vedette, et nous sentons nos corps se durcir, nous sentons notre vitesse augmenter, notre sang battre, épais et fort.

Les lancers, les pyramides à trois étages, les *tabletops*, les *thigh stands*, les *split stands*, les *Wolf Walls*... La Coach affirme que c'est ce qui vous différencie de n'importe quelle équipe de filles qui remuent leur cul.

« Alors, nous ne sommes pas une équipe de filles qui remuent leur cul ? murmure Beth, d'une voix enrouée, les yeux injectés de sang et d'ennui. Si j'avais voulu devenir une athlète, dit-elle, j'aurais rejoint les autres gouines sur le terrain de hockey. »

Trois heures sept, la Coach entre dans le gymnase sans se presser, les cheveux attachés en une queue-de-cheval souple.

« On va attaquer le *toss*, déclare-t-elle. Il faut quatre filles pour faire le socle au-dessous, deux porteuses, plus un poste devant et un poste derrière pour avoir assez de force. » Elle s'interrompt, puis ajoute : « Mais qui sera notre voltigeuse ? »

Nos deux porteuses d'enfer, Mindy et Cori Brisky, avec leurs jambes comme des poteaux en titane, s'avancent tranquillement en nous regardant. Elles se demandent laquelle de nos vies dépendra de la résistance de leurs clavicules, sur lesquelles reposeront nos pieds, pour s'élever très haut.

Pendant une seconde, je pense que ça pourrait être moi.

Et pourquoi ce ne serait pas moi qui ferais une vrille dans les airs, propulsée vers le ciel, tous les yeux braqués sur moi, mon corps dur comme une balle, magnifique ?

Mais il faut que ce soit Beth. Nous le savons toutes. Beth s'est pratiquement avancée, avec son mètre cinquante et ses quarante kilos, le ventre aussi plat qu'une personne nourrie uniquement au goudron et à l'acide de batterie.

C'est elle notre voltigeuse. Malgré les entraînements manqués, l'insolence, elle reste notre voltigeuse. Évidemment.

(Sauf cette voix intérieure qui dit : Moi, moi, moi. Ça devrait être moi. Mais si ce n'est pas moi, alors Beth.)

« Slaussen », dit la Coach en se tournant vers Tacy, la brebis.

Je me sens couler comme une pierre.

« Prête à voler ? » lui demande-t-elle.

Le silence s'empare de tout, l'atmosphère devient étouffante.

Pas Beth.

Mais *Tacy* ?

Tacy Slaussen, cette petite chose inexistante aux yeux roses, que Beth surnommait « lapin russe » ?

Puis je comprends. La Coach a fait monter Tacy – Tacy et son téléphone qui aboie, Tacy la petite chienne de Beth – sur la guillotine.

Dans ma tête, j'entends le craquement qui fait *boum* dans les oreilles, la tête qui heurte le sol du gymnase. La rate pulvérisée. Il y a tellement de façons de se tromper, de se détruire. Vos jambes semblables à des barrettes tordues, votre corps brisé comme une allumette.

Un joli monde de joliesse décimé en une seconde fracassante.

Était-ce ce que je voulais secrètement, il y a quelques secondes ?

Oui. Et je le veux encore. Ces douze centimètres, et personne ne me le demandera jamais.

Aucune d'entre nous n'ose regarder Beth, mais nous observons toutes Tacy, son visage empourpré. On voit battre son cœur partout sur sa peau.

Quand je jette un coup d'œil furtif à Beth, je constate qu'elle ne lève même pas la tête, elle transforme les cordons de son sweat-shirt à capuche en sucre d'orge entortillé.

« Coughlin, dit la Coach à Mindy, dont les épaules massives sont cernées de bleus deux saisons par an. Elle est à toi. Qu'en penses-tu ? »

Mindy jauge Tacy.

« Je pourrais la soutenir sans problème, répond-elle en regardant la Coach comme un chien qui agite sa queue.

La Coach opine.

« Alors, levez-la, qu'on voie ce dont elle est capable. *Un-deux...*

Mindy et Cori s'agrippent par les poignets et forment un carré.

« *Trois-quatre...* », compte la Coach.

Tacy, ses membres semblables à des tiges offerts mollement, pose son pied à l'intérieur de leur panier de poignets tressés. Une main épaisse dans le dos de Tacy, l'autre juste sous ses fesses, Paige Shepherd, l'aide à se hisser.

« *Cinq-six...* »

Mindy et Cori soulèvent Tacy de la taille aux épaules, Tacy cherche frénétiquement un appui à tâtons, Paige court se placer derrière pour la retenir.

Et hop, elle s'élève.

« *Sept-huit !* »

Les filles, les doigts crispés, les jambes vacillantes, la lancent en l'air.

Tacy a la bouche ouverte, pétrifiée.

Dans le vide.

Tout son corps tremble comme une corde que l'on fait vibrer.

Trop effrayée pour effectuer un saut groupé, carpé, écart, ou quoi que ce soit.

« Amortissez ! » crie la Coach.

Tacy retombe, les trois filles se précipitent, une des jambes de Tacy se coince dans la clavicule de Mindy.

Mais elles la rattrapent. Elles ne la laissent pas heurter le sol.

Tacy décompresse en pleurant comme une petite chienne.

Pendant une heure, Tacy tombe et retombe, encore et encore.

Pied au visage. Tibia à l'épaule. Visage au tapis.

La colère de Mindy et de Cori augmente à mesure qu'elles prennent des coups ; elles l'envoient en l'air avec de plus en plus de force.

Tacy se met à sangloter au bout d'une demi-heure et ne s'arrête plus.

Appelée dans son bureau par un coup de téléphone, la Coach charge Beth de compter les temps à sa place.

Beth la regarde, la bouche pincée, sans rien dire. Mais quand la porte du bureau se referme, elle se met à compter.

Un-deux-trois-quatre… *Putain, Slaussen, l'ex-ten-sion !*

Qui peut nier que c'est un coup de génie ? Prendre la couronne de la princesse pour la donner à sa dame de compagnie. Sa servante. Sa domestique.

Jamais, durant toutes mes années de lieutenante, je n'avais vu quelqu'un affronter ouvertement Beth. Jamais quelqu'un qui ne pouvait pas être terrassé par une rumeur pervertie sur Facebook, une image photoshoppée (RiRi en train de frimer pendant le *spring break*), ou le texto chapardé et envoyé à tout le lycée. Là, c'était différent.

Différent parce que personne ne l'avait jamais défiée, et différent parce que personne n'avait jamais voulu le faire à notre place. La Coach l'avait fait pour nous.

Et sa volonté était peut-être aussi forte que celle de Beth. Peut-être.

En regardant Tacy, le tibia strié de marques rouges, un long hématome prêt à fleurir sur son avant-bras, nous savons toutes ce qui s'est passé.

Nous savons toutes pourquoi, ce samedi, Tacy atterrira à une vitesse terrible et juste dans nos bras maigres, des bras affaiblis par dix heures de tisane de régime et de lamelles de céleri, nous savons toutes pourquoi.

Parce que la Coach a vu Beth sous son vrai jour et elle sait qu'elle doit la renverser.

Et Tacy ?

Un pion.

Deux jours avant le match, nous nous entraînons comme si la vie de Tacy en dépendait, puisque c'est le cas.

Je suis placée devant, car la Coach dit que je compense par ma concentration la force qui me fait défaut.

Nous commençons par un simple saut en l'air, pas de vrille, ni de saut carpé, ni de *kick arches*. Nous nous sommes entraînées toute la semaine et pas une seule fois nous n'avons loupé notre coup : nos mains enserrent nos poignets verrouillés, nos bras sont solides, vissés : un vrai petit berceau de fille pour les pieds mal assurés de Tacy.

Puis nous tendons nos bras comme des ressorts pour propulser son corps tremblant, tous nos yeux fixés sur elle, nous lui faisons cette promesse, la panique sur son visage pendant qu'elle vole, vole, vole.

Mais si nous avions glissé, n'importe laquelle d'entre nous, si un de nos bras avait faibli, si sa jambe s'était repliée dans le mauvais sens, si son corps avait vrillé d'un ou deux centimètres, elle aurait heurté le plancher.

Et quand nous essayons de l'envoyer plus haut, ses atterrissages sont plus brutaux. Il y a des accidents : un coude dans l'œil, un index retourné, la main tendue de Tacy qui me griffe le visage.

Mais je me concentre sur elle, je ne montre pas ma peur. C'est ce que me dit la Coach. « Ne la laisse pas transparaître ou sinon, elle va t'avaler. »

Elle nous explique que l'on peut faire une chute de quatre mètres et atterrir sans danger sur un plancher à ressorts, notre parquet d'entraînement.

Elle dit cela en sachant que, le jour du match, Tacy s'envolera non pas au-dessus d'un plancher à ressorts, mais au-dessus du sol impitoyable du terrain de football des Mohawks.

« Slaussen, dit-elle, tu dois le vouloir. Ne le fais pas si tu n'en as pas envie. »

Et Tacy, le dos plus droit, le regard plus clair, le menton plus haut que je ne l'ai jamais vu chez cette fille docile et faible, répond :

« Je le veux, Coach. Je le veux. »

Tacy. La convertie aux coups sur la tête.

Je sens Beth lever les yeux au ciel sans avoir besoin de la regarder.

« Je savais bien qu'elle nous faisait perdre notre temps, celle-là », dit-elle.

Mais je ne réponds pas. J'observe le regard avide de Tacy.

Le vendredi soir, quand nous posons le pied sur le terrain des Mohawks, le sol gelé sous nos pieds, comment ne pas imaginer le crâne de Tacy se fendant délicatement en deux ?

Et deux des garces de l'équipe des Mohawks, les plus grandes et élancées, avec des jambes sans fin, nous entourent et commencent à nous mettre la pression avec des histoires de sport sanglantes. Un mélange de mensonges, de fanfaronnades, d'injures et de camaraderie.

« En junior, une fille devait assurer une nouvelle voltigeuse qui apprenait la vrille, dit la blonde des Mohawks en faisant claquer son chewing-gum, et quand la voltigeuse a pivoté, ses jambes se sont écartées et ont assommé les deux porteuses. L'une a eu la lèvre fendue et l'autre a dû se faire recoller une plaie au visage. La coach a tout filmé et elle nous repasse la scène dans toutes nos fêtes d'après-match.

— Je m'entraînais au flip arrière, ajoute la rousse filiforme. Et j'ai donné un coup de pied à Heather, je lui ai fait sauter toutes ses dents. C'était dément. Il y avait des dents et du sang partout. J'étais super mal. »

Il y a un moment où on retient son souffle. Je sais comment ça se passe. C'est amusant quand vous le faites, c'est comme écouter une histoire de fantômes.

Mais dans quarante-cinq minutes, ce ne sera pas amusant pour Tacy, à cinq mètres du sol, tenue par deux filles chétives, prêtes à la lancer en l'air.

Tacy est grise, presque verte.

Beth approche d'un pas tranquille. Elle m'adresse un regard, que je reconnais, du temps où elle était capitaine. Je hoche la tête.

J'interromps tout le monde.

« Ça suffit. Vous, je ne sais pas, mais nous, on préfère utiliser les quelques minutes avant le match pour se faire belles. »

Mais la blonde des Mohawks, qui ne quitte pas Tacy des yeux, continue à la harceler.

« Cette gamine, elle avait un corps comme le tien. Elle a heurté le bord du trampoline, méchamment. Sa tête pissait le sang, et on a dû l'emmener aux urgences. En fait, la peau de son crâne s'était ouverte et on voyait le truc rose en dessous. Il a fallu tout refermer avec des agrafes. Ensuite, plus moyen de la persuader de revenir dans l'équipe, malgré tous nos efforts. Maintenant, elle ne fait plus rien.

— Slaussen ! crie Beth dressée au-dessus de nous. La Coach te demande. »

Tacy détale comme un lapin.

Pendant une seconde, je crois que c'est terminé. Mais non.

Beth observe les deux Mohawks.

« Un jour, commence-t-elle, et je sais ce qu'elle va faire, c'est pour cela qu'elle était capitaine, j'étais debout sur les épaules d'une fille, j'ai glissé et je suis tombée sur le dos. »

Tout le monde fait « Oh ! » poliment.

J'ajoute :

« Ses os ont craqué si fort que ça s'est entendu sur le parking. »

Beth enchaîne :

« La première chose à laquelle j'ai pensé, c'est : comment je vais l'annoncer à ma mère ? » Tout le monde hoche la tête d'un air approbateur. « J'ai eu de la chance, dit-elle en posant son regard froid sur les Mohawks, qui tremblent un peu maintenant avec leurs longs membres. Je ne suis restée paralysée que six semaines. Ils m'ont vissé un anneau en métal dans le crâne, avec des broches pour maintenir ma tête et mon cou en place. On appelle ça une orthèse cervicale, si vous voulez tout savoir. »

Parfaitement synchrones toutes les deux, comme au bon vieux temps, avant la Coach, avant l'été dernier.

Je tends la main et caresse les cheveux de Beth du bout des doigts, en disant :

« D'après les médecins, si elle était tombée deux centimètres plus à droite ou à gauche, elle serait morte.

— Mais je ne suis pas morte, enchaîne Beth. Et rien ne pourrait m'empêcher de rester cheerleader. Ils m'ont posé un plâtre violet super cool. Et la coach a dit qu'elle n'avait jamais eu de meilleure voltigeuse. »

Sous les rampes des lumières du stade, le visage de Tacy est rougi par la détermination et l'obsession, nous la soulevons, ses mains lâchent nos épaules tremblantes, et elle s'envole, les jambes tendues de chaque côté, les bras plaqués contre les oreilles, plus haut que je ne l'ai jamais vue.

Si haut qu'un tremblement violent nous parcourt toutes, nos bras joints vibrent d'admiration et d'émerveillement.

Une vibration si forte qu'elle me traverse, véritablement, et je sens mon bras gauche se relâcher, très légèrement ; un frisson me traverse, et si RiRi n'avait pas été à côté de moi, pour sentir la secousse, me communiquer sa terreur en un éclair, faisant naître un voile de panique étoilé devant mes yeux, je n'aurais pas réinsufflé cette volonté dans mon sang, mes muscles, et tout le reste.

Tendus et inflexibles, pour Tacy, qui semble demeurer en l'air plusieurs minutes : une créature radieuse aux cheveux blond-blanc déployés comme des ailes, et qui s'enfonce enfin, avec extase, dans nos bras.

Quelques heures plus tard, nous sommes dans la voiture du père d'Emily, buvant en douce des gorgées d'alcool de mûre, volé dans le garage de RiRi où son frère le cache.

Nous attendons sur le parking de l'Electric Canyon, dont l'enseigne au néon irradie le sexe et le chaos, l'alcool chatouille nos bouches et nos ventres de manière presque insupportable.

Nous n'avons jamais mis les pieds dans Haber Road, sauf la fois où nous avons accompagné la sœur de RiRi à la clinique de la Femme moderne pour obtenir de l'ofloxacine. Elle nous a raconté ensuite qu'elle avait failli mourir étouffée quand ils lui avaient enfoncé ce gros tampon dans la bouche, mais c'était quand même mieux que ce que Tim Martinson lui avait fourré dans le gosier.

Nous avons toutes ri, même si ça ne semblait pas très drôle et qu'aucune d'entre nous n'avait envie de se retrouver à la clinique de la Femme moderne, avec la moquette feutrée, les néons qui bourdonnaient et la fille derrière le comptoir de la réception qui fredonnait.

Une heure s'écoule avant que Tacy sorte enfin de l'Electric Canyon, en abaissant légèrement son jean pour nous montrer l'aigle de Sutton Grove qui y déployait ses ailes ; la jalousie est si forte qu'elle me fait presque éclater.

La Coach a refusé de nous accompagner, malgré nos supplications. Mais elle a filé quarante dollars à Tacy. Deux billets de vingt, lisses, fourrés dans les mains tremblantes de notre nouvelle voltigeuse.

Nous n'avions jamais entendu parler d'une coach qui faisait ça, jamais.

J'introduis mes doigts sous le pansement adhésif dans le creux de ses reins et je touche l'aigle rouge vif, faisant tressaillir Tacy de douleur et de plaisir.

Moi, moi, moi, ça devrait être moi.

7.

CINQUIÈME SEMAINE

« J'ai entendu certaines choses au sujet de Mme Colette French, me dit Beth. J'ai des relations.

— Beth... » Je connais ce ton. Je sais comment ça commence.

« Je n'ai rien à raconter pour l'instant, dit-elle, mais tiens-toi prête. »

Comme des morceaux de bambou que l'on introduit lentement sous les ongles. Elle a commencé.

Mais Beth se lasse vite également. Il faut que je m'en souvienne.

Alors je me réjouis quand Beth semble avoir trouvé quelque chose – quelqu'un – d'autre pour s'occuper.

Les lundis matin, la table de recrutement est installée dans le couloir du rez-de-chaussée près des laboratoires de langue.

Les affiches rouges qui hurlent, les plis lourds du drapeau.

Découvrez le chemin de votre honneur.

Les recruteurs en quête de sang d'adolescent, frais et rebelle.

« Au diable les cheerleaders, dit Beth. Je vais m'engager. »

Ils sont déjà venus l'an dernier et ils envoient toujours les soldats de la Garde nationale aux épaules les plus larges, aux yeux les plus bleus, ceux qui ont des bras comme des chênes noueux et des voix graves qui résonnent dans le couloir.

Mais cette année, ils ont choisi le sergent Will, dans un genre très différent. Avec sa mâchoire carrée et ses cheveux lisses, séparés par une raie au cordeau, il possède une beauté à laquelle nous ne sommes pas habituées. C'est un homme adulte, un homme dans la vraie vie.

Le sergent Will nous fait tourner la tête, avec ce mélange de dureté et de douceur, le profil taillé dans le granit atténué par la bouche délicate, la chaleur humaine des plis au coin des yeux, des yeux capables de capter des choses lointaines qui clignotent dans les néons. Il semble voir des choses que nous ne voyons pas, et y réfléchir avec une grande attention.

Il est âgé – il a peut-être trente-deux ans –, et c'est un homme différent de tous les autres hommes que nous connaissons ou avons connus.

Avant l'entraînement ou pendant le déjeuner, beaucoup de filles aiment traîner dans le coin et feuilleter les brochures. *Déployez vos ailes*, peut-on lire.

Séparée depuis peu de Patrick le Catholique, la ravissante RiRi passe beaucoup de temps penchée au-dessus de la table, les bras serrés de part et d'autre de sa poitrine, emprisonnée comme dans V, frottant son pied contre l'arrière de sa jambe, car ça plaît aux hommes, dit-elle.

« Personnellement, je trouve qu'ils préfèrent quand je fais passer ma jupe par-dessus ma tête, dit Beth, assise à côté de moi par terre, devant son casier. Tu devrais essayer, la prochaine fois.

— Et toi, peut-être que tu devrais apprendre des nouveaux trucs, rétorque RiRi en bâillant, les yeux fixés sur le sergent Will. Ce qui marchait avec ton prof d'éducation physique en primaire, ça risque de ne pas le faire avec ce gradé. »

C'est ainsi que ça commence. Beth se relève comme s'il s'agissait d'une provocation et demande à RiRi si elle a envie d'intéresser la partie.

Je vois au visage de RiRi qu'elle n'en a aucune envie, mais c'est l'appel de l'Ouest sauvage, l'heure du règlement de comptes au lycée de Sutton Grove. On entend l'étoile en fer-blanc tinter contre la poitrine de Beth.

C'est tellement mieux de voir Beth affronter RiRi la fêtarde que la Coach.

Non pas que Beth soit du genre à en découdre avec n'importe qui ni même avec la plupart des gens, mais quand ça lui arrive, c'est un vrai spectacle. Comme avec Ben Trammel ou la fois où tout le monde l'a vue avec Mike LaSalle, ébène contre ivoire, dans les buissons de houx de St Mary après un match. Les bras en feutrine du teddy de Mike étaient hérissés d'orties sur toute la longueur, et il avait le cou cloqué et rouge.

Tout le monde en parlait, mais c'était moi qui l'avais vue après. La douleur vive sur son visage, comme si elle ne savait pas pourquoi elle avait fait ça, l'inquiétude dans ses yeux, vaudouisée.

Nous cherchons à savoir, moi en tout cas. *Coach, c'est comment chez vous ? Coach, on aimerait bien connaître la petite Caitlin, vraiment.*

Coach, montrez-nous, montrez-nous, laissez-nous entrer.

Aucune d'entre nous ne croit qu'elle le fera. Nous essayons depuis cinq semaines. J'en rêve, je passe devant sa maison en voiture, comme le ferait un garçon.

Le samedi suivant, pour le match à domicile, Tacy exécute le *basket toss* comme si elle avait fait ça toute sa vie, elle ajoute même un saut carpé, et nous, nous réalisons une pyramide suspendue, avec Emily et Tacy qui se balancent aux bras de RiRi, ce qui provoque le délire dans le public.

Il y a une telle aisance dans tout cela. Sur le parking, ensuite, nous nous sentons tellement bien que nous pourrions décimer une armée d'envahisseurs ou participer aux compétitions régionales et même plus.

Beth soulève entre ses doigts une très jolie bouteille de rhum épicé, provenant d'un gars de l'équipe des Norsemen. Il veut faire la fête avec nous et promet une grosse animation au domicile de son oncle, sur le Far Ridge.

Exactement le genre de soirées folles pour lequel nous serions prêtes à organiser des manœuvres sans fin, échangeant des promesses et fabriquant des mensonges sophistiqués, une succession de coups de téléphone à la maison destinés à rassembler une flotte d'alibis qu'aucun parent ne pourra percer.

Beth est la maîtresse occulte de ces soirées ; on dirait qu'elle sait toujours dans quelle maison se cache la fête secrète, où se trouve la boîte dont le videur connaît son frère, ou bien l'endroit fréquenté par des étudiants, au bord de l'autoroute, là où on ne vous demande jamais votre carte d'identité, où le sol est collant de bière et les étudiants, contents de voir des filles comme nous qui ne leur posent jamais une seule question.

Mais alors que nous conspirons autour de la voiture de Beth, ma main caressant la bouteille empruntée, la bouche tapissée de clou de girofle et le visage empourpré par le rhum, la Coach passe à notre hauteur en faisant tinter bruyamment ses clés de voiture.

« Vous rentrez chez vous, Coach ? demande Emily en agitant sauvagement ses hanches affinées au Nutraslim, sur la musique qui jaillit de la stéréo de la voiture. Pourquoi vous ne venez pas avec nous, plutôt ? »

Nous sommes toutes estomaquées par l'intrépidité de pirate d'Emily. La tête de Tacy est perchée joyeusement sur son épaule, comme un perroquet.

La Coach esquisse un sourire, et ses yeux, songeurs maintenant, glissent derrière nous, en direction des fourrés sombres qui entourent le parking.

« Si vous veniez toutes chez moi, plutôt ? dit-elle, tout simplement. Pourquoi vous ne venez pas chez moi ? »

« L'odeur du désespoir, dit Beth, est épouvantable. »
Elle ne souhaite pas aller chez la Coach.

« Ce n'est pas mon rôle, ajoute-t-elle, alors que nous la regardons toutes d'un air ahuri, de lui donner l'impression qu'elle a de l'importance. »

Regroupées dans le vestibule, nous attendons que la Coach renvoie la baby-sitter, une femme âgée prénommée Barbara, vêtue d'un pull chenille orange qui lui descend jusqu'aux genoux.

Elle nous laisse glisser la tête par l'entrebâillement de la porte pour voir la petite Caitlin qui dort à poings fermés. C'est une chambre rose avec une de ces lanternes tournantes qui projettent des images de danseuses tremblotantes sur les murs.

Caitlin, blond vénitien, est blottie sous un drap en vichy rose, avec un bord brodé à travers lequel elle a passé un pouce rose.

Sa respiration est légère et rapide, et, même entassées dans l'encadrement de la porte, nous l'entendons. Emily et moi, c'est nous qui voulons la voir. Nous la regardons, avec ses anglaises douces et la sérénité de son visage rougi, en nous demandant à quoi ressemble cette sérénité et si nous l'avons connue un jour.

Nous sommes assises sur la véranda de derrière, moi, RiRi, Emily et la nouvellement courageuse Tacy, le petit lapin russe que nous ignorions autrefois et que nous serrons fièrement contre notre poitrine maintenant, notre recrue marquée au fer, notre fusée.

Nos bras froids enfouis à l'intérieur de nos blousons, très guindées au début, les jambes bien jointes, le dos droit, posant des questions d'un ton feutré, sur la maison, Caitlin, le mari de la Coach, Matt.

Nous sommes assises dans le froid, sur de longs bancs qui flanquent deux côtés de la véranda. Et la Coach, sur une chaise longue, se renversant peu à peu en arrière, les mains glissées dans les poches de son blouson, les cheveux étalés sur les lattes en teck, son visage se libérant lentement, lentement, des entraves de sa journée d'école, de sa rigueur et de son but.

La nuit semble importante, alors même qu'elle s'écoule. Un jour, Beth et moi avions connu une nuit semblable, la veille de notre entrée au lycée. Comme des gamines, nous avions pris le couteau suisse de son frère dans nos mains et serré de toutes nos forces, et plus tard Beth avait dit qu'elle sentait mon cœur battre dans ma main, et dans la sienne. Elle l'avait juré. Nous savions que cela avait une signification. Quelque chose était passé entre nous et ça durerait. Nous n'en parlons plus, c'était il y a un siècle, des guerres ont été gagnées ou perdues depuis.

Et tu n'es même pas *là*, ce soir, Beth.

Sur la véranda de la Coach, nous bavardons dans la nuit qui résonne, timidement tout d'abord, gênées, de tout et de rien, de l'avant des Mokawks avec ses jambes arquées, de la façon dont Sheehan, le principal du lycée, pivote sur un talon comme une dame quand il fait demi-tour dans le couloir, des cookies aux pépites de chocolat mal cuits à la cafétéria, du goût aigre des œufs crus et du bicarbonate de soude qui vous retourne l'estomac et vous donne envie de vomir.

Mais peu à peu, nous sentons la nuit sombre s'ouvrir parmi nous, entre nous, et RiRi parle de son père, qui a quitté la maison le mois dernier et qui pleure au téléphone chaque fois. Emily montre le tout premier pas de danse qu'elle a appris, et Tacy avoue qu'elle n'a jamais eu l'impression d'être aussi parfaite qu'en volant dans les airs.

Est-ce qu'un garçon lui procurerait cette sensation un jour ? Un *homme* ?

Nous regardons toutes la Coach, qui sourit, qui rit presque, renversée sur sa chaise longue, balançant une jambe au-dessus de l'autre.

« Ma petite, dit-elle, enjouée et légère, comme on l'entend rarement, tu n'as aucune idée des choses merveilleuses que les hommes te feront ressentir. »

Tacy sourit, comme nous toutes.

« Des choses horribles, également, ajoute la Coach, d'une voix moins forte. Mais les choses horribles... sont merveilleuses aussi, d'une certaine façon, je crois. »

Tacy pose les pieds au bout de la chaise longue.

« Comment est-ce qu'une chose horrible peut être merveilleuse ? » demande-t-elle, et je frémis légèrement. *Je sais, moi,* ai-je envie de répondre. *Je sais que toutes les choses merveilleuses sont horribles également.* Je ne sais pas comment je le sais, mais je le sais.

« Tu n'en sais pas encore suffisamment sur ce qui est merveilleux, répond la Coach, d'une voix encore plus fluette, la mine plus sombre, plus éloquente. Ou ce qui est horrible. »

Nous sommes très proches à cet instant, c'est comme si un fil électrique bourdonnait entre nous, et personne n'ose dire un mot, de peur de le briser, de le réduire au silence.

Il est très tard quand RiRi sort la flasque de sa poche en laine bouillie. Vodka Smirnoff, le choix de celui qui veut s'encanailler.

C'est un geste audacieux, mais, en l'absence de Beth, il faut bien que quelqu'un le soit.

« Si on buvait toutes une gorgée ? suggère-t-elle en se levant, les bras écartés, comme si elle voulait souligner l'importance de cet instant. Pour porter un toast en l'honneur de l'équipe, et surtout de notre Coach, qui a fait de nous… »

Elle s'interrompt et regarde autour d'elle ; nous la regardons toutes nerveusement, avidement. Nous la regardons et nous regardons la Coach, qui n'a pas bougé de sa chaise longue et qui ne quitte pas RiRi des yeux, comme si elle prenait une décision.

« À notre coach, qui a fait de nous des femmes, dit RiRi d'une voix plus assurée. »

Qui a fait de nous des femmes.

Dans la bouche de RiRi, qui n'a jamais rien dit de notable, jamais.

Soudain, je suis debout, sur les orteils même, le bras levé très haut, comme si je tenais une flûte de champagne et serrais un magnum givré dans l'autre main.

Emily et Tacy m'imitent rapidement, et nous voilà toutes debout maintenant, dominant la Coach, qui dresse le menton majestueusement pour nous accueillir.

RiRi boit délicatement une gorgée de vodka au goulot, puis agite la tête de droite à gauche sous l'effet du coup de fouet. Le baiser brutal et obscène. Nous en faisons autant. Je sens l'alcool brûler en moi, enflammer tout mon corps.

Je tends la flasque à la Coach, ma main tremble un peu, je me demande ce qu'elle va faire, si nous avons réussi quelque chose si nous l'avons entraînée avec nous dans quelque chose, que nous désirons toutes.

Son bras se lève sereinement, sans aucune hésitation, sa main se referme autour de la bouteille.

Elle l'incline, les doigts serrés, et elle boit.

De main en main, avec nos doigts qui se réchauffent, nous faisons circuler la flasque jusqu'à ce qu'elle soit vide. Mes yeux pleurent, mon corps est en feu, puissant.

Emily et Tacy rentrent chez elles, RiRi, ivre, envoie un texto à un nouveau garçon qui ressemble au dernier et qui est peut-être même le frère du dernier, alors la Coach et moi, nous rentrons nonchalamment dans la maison.

« Hanlon… *Addy*, dit-elle, et nous piochons des fruits dans le grand saladier en bois posé sur l'îlot de la cuisine, au passage. Tu peux m'appeler Colette. Ce sont les règles de la Smirnoff. »

Elle saisit une grappe de raisin et nous gobons les grains l'un après l'autre pendant qu'elle me fait visiter.

Ses yeux sont un peu vagues, nous sommes très légèrement enivrées ; je fais tomber un grain de raisin sur le tapis et l'écrase sous ma chaussette. Je m'excuse quatre fois.

« On s'en fout, dit la Coach – Colette. Tu crois que je me soucie de ce tapis ? »

Et très vite nous voilà agenouillées toutes les deux sur le tapis en laine tissée, d'un vert forêt très soutenu.

« C'est la densité, dit-elle. Voilà ce qui compte. Matt dit qu'il faut un certain nombre de grammes au centimètre carré. Et au moins cinq nœuds par pouce. Il a lu ça sur Internet.

— Il est beau », dis-je. Je n'ai jamais vraiment regardé un tapis. Mais maintenant, je ne me lasse pas de sentir ce contact sur mes genoux, entre mes doigts, profondément enfoncés.

« Addy, dit-elle en me relevant pour me traîner de pièce en pièce, tu aurais dû voir notre mariage. On avait une immense piscine remplie de pétales de roses. Une harpiste. Des projecteurs braqués sur chaque table. »

Elle m'explique qu'ils n'avaient pas les moyens de se payer tout ça, mais Matt avait travaillé dur jusqu'à ce qu'ils les aient.

Cinq et même six jours par semaine, il partait travailler à cinq heures du matin et il rentrait à dix heures du soir. Il voulait lui offrir des choses. Il lui laissait acheter tout ce qu'elle voulait. Elle ne savait pas quoi désirer, mais elle découpait des photos dans les magazines. Elle les assemblait dans un cahier. *Mon mariage*, ça s'appelait.

« J'avais à peine vingt et un ans, dit-elle. Je ne connaissais rien. »

J'acquiesce, encore, encore.

« C'est lui qui a trouvé cette maison », dit-elle en regardant autour d'elle avec des battements de paupières comme si tout cela était nouveau. Comme si elle découvrait tout.

Et donc, à vingt-deux ans, elle avait cette maison. Et elle devait la remplir.

Avec ce que tu veux, lui avait-il dit. Alors elle avait découpé d'autres photos dans les magazines. Elle avait fabriqué un grand panneau, qu'elle avait appelé *Ma maison*. Il avait vu ce qu'elle désirait et fait en sorte que ça se réalise, dans la mesure de ses possibilités.

« Il travaille très dur, dit-elle. Il regarde des chiffres toute la journée. Et à la maison, son ordinateur portable est toujours ouvert, avec de longues colonnes de chiffres qui clignotent. Ils n'arrêtent jamais de clignoter. »

Sa main glisse sur l'abat-jour d'une lampe ambrée.

« Il fait tout ça pour moi, Addy », dit-elle, mais la façon dont elle le dit ne colle pas avec ce qu'elle dit. Elle le dit comme s'il s'agissait d'une chose d'un ennui mortel.

Mais je n'ai plus les idées très claires, la vodka continue à semer le trouble en moi.

Toutefois, je ne suis pas ivre au point de ne pas comprendre que cette maison ressemble à n'importe laquelle de nos maisons. Pas aussi belle que celle d'Emily, où tout est blanc et où on ne peut s'asseoir nulle part, mais plus jolie que celle de RiRi, où il y a des taches brunes au plafond et de la moquette.

Mais de la façon dont la Coach – Colette – la traverse, en parlant à voix basse, d'un pas léger, je commence à avoir l'impression que toute la maison resplendit, semblable à la lanterne qui tourne dans la chambre de la petite Caitlin, en projetant un enchantement partout.

« Magnifique, dis-je encore une fois en refermant les doigts autour d'une baguette de rideau. Magnifique. »

C'est le mot qui ne cesse de sortir de ma bouche.

« Magnifique, magnifique », chantonne-t-elle, tandis que nous passons devant tout cela et que je laisse traîner mes doigts sur tous les objets.

« Et pour finir… »

Mes pieds s'enfoncent dans le tapis de la chambre, profond, luxuriant. C'est une pièce paisible, dans les tons caramel, comme une chambre d'hôtel où tout semble apaisant et impersonnel.

Puis je pense à la façon dont la Coach – Colette – a choisi tout cela, avec des échantillons de tissus et de carrelage, en feuilletant inlassablement ces épais magazines que l'on voit éparpillés sur des tables dans les boutiques aux murs blancs de Honeycutt Drive. Du lustre en fer forgé dont les branches remontent presque jusqu'au plafond aux rideaux fins qui pendent et s'enroulent autour du chlorophytum. Chaque chose touche les autres.

Elle a inventé ça dans sa tête, et son mari l'a réalisé pour elle. On a l'impression que tout palpite légèrement et que, si on appuyait son front quelque part, on sentirait battre le cœur de la chambre.

« C'est ma pièce préférée », dis-je.

Elle me regarde, puis regarde le décor, comme si elle avait déjà tout oublié. Comme si elle n'y avait pas fait attention depuis des années, depuis qu'elle avait punaisé les photos sur son tableau. *Ma maison.*

Nos yeux flottent vers le lit chou à la crème, avec ses draps montés en neige. La princesse et le petit pois.

Elle s'y enfonce paresseusement, et tout semble gonfler, de minuscules oreillers couleur crème s'éparpillent dans les coins, sur le tapis.

« Tous ces oreillers, dit-elle. Chaque matin, je les remets en place. Il est déjà à son bureau à six heures, et moi je suis ici, en train de remettre tous ces petits oreillers, ces centaines d'oreillers, sur le lit. »

Je sens mon pied s'enfoncer dans l'un d'eux, alors que j'avance vers elle. Je n'ai jamais vu autant d'oreillers, dans toutes les nuances de brun, du miel pâle à une couleur proche de la chicorée, comme ce que la prof de français boit tous les jours au déjeuner.

Elle me prend la main et la pose sur la couette, aussi douce que de l'air. Le contact de sa main, un contact de coach. Touche ça. Vas-y.

« Allonge-toi, dit-elle. Glisse-toi dessous. »

Mes jambes nues blotties sous la couette vaporeuse, j'ai envie de tracer des cercles avec. Le lit est un énorme oreiller rempli de crème, non, de crème remplie d'air, et les picotements dans mon ventre, insupportables.

« Imagine que tu es moi », dit-elle. Je la vois à peine derrière la montagne mousseuse.

Et ça arrive, comme ça.

La sensation de couler, une chute dans les profondeurs internes.

Et je suis elle.

C'est ma maison, Matt French est mon mari, il additionne des chiffres toute la journée, il travaille tard le soir pour moi, pour moi.

Et je suis là, avec mon corps parfait, ferme, mon joli visage parfait, et il ne peut rien m'arriver, ni à ma vie, *pas même le chagrin qui est là au beau milieu, bien en évidence. Oh, Colette, il est là, en toi, au centre, avec une sorte de désespoir aussi. Colette...*

... Cette soie qui entre dans ma bouche, son poids maintenant, je ne peux plus reprendre mon souffle, mon souffle, mon souffle.

Tout est en train de changer en moi.

J'attendais depuis toujours, je crois, paume tendue. J'attendais que quelqu'un prenne mon corps de fille et le retourne, qu'il me cuirasse de l'intérieur et donne de l'importance aux choses, comme jamais jusqu'alors.

Comme peut le faire l'amour.

8.

Aux environs de midi, à la table de recrutement des soldats de la Garde nationale, nous suivons l'évolution du pari.

Toute la semaine, Beth a eu le sergent Will dans son viseur, bien décidée à éliminer RiRi. Elles se sont mises d'accord : la première qui réussit à ce qu'il la touche sous la ceinture.

Beth arpente les couloirs du lycée comme un bandit armé ; en faisant tinter ses bottes à éperons. Elles montent au-dessus du genou, hautes et brillantes ; vous n'êtes pas censée porter ce genre de bottes avec votre jupe de cheerleader, vous n'êtes pas censée porter ce genre de bottes, point final.

Quant à RiRi, elle a remonté la ceinture de sa jupe vers les cieux, assez haut pour montrer ce que sa maman lui a donné. Toutes les deux sont dangereuses.

Mais le sergent est au-dessus de ça. Toutes les filles se jettent sur lui, et pourtant il ne cille même pas, jamais. Il sourit, mais ça ne ressemble pas à un sourire, c'est plutôt le genre de choses que vous faites avec votre bouche quand vous savez que tout le monde regarde.

Parfois, on dirait que chaque mouvement de hanches est un fardeau sous lequel il peine. Alors, il transfère en douceur toute cette attention vers le caporal, ou le première classe, bref, le type à la mâchoire carrée assis à côté de lui, celui que nous ne regardons jamais, avec ses traces d'acné au menton, et cette expression de fureur, comme ces gars qui se battent après une seule bière, qui bousculent leurs petites amies dans les fêtes et leur déboîtent les omoplates, qui font sauter leurs clavicules comme des boutons. Nous ne les regardons jamais. Moi, du moins.

Le pire, c'est le caporal Prine, celui avec des épaules rondes et la grosse tête qui fait penser à un bout de gomme. Il y a quelques semaines, je l'ai surpris devant la porte de mon cours d'anglais. Il semblait me dévisager, avec ses joues enflammées par le rasoir, marbrées de rouge. J'ai essayé de l'ignorer, mais il a fait quelque chose avec sa langue et sa main que j'étais obligée de remarquer.

Le sergent, lui, il peut faire tout ce qu'il veut. Mais plus nous essayons, moins cela semble l'intéresser. La plupart du temps, on dirait qu'il est totalement ailleurs, un endroit où les filles dans notre genre n'ont pas leur place.

Même Beth en super-pouffe n'arrive pas à le provoquer.

Je ne l'ai pas vu, mais j'en entends parler – la jupe relevée, la culotte aux couleurs du drapeau américain – et je ne peux pas y croire. *Je ne lui ai rien montré*, me dit-elle plus tard. Elle a juste remué son index, pour qu'il se penche vers elle, et elle lui a demandé si elle pouvait toucher son arme.

Mais le sergent n'a pas remué un seul de ses cils duveteux.

Oh, la frustration quotidienne sur le visage aux lèvres écarlates de RiRi, et pire encore : l'air renfrogné de Beth qu'elle porte toute la journée comme un voile noir.

Entre la Coach et le sergent, elle a grandement de quoi être malheureuse.

Mais au lieu de réagir par la colère et des complots, elle reste calme, elle ressasse.

Il y a un côté sorcière là-dedans, et ça m'inquiète.

C'est durant ces semaines que je vois le mari de la Coach pour la première fois, par la porte entrouverte de son bureau. Il est en train de lire une liasse de documents en dénouant lentement sa cravate. Je ne peux même pas vous dire à quoi il ressemble, si ce n'est qu'il n'y a rien à remarquer.

La fois suivante, et celle d'après, c'est toujours cette même présence. *Matt est là. Oh, ce n'est que Matt, il est enfin rentré. C'est le livreur de pizza pour Matt.* Et parfois, c'est simplement « il ». *Ah, il arrive, on ne peut pas mettre la musique, il est là. Oh, tu le connais, il travaille. Il n'arrête jamais.*

Il est toujours au téléphone et il a toujours l'air fatigué. Une ou deux fois, nous l'apercevons dans le jardin, en train de parler dans son oreillette Bluetooth, en marchant de long en large. Nous le voyons assis sur un tabouret face à l'îlot de la cuisine, un journal déployé devant lui, avec son ordinateur qui pivote et l'écran qui l'éclaire d'une lumière verte.

Il travaille beaucoup et il n'est pas intéressant.

Ou peut-être que si, mais la Coach ne semble jamais intéressée. Et quand il est là, on se croirait dans la maison de papa, bizarrement. Un papa assez gentil, pas un papa rabat-joie, sauf pour la Coach, je suppose, qui donne l'impression de se replier sur elle-même, un peu. Un jour, il a essayé de savoir comment nous construisons nos pyramides, car il avait étudié les vraies pyramides en cours d'ingénierie à la fac et il se demandait si c'était pareil. Mais personne n'a su quoi répondre, et il y a eu un long silence, jusqu'à ce que la Coach réponde, avec un regard fuyant, que nous étions fatiguées parce que nous avions travaillé des enchaînements toute la soirée.

« L'homme a peur du temps, dit-il lorsqu'il retourna dans son bureau en nous adressant à toutes un sourire comme pour nous souhaiter le bonsoir, mais le temps a peur des pyramides. »

Une fois, en passant devant la porte de son bureau, je le vois à l'intérieur, l'écran de l'ordinateur scintille et se reflète dans la fenêtre derrière lui. Je constate qu'il est en train de jouer au Scrabble en ligne. Il y a là quelque chose qui me rend affreusement triste.

« Allez, Beth, viens. Viens avec nous pour une fois. »

Cela fait trois semaines que nous essayons. Et quand Beth se laisse convaincre, je trouve cela trop facile.

« Allons donc voir ce que vous fabriquez là-bas, dit-elle, le regard étincelant. Je suis curieuse de voir ça de mes propres yeux. »

Trois samedis d'affilée nous nous sommes prélassées comme des adultes à la Casa French, la Coach faisait cuire du saumon au barbecue, sur des planches en cèdre. Rien ne m'avait jamais paru aussi bon, même si nous nous sommes contentées de picorer et de lacérer le saumon en petits lambeaux roses dans notre assiette, nos bouches étant focalisées avec passion sur le vin blanc qui nous chatouillait le gosier, servi dans des verres à pied délicats qui faisaient *ding* quand nos ongles les touchaient.

C'est plus dur de tout savourer en présence de Beth, en sentant son regard dédaigneux posé sur chaque chose. Mais le vin aide.

Nous avons établi un rituel : Emily et moi, nous allumons toutes les bougies, les lampes-tempête décorées de coccinelles peintes à la main, rapportées de Californie du Sud par Matt, et les grandes torches en verre identiques à celles que l'on trouve sur la plage à Bali, affirme la Coach, même si elle n'y est jamais allée, et aucune de nous non plus. Beth, le regard terne, affligée, déclare avoir vu les mêmes à Maui, et même à San Diego ou encore au Rainforest Café, au bord de la Route 9.

Mais finalement, le vin fait son effet, y compris sur Beth, et c'est amusant de voir autour de la table tous les visages rayonnants à la lumière des bougies.

C'est principalement nous qui jacassons et la Coach qui reste silencieuse, en affichant un petit sourire, comme à son habitude. Elle écoute, écoute, et les histoires, comme les fois précédentes, deviennent plus sombres, plus intimes. *Oh, RiRi, peut-être qu'un jour tu trouveras un garçon qui t'aimera pour autre chose que ta mâchoire désarticulée. Et toi, Emily, après six semaines d'édulcorants et de bouillon de choux, même si ton ventre a l'air creux, tu ne pourras jamais affiner davantage ton visage rond, à moins d'utiliser un marteau et un burin.*

Quand Matt le Mari rentre à la maison, vers vingt-trois heures, nous sommes toutes pas mal ivres. La Coach peut-être un peu aussi, cet éclat sur son visage et sa langue qui fourche sur certains mots, et quand RiRi enlève son haut et se met à courir dans le jardin en appelant les garçons dans les fourrés, la Coach éclate de rire et déclare qu'il est temps que nous rencontrions des hommes, des vrais ; et c'est à ce moment-là que nous le voyons, debout devant l'îlot de la cuisine, et nous trouvons toutes cela tordant, sauf Matt French, qui semble fatigué et qui ouvre son ordinateur en nous demandant de faire moins de bruit, ce qui n'est pas possible.

Beth, qui ne cesse de répéter qu'elle n'est pas soûle, mais elle ne veut jamais l'admettre de toute façon, commence à lui parler et à lui poser des questions sur son travail, est-ce que ça lui plaît, comment est le trajet pour aller au bureau ? Elle comprime ses seins dans son débardeur et se penche au-dessus de l'îlot de la cuisine, ses doigts caressent d'un mouvement régulier la souris de l'ordinateur.

Il la regarde, les sourcils dressés et froncés, d'une manière que je trouve adorable, et il lui fait remarquer que ses parents se demandent peut-être où elle est.

Par-dessus l'épaule de Beth, il lance des regards appuyés à la Coach, qui déclare finalement qu'elle va nous ramener chez nous, Emily et Beth reviendront chercher leurs voitures demain.

Avant de repartir, je me retourne vers lui, et il paraît préoccupé, comme il y a longtemps, en quatrième, quand mon père, qui s'en fiche maintenant, m'a regardée quitter la maison avec Beth, nos corps soudain si mûrs et séduisants qu'il ne pouvait plus rien faire.

Le lendemain, couchée avec la gueule de bois dans le canapé en L du salon de Beth, je me réveille en sentant ses cheveux qui se balancent sur mon visage. Penchée au-dessus du dossier, elle déclare qu'elle ne s'est pas du tout amusée. Et elle parle fort, ce qui n'est jamais bon signe.

« Assise là sur sa véranda comme sur son trône, dit-elle, la bouche sèche et râpeuse. Je n'ai pas aimé cet endroit. Je n'aime pas sa façon de se comporter. »

Il y a quelque chose qui accroche dans sa voix, et je me demande si elle est encore ivre, ou si c'est moi.

« Bien droite sur son siège, reprend-elle. Et vous, qui vous pâmez comme des collégiennes. »

Nous sommes des collégiennes, me dis-je.

« Tu as toujours eu un faible pour tout ça, Addy. Comme l'été dernier. »

Je n'ai pas envie de parler de l'été dernier et de nos chamailleries en camp de cheerleaders, quand tout le monde croyait que nous nous étions disputées. Car ça n'a rien à voir avec ces gamineries.

« Crois-moi, Adelaide, je connais les femmes dans son genre. »

Elle escalade le dossier du canapé en balançant ses jambes nues et se blottit contre moi ; je l'écoute sans l'écouter, car je n'aime pas cet accroc dans sa voix.

« Elle a intérêt à en profiter pendant qu'elle le peut, grogne-t-elle en enfouissant son visage dans l'oreiller que j'ai glissé sous mon bras, en enfouissant sa tête contre moi, comme toujours. Car dans quelques années, elle va sûrement pondre un autre gosse, ses hanches vont s'élargir comme de la pâte à pain qui lève, et avant même de s'en rendre compte, elle se retrouvera à entraîner une équipe de hockey sur gazon. »

En entortillant mes cheveux autour de ses doigts, elle creuse un tunnel en moi et dans l'oreiller, pour se cacher.

« Qui voudra encore d'elle, alors ? » demande-t-elle.

Puis elle répond :

« Aucune de nous. »

9.

Durant une période bénie, une semaine, puis deux, Beth semble s'être fait une raison, nos journées débordent de gaieté, tout semble, pendant quelque temps, fait pour rayonner éternellement.

La *Homecoming Week*[1] est étincelante et sublime.

Tout au long de l'année scolaire, les autres élèves voient en nous des sortes de petites idiotes laquées, des princesses coiffées de tiares, des garces bronzées aux dents éclatantes. Des déesses hautaines qui refusent de se mélanger à la plèbe.

Mais nous nous en fichons, car nous savons ce que nous sommes.

Et pour *Homecoming*, on nous confie les rênes.

---

1. Fête annuelle qui marque la rentrée scolaire.

Lors du grand rassemblement d'avant-match, ils nous voient rouler des mécaniques. Ils voient ce que nous sommes capables de faire, nos corps ne sont pas en papier, et notre bronzage est notre armure.

Nous défions tout, y compris les impitoyables lattes en érable du parquet, clouées il y a plus d'un demi-siècle, trois mètres plus bas ; nos corps se renversent, se plient, se cambrent et fendent l'air, ignorant la peur.

Pendant la *Homecoming Week*, même ceux qui nous détestent le plus – les gothiques peinturlurés, les dingues du skate, les excentriques du troisième sexe – nous regardent avec un émerveillement gêné quand nous exécutons notre pyramide suspendue dans la cour à l'heure du déjeuner, nos corps semblables à de grands piquets de fer sur une imposante grande roue.

Et lors du match, quand nous catapultons Tacy vers les cieux – un hurlement strident monte des tribunes lorsque les spectateurs semblent croire que nous l'avons expédiée vers sa mort –, cela provoque un choc, un sentiment de respect et d'admiration.

C'est moi, juchée sur les épaules de Mindy et de Cori, qui donne le coup d'envoi du grand rassemblement en agitant un long bâton entouré de fanions. Tacy court à notre hauteur avec le souffleur de feuilles fauché au personnel d'entretien pour agiter les fanions qui se dressent comme autant de chandelles romaines.

C'est le plus grand feu de camp que nous ayons jamais fait, nos torches tournoient, tous ces cercles de lumière, une mascotte des Rattlers aux dents en mousse s'embrase et se balance au-dessus des extrémités consumées, très haut, et nous hurlons à nous casser la voix, nos visages brûlants explosent.

Nous lâchons nos torches pour traverser le champ obscur en courant, la voix de la Coach nous guide : *saut carpé, bras joints, grand écart...*

Et la voici, au premier rang, elle nous observe, ses yeux vont et viennent, tout en elle resplendit.

Je me souviens, à douze ans, d'avoir vu ça. Du haut des gradins, je regardais les cheerleaders du lycée devant cet enfer sauvage, les flammes qui jaillissaient, leurs silhouettes qui exécutaient des bonds insensés, des sauts, défiant la mort. Une fille ramasse son bâton qui est tombé et qui roule dans l'herbe couverte d'étincelles, et je sais maintenant, car j'ai tenu ce bâton, qu'il est brûlant, pourtant elle sourit, elle danse et saute plus haut que les autres.

Et une Beth de douze ans, assise à côté de moi, qui dit : « Regarde ça, regarde ça », quand sa voix était encore pleine d'émerveillement.

Mais après la *Homecoming Week*, alors que nous revenons de nos sentiers de la gloire, quelque chose a changé.

Dans les yeux de la Coach, quelque chose brûle d'un air morose. Nous le remarquons toutes et nous spéculons. Nous essayons de mettre ça sur le compte de la « descente » post-*Homecoming*, mais nous ne sommes pas plus avancées.

Deux fois cette semaine-là elle annule l'entraînement. Nous pensons qu'il s'agit d'un problème d'adulte qui ne nous regarde pas. Des traites à payer, un lave-vaisselle en panne, une inondation dans la cave.

Mais tout le monde s'interroge : qu'est-ce qui pourrait clocher dans sa vie si agréable, avec sa belle maison, ses cheveux lisses et toutes ces filles en adoration couchées à ses pieds ?

Évidemment, je sais que ce n'est pas tout. Je sais des choses, même si je ne sais pas trop quoi, précisément.

Sa façon de ne jamais croiser le regard de Matt French. Un soir, tard, je les ai observés pendant qu'il l'aidait à vider le lave-vaisselle ; elle n'a pas tourné la tête une seule fois.

Et cette chose que j'ai vue, ressentie, sous sa couette crémeuse, cette soie enfoncée dans ma bouche, la sensation d'un poids sur moi, sur elle, incapable de reprendre mon souffle.

Le vendredi, la Coach n'annule pas l'entraînement. Elle ne vient pas du tout.

« C'est peut-être un problème médical de femme, suggère RiRi. Ça arrive souvent à ma tante Kaylie. Parfois, elle est obligée d'enlever tous ses vêtements et elle s'assoit sur la véranda, en soutif, pour se frotter des glaçons sur tout le corps.

— C'est chez les vieilles, dit Beth. Peut-être qu'elle en a juste marre de ta tronche. Comment lui en vouloir ? »

Emily, prise de vertiges à cause du régime à base de smoothies de la Coach, suçant des écorces de gingembre toute la journée, doit s'appuyer contre le mur capitonné du gymnase.

« Elle devait m'apporter la recette du bouillon de potassium », murmure-t-elle, le visage fiévreux.

Et voilà qu'elle se met à nous parler de ce bouillon, en énumérant les ingrédients sur ses doigts collants de chewing-gum : *ail cru, fanes de betteraves, fanes de navets, persil, graines de poivrons pour alcaliniser, et ensuite, on...*

Je hoche la tête, encore et encore, pendant qu'Emily pépie, et ses petites jambes maigres comme des brindilles tremblent contre le mur.

« Que quelqu'un lui file un putain de Kit Kat », grogne Beth.

Je lance une barre énergétique à Emily, car je suis à bout, moi aussi.

Nous la regardons toutes picorer, en prenant des petits morceaux avec ses doigts tremblants, et soudain son visage vire au blanc verdâtre, et elle vomit tout dans l'emballage.

Beth s'allonge sur le grand banc en étendant une jambe bronzée à Aruba pour l'examiner.

« Personnellement, j'en ai marre de vous toutes, dit-elle en roulant des yeux de manière ininterrompue. J'en ai marre de tout et de tout le monde. »

Parfois, Beth touche certaines choses en nous. En moi. C'est un de ses dons, largement méconnu des autres. On pourrait croire que c'est de la méchanceté, mais pas du tout. L'écœurement. C'est une chose que vous ressentez constamment, que vous combattez en permanence. Ce nœud d'ennui brûlant logé derrière vos yeux, si épais et atroce que vous avez envie de vous cogner la tête contre les murs, pour le faire tomber.

Je me demande si c'est ce que ressent la Coach, chez elle, à côté de Matt French, pendant qu'elle charge le lave-vaisselle ou débarbouille sa fille.

« Hanlon, dit Beth en se levant d'un bond. Tirons-nous. »

Je la regarde.

« Mais si la Coach arrive… »

Je vois où cela va me mener, Beth avec la mâchoire serrée, sur le point d'exploser. Cela me rappelle un truc que j'ai appris un jour en cours de biologie : les dents des crocodiles se renouvellent. Durant toute leur vie, ils ont de nouvelles dents qui poussent.

Je me lève et je la suis.

Ça fait toujours un drôle d'effet – aujourd'hui encore, en avant-dernière année, alors que nous sommes des anciennes maintenant, lassées – de marcher dans les couloirs qui résonnent après les cours. Ce vaste espace, un endroit que nous connaissons si bien que tous nos rêves s'y déroulent, paraît différent.

Ce n'est pas seulement le calme soudain, ni l'odeur puissante du désinfectant passé à la serpillière sur chaque centimètre de sol rayé et maculé de chewing-gums.

Dans la journée, nous marchons comme si nous étions à l'intérieur d'un champ de bataille, au milieu de nous-mêmes, dans notre vaste tourbillon de gaieté coloré. Ce n'est pas de la réserve, de la supériorité. C'est une protection. Qui, sur ce champ de bataille ravagé, n'a pas envie de rassembler ses camarades autour de soi ?

Mais après quinze heures, le flot de souffrances d'une journée d'école se déverse dans les rues, devant les télés, dans les fast-foods éclairés au néon de toute la ville. Et l'école après l'école devient un lieu inconnu, exotique.

Il y a encore des élèves, et des professeurs, dissimulés ici et là, on ne sait jamais quand ni où, un groupe de fans de physique sur le palier du deuxième étage en train de calculer la vitesse de la chute d'une balle rebondissante, les cinglés du Club de médecine légale qui déblatèrent sur la peine capitale dans le labo de langues, les adeptes de la fumette, hirsutes, le regard heureux et vitreux, affalés devant l'atelier, rebaptisé labo de design industriel, l'apparition éclair d'une Mme Fowler inquiète qui jaillit de l'atelier de céramique en tenant dans ses mains tremblantes un chandelier de trente centimètres enduit de gomme-laque.

Nous arpentons les couloirs pour regarder, traquer, fouiller.

Je veux trouver quelque chose pour Beth. Aucune gloire de capitaine, aucun groupe sous ses ordres, pas même un regard du sergent Will pour lui changer les idées, il lui faut *quelque chose*. Quelque chose pour expulser la colère morose : un joint abandonné, un garçon de dernière année et une fille de première année faisant des cochonneries en douce dans un coin, le bras du garçon remonté sous sa jupe, sur son ventre grassouillet de gamine, ses yeux écarquillés par la peur et l'excitation, répétant déjà dans sa tête la façon dont elle racontera ce moment, qui est en train de lui échapper.

Le temps que nous arrivions au troisième étage, il flotte un parfum de désespoir. Beth me lance des regards accablants. *Trouve-moi quelque chose, trouve-moi n'importe quoi.*

Mais c'est toujours compliqué avec Beth et moi, quand son envie meurt et que la mienne naît. Car quand nous entendons le premier bruit, je m'aperçois que c'est moi qui espère le plus. Je veux qu'il se passe quelque chose.

Et ça arrive.

À moins de deux mètres de la porte de la salle des professeurs, nous entendons quelque chose.

Le bruit brutal et régulier d'une chaise qui glisse et tangue sur le plancher, derrière la porte. On dirait, soudain, que c'est juste pour moi.

Ça racle, ça racle.

Beth a presque les yeux exorbités de plaisir.

Arrêtées devant la porte, nous tendons l'oreille.

Je secoue la tête et émets des *non, non, non* muets, pendant que Beth, dressée sur la pointe des pieds, appuyée contre la porte de la salle des profs, promène ses doigts dessus et articule : *Je vais ouvrir, si, si, je vais le faire, Addy.*

À mon tour je pose la main sur la porte, qui vibre de toute cette clameur à l'intérieur, ces grincements et ces bruits sourds. L'oreille collée à la porte qui bourdonne, j'entends les halètements. Remplis de douleur, me dis-je. On croirait entendre la pire souffrance au monde.

Comme quand RiRi l'a perdue avec Dean Grady lors d'une fête à Windmere : elle a saigné pendant des heures dans la salle de bains, et nous n'arrêtions pas de dérouler des longueurs de papier-toilette, comme si elle allait mourir. Comme si elle allait…

Sans prévenir, Beth appuie sa hanche contre la porte de la salle des profs ; elle s'ouvre en grand, et nous voyons tout.

Dans les moindres détails.

Là, sur un des vieux fauteuils pivotants, est assis le sergent Will, le soldat de la Garde nationale Will, et la Coach est à califourchon sur ses genoux, ses jambes nues l'entourent, comme un ruban pâle, les pieds en l'air ; le blazer bleu du sergent Will est entortillé autour de la nudité neigeuse de sa partenaire, il a plaqué ses mains sur ses seins, le visage empourpré et impuissant. Les cuisses de la Coach tremblent, pendant qu'il glisse la main sur sa nuque, enfouie dans ses cheveux bruns collés par la transpiration et triomphants.

Mais c'est son visage dont on ne peut pas détacher les yeux.

Le regard rêveur, les joues rosissantes, elle n'est qu'euphorie, espièglerie et émerveillement, telle que je ne l'ai jamais vue, telle qu'elle n'a jamais été avec nous, toujours si stricte, exigeante et distante, comme une machine froide.

C'est la plus belle chose que j'aie jamais vue.

Je me sens projetée en arrière, contre Beth, à la seconde même où le regard de la Coach croise le mien, rempli d'affolement et de peur. Je nous propulse au-dehors, Beth et moi, le rire de Beth résonne dans le couloir, ma main tire la porte vers nous, en fermant les yeux. Je me demande même si j'ai bien vu ce que j'ai vu.

Mais en regardant le visage joyeux, moqueur, de Beth, je sais que oui. Je l'ai bien vu.

Plus tard, j'y repense. Ce n'était pas comme dans les films, des corps à peine éclairés qui se tordent voluptueusement sous des draps en satin.

Ça n'a duré qu'une seconde, alors comment est-ce que cela a pu me transpercer avec une telle beauté, et pourtant si.

Le visage de la Coach durant cette longue seconde fiévreuse avant qu'elle me voie.

Comme quelqu'un qui émerge du tunnel le plus sombre, la bouche grande ouverte pour avaler de l'air.

Et lui, les yeux fermés, de toutes ses forces, le visage figé, comme si en le relâchant il détruirait tout, il l'enterrerait de nouveau, et il veut uniquement la sauver, insuffler en elle cette vie brûlante.

Et elle qui tente de reprendre son souffle.

Quand la Coach nous trouve dans les vestiaires, Beth et moi, agitées de délicieux chatouillements, tout ce qui s'était ouvert, glorieusement, se referme.

Elle est redevenue ce lingot de fer, dur, au sang froid, qui marche avec détermination, mais sans se presser, sans aucun balancement, chaque cheveu bien à sa place dans sa huppe éclatante.

Dans son bureau, elle descend le store de la porte et fait rouler une poignée de cigarettes devant elle.

C'est une première, cette offrande.

Beth et moi en prenons chacune une, et je sais ce que ça veut dire pour moi.

Je sais ce que ça veut dire pour Beth, du haut de sa nouvelle position de pouvoir, blottissant sa sagesse nouvelle contre sa poitrine parsemée de taches de rousseur.

Mais cette chose, l'importance de cette chose, je ne peux pas encore y penser.

La Coach m'allume ma cigarette et je la regarde droit dans les yeux, je m'aperçois alors qu'elle n'affiche pas le calme souhaité. Ces yeux gris éteints tressautent.

Beth, renversée dans le fauteuil de la Coach, lève les jambes et appuie les pieds contre le devant du bureau. En éraflant le bord stratifié.

Très contente d'elle.

Quand la Coach passe devant moi pour se diriger vers la fenêtre, je sens l'odeur, à peine. Piquante et charnelle, elle me pique le nez et *me fait penser aux draps de Drew Calhoun cette fois-là, à leur odeur, même si on ne l'a pas fait, mais lui si.*

« Je veux que vous compreniez bien qu'entre Will… le sergent et moi, c'est du sérieux. » Elle laisse son regard glisser sur nous, très vite. « C'est une vraie histoire. »

Du coin de l'œil, je vois les doigts de Beth pianoter sur son menton.

« Je n'aurais jamais cru que ça puisse arriver », reprend la Coach, et je pense qu'elle parle du fait de tromper son mari. Puis elle ajoute : « Je n'aurais jamais cru que je ressentirais ça. »

Je la regarde : ses mains agrippent la baguette du store, ses doigts l'entourent et tirent dessus comme une petite fille qui tient l'index de son père dans son poing.

Ça fait quel effet ? ai-je envie de demander, mais je m'abstiens.

« Vous comprenez, les filles ? » demande-t-elle en penchant la tête sur le côté, et une mèche de sa coiffure parfaite tombe en travers de son visage, en frôlant sa bouche.

Je ne regarde pas Beth.

« J'ai attendu ça toute ma vie, dit la Coach, et je sens un bourdonnement dans ma poitrine. Je n'aurais jamais cru que ça arriverait. Et c'est arrivé. »

Elle nous observe.

« Attendez un peu que ça vous arrive », dit-elle, le souffle court et le corps qui se tord. Sous l'effet de ces paroles magiques.

« Attendez que ce soit votre tour. »

N'en parle à personne.

Ce soir-là, mes doigts triturent les boutons de ma housse de couette, les pouces sur le téléphone. Les textos de Beth bipent sous mes doigts. OK. C'est juste nous. On ne dit rien pour le moment.

Je coupe mon portable.

En me tortillant dans mon lit, je réfléchis à tout ça et je commence à comprendre, pour la première fois, ce que ça doit être pour la Coach, jeune, jolie et solide. Pourquoi devrait-elle passer son temps à secouer des nanas comme nous, ou du moins comme certaines d'entre nous, sur le parquet du gymnase de Sutton Grove High School, avec nos tristes queues-de-cheval qui sautillent, insolentes et paresseuses, crachant des chewing-gums sur le sol, nous lamentant à cause de nos règles et des garçons ? Puis en rentrant à la maison, elle retrouve sa gamine avec la bouche en cul de poule et le visage rouge, après une journée de sucreries et d'excitation à la maternelle, et son mari qui ne rentre du travail qu'à l'heure des infos du soir, parfois.

Je commence à voir les choses différemment : une maison remplie non pas d'une vie facile et libre, mais d'irritation et de malheur. Qui pourrait se passer des soins de quelqu'un comme le sergent Will ? Je me demande ce qu'il lui donne et pourquoi nous ne suffisons pas.

10.

« Je le savais, dit Beth avant l'entraînement le lendemain en levant la jambe pour s'étirer. Je savais qu'il y avait
un truc qui clochait chez elle. Quelle tricheuse, quelle
menteuse.

— Beth », dis-je.

Mais l'éclair de mise en garde dans ses yeux m'indique
que j'ai intérêt à y aller mollo.

« Beth, dis-je, tu peux me montrer comment tu fais
pour mettre ton pied derrière ta tête comme ça ? Tu veux
bien m'aider ? »

Après l'entraînement, nous nous retrouverons dans le
jardin de la Coach, derrière la maison, rien que nous deux.
Elle m'a invitée. Juste moi.

Nous n'avons pas parlé du sergent Will, pas encore.

Elle essaie de m'aider à réussir un flip arrière, un des mouvements que toutes les vraies cheerleaders sont capables de faire les yeux fermés. RiRi dit qu'à la fac elles le font dans les soirées pour tester leur degré d'ébriété.

Une main sur ma taille, la Coach se sert de l'autre pour soulever mes genoux et me faire basculer en arrière, violemment, dès que mes pieds quittent le sol, ses bras servant d'hélice.

Elle est en mode concentration : elle ne me regarde même pas dans les yeux et traite mon corps comme une nouvelle machine dont certains éléments ne sont pas encore rodés. Ce qui est le cas.

« Si tu ne maîtrises pas ce mouvement, me dit-elle, tu ne peux pas réussir la plupart des culbutes. »

Ce qu'elle ne dit pas : étant donné que je ne fais pas de voltige ni de porté, je dois être capable de faire des culbutes.

Il faut que je chope le truc.

« L'élan est presque aussi important que la posture », dit-elle, et son souffle fait de la brume dans le crépuscule qui descend. Je le sens sur mon visage quand elle appuie sa hanche contre la mienne. « Tu as beau avoir la meilleure posture au monde, si tu ne fais pas pivoter tes jambes, tu vas rester trop courte. »

Inlassablement, je pousse sur mes jambes, les bras levés et raides, et chaque fois je retombe sur les mains, les genoux ou le nez.

C'est dans la tête. Je suis sûre que je vais échouer. Et c'est ce qui se produit, mes pieds se dérobent sous moi.

« Tu réfléchis trop », me disait toujours Beth.

Elle a raison. Car si vous réfléchissez, vous vous apercevez que vous ne pouvez pas sauter en l'air et faire un tour complet sur vous-même. Personne ne peut faire ça.

Beth, évidemment, exécute ce mouvement à la perfection, il faut voir ça.

Un saut incroyablement haut et parfait.

Mais elle met ses bras derrière ses cuisses, pas derrière les mollets comme le souhaite la Coach.

« Je ne veux pas de ce travail bâclé, dit-elle. Ne me fais pas perdre mon temps avec ça. »

Encore et encore, mes tibias striés de traces d'herbe et le ciel alourdi par le crépuscule.

« Poitrine sortie ! » me crie-t-elle quand j'atterris, pour m'empêcher de basculer vers l'avant.

Peu à peu, le mouvement devient plus net, alors elle cesse de me faire tourner. Et je commence à tomber. Elle ne me retient pas.

« C'est un atterrissage à l'aveugle, Hanlon. Tu essaies de trouver le sol. Tu dois savoir qu'il n'est pas là. »

J'essaie de faire comme si j'étais elle. J'essaie de me sentir tendue et raide comme elle, si dure que rien ne peut la toucher. Je pense à comprimer tout mon corps sous la forme d'une balle compacte.

« Allonge ton saut. »

Sa voix est là, quelque part, elle vibre dans mon oreille, ses mains sont là.

Puis elles me lâchent.

« Ouvre ton corps, ne cesse-t-elle de répéter et ça tremble dans toute ma tête. Ouvre-le. »

Et je sens que j'y arrive, c'est une explosion venue du centre de moi-même, jusqu'à mes orteils, au bout de mes doigts.

La nuit vient de tomber, les lampes de la véranda, programmées, s'allument, au moment même où je commence à retomber sur mes pieds.

C'est une sensation à vous couper le souffle, et je sais maintenant que je peux tout faire.

J'ai l'impression que je pourrais pivoter sur moi-même sans fin et retomber sur mes pieds chaque fois, bras levés, poitrine en avant, le corps brisé, puis reconstitué. Immaculé.

La nuit derrière la baie vitrée de devant est d'un bleu grelottant, mais nous sommes recroquevillées dans son canapé, les jambes glissées sous les fesses, nos corps relâchés et victorieux.

« Addy, je sais quelle impression ça peut donner, me dit la Coach en se penchant vers moi, cigarettes et grandes tasses en plastique contenant du thé vert matcha en guise de récompense pour mon flip arrière. Mais il faut que tu comprennes bien ce qui se passe. Entre Will et moi. »

Elle ne cesse de promener son doigt sur le bord de sa tasse. Ses yeux sont bordés de cernes sombres, et il se passe ce que j'ai toujours espéré : c'est à moi qu'elle en parle. Elle me choisit.

« Et Matt, Addy... » Elle soupire et cambre le dos, en regardant vaguement le plafond. «Tu penses peut-être que quand tu es aussi vieille que moi, tu ne peux plus rien désirer. Quand j'avais ton âge, vingt-sept ans, c'était comme cent ans.

— Vous ne faites pas vieille du tout », dis-je.

Nous restons assises un moment et elle parle. Elle me raconte de quelle manière ça a commencé avec Will.

En la voyant sur le parking après la fête de l'école, il lui avait dit qu'elle semblait triste et lui avait demandé si elle aimerait venir s'asseoir avec lui dans sa voiture, garée dans Ness Street, pour écouter de la musique. « Parfois, ça m'aide à me sentir mieux », avait-il dit, et peut-être que ça lui ferait du bien à elle aussi.

Elle ignorait qu'elle avait l'air triste.

Alors, ils s'étaient assis et ils avaient écouté une chanteuse noire qu'elle ne connaissait pas, une femme à la voix susurrante, en quête d'affection. *Don't go to strangers, darling, come on to me.*

La musique avait produit son effet, et soudain, voilà qu'ils parlaient de choses graves, de choses personnelles.

Elle lui avait confié ce qu'elle avait éprouvé après la naissance de Caitlin, comme si le secret de la vie lui avait été enfin révélé, et ce secret était le suivant : finalement, toutes les choses que l'on croit importantes ne sont que des déceptions et du bruit.

Et puis il lui avait parlé de sa femme.

« Tu te souviens de cette histoire aux infos ? me murmure-t-elle en se rapprochant de moi. Il y a quelques années. Ce drogué qui est entré dans la vitrine de la pharmacie Keen avec sa voiture ? Et la cliente qui est morte à l'intérieur de la boutique ? »

Je ne me souvenais pas précisément, ces histoires sont comme des parasites sur des courants électriques lointains, mais je revoyais vaguement une photo, à la télé et dans les journaux, qui avait effrayé tout le monde. Une vitrine teintée de rouge. Et un corps écroulé derrière.

« C'était la femme de Will, dit la Coach, très solennelle. Elle était enceinte de cinq mois. »

Assis à côté d'elle ce soir-là, sous le chêne des marais de Ness Street, il lui avait tout raconté. Ce qu'il avait éprouvé, la façon dont il voyait le monde. L'année qu'il avait passée en Afghanistan n'était rien comparée au trou sombre que cette perte avait creusé en lui.

Ils avaient bavardé pendant une heure, deux, et il avait laissé tomber sa main, presque par inadvertance, sur ses genoux, comme si elle était faite pour se trouver là.

Cette sensation l'avait prise au dépourvu, son estomac s'était noué ; il s'en était aperçu, et tout avait commencé. En fermant les yeux, elle avait pensé : *C'est en train de se passer, maintenant. Et il fallait que ça arrive. J'aurais dû le savoir.*

Tu as une chose dont j'ai besoin, lui avait-il dit. Et c'était réciproque.

Le siège arrière, les boucles de la ceinture de sécurité qui lui rentrent dans le dos, son pied qui glisse sur la vitre.

Après, parce qu'elle avait des fourmillements dans les mains, il lui avait reboutonné son chemisier, il lui avait remis sa barrette dans les cheveux. La tendresse, comme quand Matt French boutonnait la robe chasuble de Caitlin, ou quand il laçait ses petites chaussures.

Quand je rentre chez moi, Beth m'attend au milieu de la pelouse devant la maison, une chose qu'elle n'a pas faite depuis l'âge de neuf ans, et la sensation de menace est la même qu'à l'époque. *Pourquoi tu es allée à la fête d'anniversaire de Jill Randall alors qu'on a dit qu'on la détestait ?*

Ou que l'été dernier, sur mon lit superposé au camp de cheerleaders, nos jambes se balançant dans le vide, Beth me demandant quand j'avais décidé de ne pas dormir avec elle, finalement.

« Où tu étais ? Il faut qu'on discute de certaines choses.

— Chez la Coach », dis-je, incapable de mettre fin au hoquet dans ma voix.

Mon corps est toujours élastique, mon cœur est fier et fort.

« Elle est tellement transparente, dit Beth en me regardant de la tête aux pieds. Elle veut que tu sois sa meilleure amie, hein ? Elle te confie ses secrets dans son canapé au rabais ? Elle croit qu'elle peut nous manipuler comme des putes à deux dollars. J'espère que tu n'es pas une pute, Addy. Tu es une pute ? »

Je ne dis rien.

« Tu es une pute ? demande-t-elle en marchant vers moi. La Coach est ton mac baratineur qui te murmure des promesses au creux de l'oreille ?

— Je m'entraînais. C'est notre coach. »

Beth croise les bras et me toise.

Je ne dis pas un mot.

« Tu n'as donc rien appris, Addy ? »

Je ne comprends pas de quoi elle parle, mais je sais que je dois la calmer.

Nous restons muettes toutes les deux, je commence à avoir froid aux mains, et Beth avec sa veste matelassée ouverte.

Je vois dans ses yeux quelque chose que je connais depuis l'époque des récréations passées cachées dans des tunnels du terrain de jeu à soigner nos blessures de cour d'école.

Peut-être que personne ne comprend Beth à cause de son pouvoir apparent qui écrase tout. Mais moi, je vois derrière les choses.

Et je me surprends à tendre le petit doigt pour accrocher le sien, mais elle se libère et continue à déblatérer, sur la trahison de la Coach, ses manières de fausse amie, mais je perçois en elle un très légère trace d'apaisement, ses épaules crispées se relâchent.

Nous nous retrouvons chez elle, au sous-sol. Personne n'y descend jamais, excepté son frère à l'époque où il se défonçait au sirop contre la toux avec ses copains.

Nous sommes allongées dans le canapé, le clair de lune se déverse par la fenêtre en hauteur, et cette fois c'est moi qui commence, notre rite préféré. Ou ce qui était notre rite préféré, nous ne l'avons pas pratiqué depuis longtemps.

Je sors l'huile à la vitamine E de mon sac à dos et masse délicatement le genou droit de Beth, là où elle s'est déchiré des ligaments en retombant sur le sol en marbre du couloir de l'école, le genre de choses qu'elle fait parfois.

Mes doigts tapotent, légers comme une plume, c'est ce qu'elle aime.

Ensuite, les mains nacrées de sa propre pommade à l'amande douce, elle exerce sur moi sa rude magie.

Nous avons commencé ça à dix ans, en camp, c'était notre truc à nous, une façon, toujours, de nous apaiser. Parfois, c'était comme une visitation, une transe.

Un jour, elle m'a confié, essoufflée, que c'était une sensation de calme qui l'apaisait comme rien d'autre.

Nous avons arrêté autour de quatorze ans, il me semble, quand tout change ou quand vous vous apercevez que tout a changé. Je me demande pourquoi nous avons arrêté. Mais le temps nous échappe, n'est-ce pas ? C'est une des choses que je sais.

Ce soir, dans ce sous-sol, flotte une puissante nostalgie. C'est une Beth que je n'ai pas vue depuis longtemps, la Beth des nuits souterraines, nos peurs adolescentes avec lesquelles on se flagellait et nos désirs.

J'avais oublié que nous étions comme ça, avant d'être tout.

Ses mains glissent délicatement vers mes mollets, dont je suis fière depuis peu, le muscle à cet endroit est dur comme un bourgeon fermé.

Son pouce remonte en suivant le milieu du mollet en forme de diamant et s'y enfonce, lentement, douloureusement, en pressant, puis il remonte encore, vers l'embranchement des deux muscles. Son pouce est une baguette brûlante, c'est ainsi que je l'ai toujours imaginé.

Je sens Beth se relâcher de la même manière que le dernier flip arrière m'a relâchée. C'est chaud et moite sous ma peau, tout est magnifique.

« Tu les as brûlés ce soir, dit-elle, et il fait si noir que je vois uniquement le blanc de ses yeux, l'eye-liner argenté.

— Oui, dis-je dans un murmure. Flips arrière. »

Et j'ai la sensation que, d'une certaine façon, elle sait.

« Ça t'a fait quel effet ? chuchote-t-elle. D'y arriver ?

— Pareil que ça, dis-je en me cambrant sous la forte pression de sa main. Mais encore mieux. »

11.

« C'est pour vous remercier, dis-je. C'est une sorte de remerciement. »

Nous sommes dans l'allée de la Coach.

« Pour le flip arrière », je précise.

Elle le tient dans la lumière de la voiture pour l'examiner.

« C'est mon bracelet Hamsa, avec une main de Fatima. Vous disiez qu'il vous plaisait. »

Quand elle m'avait vue le porter, elle avait demandé : « Eh bien, tu es une sorte de *wicca*, Hanlon ? »

Je lui avais montré la breloque en forme de main, avec deux pouces symétriques, une très vieille amulette magique qui protégeait du mauvais œil.

« Je crois que j'en aurais bien besoin », avait-elle dit.

Peut-être qu'elle plaisantait, mais je voulais la lui donner.

Et maintenant, elle la tient devant elle, le cordon rouge vif passé autour de ses doigts, comme si elle ne savait pas quoi dire.

Avec mon index, je fais tourner l'amulette pour qu'elle voie le grand œil planté au milieu de la paume en miroir.

Elle tend le poignet afin que je lui mette le bracelet.

« Il faut faire deux fois le tour, dis-je, et je lui montre.

— Double protection, dit-elle en souriant. C'est ce qu'il me faut. »

« Tu es Addy, c'est ça ? La chouchoute de Colette ? » dit-il quand je monte à l'arrière. À l'avant, la Coach se met du rouge à lèvres en se regardant dans le rétroviseur : une couleur grenat que je n'ai jamais vue sur elle. Cela donne à sa bouche un aspect humide, ouvert. C'est perturbant et j'essaie de ne pas regarder.

Addy, avait-elle dit en regardant le bracelet serré autour de son poignet. *J'ai une idée.*

Voilà comment je me retrouve, tard le soir, dans le 4 × 4 du sergent Will, un véhicule tellement énorme que j'ai l'impression d'être assise au milieu d'une boîte tapissée de velours, tout est sombre et capitonné, côtés mous et coins durs, et le sentiment que rien à l'extérieur ne peut vous toucher.

Je regarde cet homme en songeant à quel point tout cela est étrange. Le sergent Will, mais pas en uniforme, et si sa chemise est impeccablement repassée, on aperçoit une barbe naissante sur son menton, et ses yeux, ses yeux surtout, n'observent pas froidement, comme au lycée, quand il balaye du regard les masses grouillantes et transpirantes d'élèves pour chercher des recrues, repérant à tous les coups les âmes perdues qui remplissent nos couloirs, ceux qui vivent près de l'autoroute et ceux que je ne remarque jamais.

Non, ses yeux ne sont pas du tout comme ça, ce soir. Il y a en eux un relâchement, une franchise, et encore d'autres choses que je ne peux pas nommer. Toute froideur a disparu, et il est cet homme qui sent un peu la lessive et la cigarette, il a une petite coupure à une jointure de la main gauche, et, quand il tourne le volant, une légère odeur de transpiration s'échappe de son aisselle.

Il a coincé entre ses cuisses une flasque de bourbon pendant qu'il conduit. Quand il me la tend, elle est chaude.

Viens avec nous ce soir, avait-elle dit. *Je veux que tu comprennes ce qui se passe.*

Et maintenant je vois.

Nous allons à Sutton Ridge, l'air automnal frissonne et une odeur de feuilles qui brûlent provient de quelque part.

« Je croyais que les gens ne faisaient plus brûler des feuilles, nulle part », dit Will.

Ici, ils brûlent les feuilles, les personnes âgées du moins, et je me souviens que j'adore ça, j'ai toujours adoré ça. La sensation de l'automne la nuit à cause de cette odeur, à cause des craquements, et quand on marchait sur les trottoirs, comme quand on était enfant, on donnait des coups de pied dans ces piles molles, et on voyait monter la fumée dans les jardins, et M. Kisltrap posté devant le fût métallique avec le trou sur le dessus, les braises qui projettent des étincelles à ses pieds.

Où était passé ce monde, ce monde de quand on était enfant, et maintenant je ne me souviens pas d'avoir remarqué quoi que ce soit, ni l'odeur des feuilles, ni les courbes sèches d'une feuille d'érable sur tes chevilles. Je vis dans des voitures désormais, dans ma chambre, avec les fenêtres hermétiquement closes, ma bouche collée au téléphone, la main autour de la coque en plastique mou fluo, le visage fermé au monde, le cœur fermé à tout.

Will semble connaître ce monde plus ancien, et cela nous lie, et je m'aperçois que nous sommes faits pour être proches, car, comme la Coach, il ouvre au centre de moi-même des poches profondes dont j'ignorais l'existence.

« Allons à Lanvers Peak », dit la Coach d'une voix légère et haut perchée, une voix de fille. Elle se retourne vers moi, avec sa bouche rouge et glorieuse. L'excitation, et Will qui lui agrippe la cuisse, si fort que je le sens, je sens sa main qui secoue ma propre cuisse pour lui donner vie.

Lanvers Peak n'est pas un endroit fait pour les voitures, mais c'est un endroit fait pour la Jeep de Will, car rien ne peut l'arrêter.

Tout en conduisant, il parle des gorges, il explique qu'elles ont été creusées par des glaciers des centaines de fois pendant deux mille ans, comme Dieu a sculpté de Sa main la terre sombre, c'était du moins ce que disait son grand-père.

Jamais je ne suis montée aussi haut, et nous buvons du bourbon, la chose la plus adulte que j'aie jamais faite, et je fais semblant d'aimer ça jusqu'à ce que j'aime ça.

Tout là-haut, où le ciel semble violet à côté du sommet, la Coach et moi ôtons nos chaussures, malgré le froid, l'herbe argentée craque sous nos pieds.

« Montrez-moi, dit Will, et il rit. Montrez-moi. »

Il ne croit pas que nous sommes capables de faire un porté, rien que toutes les deux, enivrées par le bourbon.

« Vous dites que c'est très dangereux, mais comparé au plaquage offensif qui m'a laissé avec ça… » Il soulève sa jolie lèvre pour me montrer ses dents de devant, blanches comme neige. « Des couronnes, comme mon grand-père. Voilà les risques des vrais sports. »

En nous provoquant, il me donne envie de faire de mon corps la chose la plus légère, la plus miraculeuse qui soit ; il me donne envie de lui montrer ce que je suis capable de faire, pour me sentir parfaite et aimée.

Alors, la Coach et moi, nous lui montrons, sans personne pour nous assurer, et tout près de cette gorge pourpre insondable, si belle que j'ai envie d'y déverser mes larmes.

Je sens mon portable bourdonner, mais je ne le regarde même pas, je le laisse tomber sur le sol.

La Coach et moi, nous rions maintenant. Ses cheveux dégringolent contre moi, tandis que nous grimpons difficilement vers la parcelle la plus solide sur ce terrain instable.

Penchée en avant, elle m'appelle et je pose mon pied nu en haut de sa cuisse repliée, je me hisse et balance mon autre jambe sur son épaule, tandis qu'elle se relève. Je noue mes cuisses autour d'elle, j'entortille mes pieds dans son dos, et nous ne formons plus qu'une.

Nous ne sommes plus qu'une.

C'est la première fois que je réalise une figure avec la Coach.

Au début, c'est pathétique, nous chancelons et nous rions, mais Will le sergent joue les instructeurs jusqu'à ce que nous soyons concentrées, mes cuisses sont serrées autour de la Coach et elle ancre ses pieds dans l'herbe givrée.

Puis je déverrouille mes pieds et tends mes jambes vers l'avant. La Coach glisse les mains sous et entre mes cuisses pour saisir mes mains moites. En se baissant, elle me donne de l'élan et me fait passer par-dessus sa tête, mes jambes se balancent, puis se rassemblent, mes pieds se posent sur le sol, lourdement.

La brûlure dans ma jambe, ce n'est rien. Rien du tout.

Nous sommes extraordinaires, Will applaudit, siffle et braille, sa voix résonne à l'intérieur du ravin de manière ensorcelante.

Être sur les épaules de la Coach, rivée à elle, c'est quelque chose. Mes yeux glissent vers le fond glacé de la gorge, nous sommes plus haut que nous aurions pu l'imaginer.

Ma maison étant la plus éloignée, la Coach se fait déposer d'abord, une perspective troublante.

Will se gare à un demi-pâté de maisons de chez elle. En les regardant s'embrasser, en regardant la façon dont il ouvre la bouche de la Coach avec la sienne, les regards furtifs qu'elle me lance en douce, en voyant son plaisir, je me sens relâchée, merveilleusement bien. J'ai envie de participer à leur baiser, et peut-être qu'eux aussi.

Il n'y a que cinq minutes de trajet jusqu'à chez moi, mais il semble durer une éternité, toute la légèreté brumeuse de Lanvers Peak a disparu.

« Ce soir, c'était la première fois que je te voyais sans cette autre fille, dit Will. Celle avec les taches de rousseur. »

Cela me semble être la façon la plus bizarre de décrire Beth, mais cela a pour effet de tout resserrer dans ma tête, et je me souviens, pendant que je redescendais du sommet, d'avoir ouvert mon portable et lu *appel manqué, appel manqué, appel manqué.* Un texto : `tu as intérêt à faire attention à moi.`

Il me regarde et sourit.

Soudain, j'ai envie d'étreindre la nuit tout entière et je décide qu'elle m'appartient.

« Après l'avoir vue ce soir, je comprends maintenant, dit-il. Elle a besoin de ça. »

Pendant une seconde, je crois qu'il parle de lui. Et en repensant à elle ce soir, si insouciante, libérée de cette agitation extravagante, je songe qu'il a certainement raison.

Mais il montre mon sac des Sutton Eagles, et je comprends qu'il parle de son métier de coach.

« Elle a besoin de vous, les filles », ajoute-t-il.

Je hoche la tête, de manière aussi significative que possible.

« Je sais ce que c'est, dit-il. On peut parfois être sauvé sans même savoir qu'on était en danger. »

Telles sont les paroles qu'il prononce, mais on dirait une chose que j'entends par hasard, une conversation à laquelle je ne participerai jamais.

« C'est curieux, que je sois en train de te parler de cette façon. »

Oui, sans doute. Parfois, la Coach semble à peine plus âgée que moi, mais Will, avec sa femme morte tragiquement et ses postes à l'étranger, beaucoup plus.

« On ne se connaît pas vraiment, toi et moi, avoue-t-il. Mais on se connaît d'une façon étrange. »

Je hoche la tête de nouveau, alors qu'en fait nous ne nous connaissons pas du tout. Cela m'amène à penser que Will fait partie de ces gens qui racontent tout, à tout le monde, tout de suite, et généralement je n'aime pas ces gens-là, ces filles en colonie de vacances qui racontent leurs mutilations ou qu'elles ont embrassé leur baby-sitter. Mais ici, ça semble différent. Peut-être parce qu'il a raison. Parce que nous partageons un secret. Et parce que je les ai vus ensemble ce jour-là, dans la salle des profs, et que j'ai eu l'impression de tout voir.

« Elle en bave, dit-il. Son mari, ce n'est pas le genre de type que tu imagines. Elle en bave sacrément. »

C'est peut-être le bourbon, ou l'effet du bourbon qui se dissipe, mais cela ne me paraît pas totalement juste non plus, pas vraiment.

« Il lui a offert cette maison, fais-je remarquer.

— C'est une maison froide, répond-il en regardant par la fenêtre. Il lui a offert une maison froide.

— C'est sa maison. Même si elle est froide, c'est la sienne. »

Il ne dit rien cette fois, et je sens qu'il m'échappe.

« Et Caitlin, dis-je, mais cela semble encore moins convaincant. Il y a Caitlin.

— Exact, dit-il en secouant la tête. Caitlin. »

Nous restons assis sans rien dire, et soudain j'ai l'impression que peut-être nous savons tous les deux une chose que nous ne pouvons pas nommer. Comment, de manière obscure, Caitlin faisait partie elle aussi de ces choses qui sont moins un cadeau qu'un succédané de cadeau. *Mon mariage, ma maison, ma fille, mon cœur froid, froid.*

12.

« Putain de rock star ! » s'émerveille RiRi en pointant le doigt sur moi.

J'enchaîne les flips arrière, à la perfection.

Je comprends subitement que je suis née pour ça. Je suis une hélice.

« Voilà ce que peut faire une coach, dit RiRi avec un grand sourire. Avec Beth, tu n'aurais jamais pu arriver à ce résultat. »

À peine a-t-elle prononcé ces paroles qu'elle semble vouloir les reprendre, en riant comme si c'était une plaisanterie. Peut-être.

« Les genoux au niveau du nez, Hanlon ! » aboie la Coach, et un sourire sournois danse sur son visage alors qu'elle regagne son bureau.

« *Pfff-pfff.* » Ça vient des gradins, où Beth s'est éclipsée. « Fais gaffe à ton cou, Addy-Lubie, ou sinon, tu es bonne pour le respirateur artificiel. *Pfff-pfff.*

— Jalouse », siffle Emily. Mais je sais que Beth n'est pas jalouse de mes flips. Elle m'écrase sur ce terrain : son corps ressemble à un serpentin qui tourbillonne.

Dans les vestiaires ensuite, Emily, perchée sur le banc central, lance sa jambe en l'air et attrape ses orteils. Maigre comme un clou désormais, sept kilos de moins qu'un mois plus tôt, elle a été choisie comme voltigeuse avec Tacy pour le match contre les Stallions. Toute l'hydroxyzine, l'Activ-8, les *boomblasters*, le *hoodia* d'Afrique du Sud avec des extraits de café vert, et surtout ses exercices personnels, l'ont rendue aérienne et intrépide.

En l'observant, Tacy est maussade, elle n'a pas envie de partager sa gloire avec quelqu'un.

Couchée à l'extrémité du banc, Beth regarde d'un air distrait le faux plafond.

« Hé, Cox-*sucker* ! lance-t-elle à Brinnie Cox en train de boucler ses cheveux sous forme de longues saucisses en chantant devant le miroir de son casier. Comment va ta tête ? »

Brinnie se fige.

« Pourquoi ? Ma tête va très bien.

— Ah, ça me rassure. Je me demandais si tu sentais encore le sang cogner contre ton cerveau. À cause de ta chute, il y a quelques semaines.

— Non, dit-elle timidement.

— Beth... »

Je tente une mise en garde, sans conviction.

« Du moment que tu ne fais pas partie des gerbeuses, ça devrait bien se passer pour toi ce soir. C'est celles qui régurgitent tout qui s'écroulent comme des poids morts. »

À l'autre extrémité du banc, notre petite Emily lâche sa jambe et regarde Beth, toujours allongée, les yeux fixés sur les rampes de néons.

« À force de dégueuler, ajoute Beth, elles se font éclater des vaisseaux sanguins dans les yeux. Et puis un jour, sur le tapis du gymnase, elles se cognent la tête et... *bing.*

Elle fait claquer ses doigts près de sa tempe.

« Une fois, reprend-elle, j'ai entendu une anémique tomber au moment de la dislocation, elle a un œil qui lui est sorti de la tête. »

Beth se dresse sur les coudes pour regarder Emily au bout du banc.

« Mais ne parlons pas de trucs dégueulasses. Notre petite Emily va assurer ce soir. Elle va arriver comme une gamine et repartir comme une vedette. »

« Elle serait capable de manquer le match des Stallions ? »

Dix minutes avant le coup d'envoi, Beth demeure introuvable.

Elle n'a jamais manqué un match. Tout le monde se demande s'il lui est arrivé quelque chose, comme la fois où elle a suivi son père et son assistante dans un hôtel Hyatt du centre et gravé l'inscription OBSÉDÉ sur le capot de sa voiture.

Sans elle, nous sommes obligées de modifier totalement la double pyramide. Nous comptions sur Beth pour être notre voltigeuse centrale, accrochée aux cuisses de Tacy et d'Emily pendant qu'elles écartaient leur autre jambe et la dressaient vers le ciel. Elle seule est assez légère pour monter aussi haut, et assez forte pour soutenir deux filles.

C'est comme jongler avec des pièces de puzzle qui ne s'emboîtent pas, et je vois le visage de la Coach se crisper.

« On supprime cette figure ? je lui demande.

— Non, dit-elle, les yeux fixés sur le terrain, où le vent se lève. Cox peut la remplacer. »

Je me tourne vers la fragile Brinnie avec ses cannes de serin.

RiRi me regarde, paupières plissées. Je hausse les épaules.

« La Coach sait ce qu'elle fait. »

Le bras droit de Brinnie se met à trembler durant la double pyramide.

Postée derrière, je m'en aperçois et je crie pour l'avertir, mais la peur traverse ses yeux à toute vitesse, et impossible de l'arrêter.

Au moment de la demi-rotation, le bras maigrelet de Brinnie cède pour de bon, et Emily, qui n'est pas plus lourde qu'un cil, la tête envahie d'images de sang qui gicle, glisse et s'écroule, genou en avant, sur le sol en mousse.

Oh, la voir tomber, c'est découvrir comment tout peut s'écrouler.

Son corps éclate comme du papier bulle.

Au fond de mon cerveau, je sais que ce claquement que nous entendons toutes, provenant du genou d'Emily, comme un bouchon de champagne le jour de l'an, concerne mon flip arrière.

Il concerne la Coach et moi.

J'avais des crampes d'enfer, m'envoie Beth ce soir-là.

`C'était la semaine dernière`, je lui réponds. Nous avions toutes nos règles en même temps : la sorcellerie des filles.

`Infection`, écrit-elle. `Jus de cranberry toute la nuit, et le Narvox de ma mère.`

`Dis la vérité.` Elle n'a jamais manqué un match, jamais. Même quand sa mère avait glissé sur le tapis du salon et s'était ouvert le front contre la table basse : quarante-sept points de suture et trois ans de Vicodin.

`J'ai la conscience tranquille`, répond-elle. `Plus que ta coach.`

`Tu sais de quoi je parle. Em a peut-être un lig. foutu.`

S'ensuit une longue attente et je sens presque quelque chose de noir s'ouvrir à l'intérieur de la tête de Beth.

`Moi, j'ai une vie foutue. Je vous emmerde.`

« Deux matchs de suspension, nous annonce RiRi. Pas de Beth pendant deux matchs. Em est hors circuit. Et avec Brinnie Cox la Tremblote pour nous assurer, on va toutes se fracasser le crâne sur le tapis.

— Sale coup, dit Tacy Slaussen en s'efforçant de ne pas sourire. Elle vise le trophée. Emily et Beth étant sur la touche, elle est la seule qui a le gabarit pour exécuter le numéro de voltige.

— Beth rejette la faute sur la Coach, dit RiRi.

— La Coach ? fais-je, et mon sourcil est pris d'un mouvement convulsif.

— Elle prétend qu'Em est tombée parce qu'elle s'est nourrie de bouffées d'air et d'hydroxyzine pendant six semaines pour atteindre le poids exigé par la Coach. »

Je la regarde.

« C'est ce que tu penses ? » dis-je, surprise par la dureté de ma voix : la vieille autorité de la lieutenante. Ça ne se perd pas.

RiRi écarquille les yeux.

« Non, dit-elle. Non. »

Je trouve Beth allongée sur les gradins, tout en haut, avec des lunettes de soleil.

« Je vous observe, la façon dont vous vous comportez avec elle. Votre parade pathétique, dit-elle.

— Tu n'aimes personne, dis-je. Ni rien.

— Elle n'aurait jamais dû miser sur Brinnie Cox, elle est trop petite et trop bête. Et tu sais ce que je pense de ses dents.

— Tu aurais dû venir, dis-je en essayant de regarder derrière ses lunettes noires, pour voir jusqu'où ça va.

— La Coach ne peut pas nommer une autre Top Girl. Elle va me supplier de revenir.

— Je ne crois pas. Elle a des principes.

— Ah bon ? » Beth se redresse en se tortillant et me regarde fixement, ses yeux sont des globes cernés d'argent : un insecte ou une extraterrestre. « Ce n'est pas l'impression que j'ai eue. »

Je ne dis rien.

« Elle a peut-être la planchette à pince et le sifflet, dit Beth, mais moi aussi, j'ai un truc.

— On ne dira rien. » Ma voix s'emballe. « On a décidé de ne rien dire.

— On est toujours un "on" ? rétorque-t-elle en se rallongeant sur le banc. Et je n'ai rien promis.

— Si tu avais l'intention de dire quelque chose, tu l'aurais déjà fait.

— Tu sais bien que ce n'est pas ma façon de jouer. Ce n'est pas comme ça qu'on gagne.

— Tu ne comprends pas. Eux deux…, ce n'est pas ce que tu crois.

— Ouais, dit-elle en me regardant froidement. Tu en sais plus que tout le monde ? Tu as vu l'intérieur de son âme noueuse ?

— Il y a des choses que tu ignores. Sur lui, sur eux.

— Des choses que j'ignore ? répète-t-elle d'un ton moins railleur que pressant. Éclaire-moi. Quoi donc ? Quoi donc, Addy ? »

Je ne le lui dis pas. Je ne veux rien lui donner. Je m'aperçois de quelque chose maintenant. Elle est en train de constituer un trésor de guerre.

Le lendemain soir, la Coach invite tout le monde à une soirée en l'honneur d'Emily, sur la touche pendant six semaines à cause de sa chute, peut-être plus.

Personne n'arrive même à le concevoir. Six semaines. Une vie.

Il fait trop froid pour rester dehors, mais une fois que le vin monte en nous, nous ôtons nos blousons et nous nous prélassons délicieusement sur la véranda, en regardant le ciel s'obscurcir. Emily trône à la place d'honneur ; elle lève la jambe pour montrer sa chaussure orthopédique, le regard défoncé à l'oxycodone. La fille la plus heureuse au monde, ce soir.

Je décide de chasser de mes pensées le sort jeté par Beth. *Elle est tombée parce qu'elle s'est nourrie de bouffées d'air et d'hydroxyzine...*

La Coach dessine nos numéros de samedi sur des serviettes en papier étalées sur le plateau en verre de la table du patio. Nous nous regroupons autour d'elle, avec empressement, sans quitter des yeux le feutre de la Coach qui trace nos destins.

« Il nous reste trois semaines jusqu'à la finale contre les Celts, dit-elle. Si on brille, on peut se qualifier pour les compétitions régionales l'année prochaine. »

Nous sommes aux anges.

Personne n'évoque le cas de Beth jusqu'à ce que Tacy, son ancien larbin, notre petite Benedict Arnold[1] ivre morte, dise d'un ton bêlant :

« Qui a besoin de Cassidy, hein ? On n'a pas besoin de gens haineux. On ira aux régionales avec ou sans eux. »

Nous sommes toutes un peu nerveuses, mais la Coach esquisse un sourire en faisant tourner son bracelet autour de son poignet. Je souris en constatant que c'est mon bracelet Hamsa, dont l'œil brille dans la lumière de la véranda.

« Cassidy reviendra, dit-elle. Ou pas. Mais elle ne sera plus notre voltigeuse. »

Elle reporte son attention sur ses hiéroglyphes gribouillés.

« Elle n'est pas l'animatrice du groupe », ajoute-t-elle.

---

1. Général de l'Armée continentale connu pour avoir trahi les États-Unis pendant la guerre d'Indépendance.

Les yeux fixés sur l'emplacement de la voltigeuse, je regarde le feutre tracer deux diagonales : un gros X noir au centre.

Il est très tard quand nous sommes secouées par la portière de la voiture de Matt French qui claque dans l'allée, et au même moment la chaise longue de la Coach s'anime.

Papa est rentré, voilà l'impression ressentie, et tout le monde se lève d'un bond. Nous nous précipitons dans la cuisine, empilons les assiettes et secouons les verres de vin au-dessus de nos bouches pour avaler les dernières gouttes, j'aide RiRi à cacher les bouteilles vides derrière les buissons. Elles s'entrechoquent bruyamment. Matt French doit le savoir. Il doit tout entendre.

Nous nous affairons autour de l'îlot de la cuisine, nous remplissons le lave-vaisselle en mastiquant nos chewing-gums au gingembre bio, pendant que la Coach discute avec lui dans l'autre pièce, en l'interrogeant, d'une voix posée et prudente, sur sa journée.

De l'autre côté des portes battantes à claire-voie, il semble très fatigué, et je n'entends pas ce qu'il dit.

Il avance la main pour toucher le bras de sa femme juste au moment où elle se retourne pour lui tendre le courrier.

Je songe à quel point il doit être épuisé et je me dis que, peut-être, s'il était mon mari, même s'il n'est pas beau du tout, peut-être que j'aurais envie de le faire asseoir pour lui masser les épaules, peut-être que je prendrais une de ces lotions citronnées pour hommes et que je lui masserais les épaules et les mains. Et ce serait peut-être agréable, même s'il n'est pas beau, s'il a un front beaucoup trop large et des petits poils rêches dans les oreilles, et même si je ne pensais jamais à lui de cette façon, franchement.

Mais il est fatigué après sa longue journée, et, quand il rentre chez lui, nous sommes là à brailler dans sa maison, survoltées, nattes et queues-de-cheval en bataille ; et la Coach s'adresse à lui comme elle s'adresse aux autres profs au lycée, pour échanger des banalités en tenant leurs tasses de café jaunies.

Il a les épaules rentrées, et je le vois tressaillir devant cette énergie féminine bruyante qui émane de la cuisine.

Je crois l'entendre dire : « Colette, j'ai appelé toute la journée. J'ai appelé toute la journée. »

Je n'en suis pas sûre, mais je crois l'entendre parler de Caitlin, de la garderie qui lui a téléphoné pour lui demander où elle était.

La Coach a plaqué sa main sur sa bouche, elle regarde ses pieds d'une manière que je reconnais, les soirs où mon père veillait encore pour m'attendre et me poser des questions.

Soudain, un grand fracas se produit sur la terrasse de derrière, comme du verre qui dégringole.

« Coach ! s'écrie quelqu'un au-dehors. Nous sommes désolées. Sincèrement désolées. »

13.

« Je vous demande d'accueillir chaleureusement la petite
nouvelle ! » dit la Coach en poussant délicatement la
dernière recrue, une cheerleader de division inférieure
venue tenter sa chance. Une fille avec une tête d'enclume
et un corps comme un diapason. Personne ne sera triste si
elle atterrit sur le plancher la tête la première. Ça fera juste
ding !

« Elle est pour moi, suppose Mindy en penchant le cou
de droite à gauche. Je la formerai. »

Mindy sait qu'elle est capable de hisser la nouvelle
jusqu'au toit ; une fille pareille, ça ne pèse pas plus de
quarante kilos toute mouillée, d'ailleurs, elle a l'air déjà
mouillée, sans doute la transpiration à cause du stress.

« Pas avant qu'elle ait payé sa dette, déclare RiRi, bras
croisés. On la fera toutes voler avant. »

Les nouvelles se font lancer en l'air violemment, la première fois. Dans le genre initiation. Nous aimons bien aussi les balancer d'un côté à l'autre.

« Pas de pitié », marmonne Tacy, devenue impitoyable, figure illustre de l'équipe subitement.

Personne ne pose de questions sur Beth. Elle n'est quasiment pas venue au lycée depuis trois jours, et la Coach semble sûre de sa victoire.

Il est minuit passé quand mon portable siffle et vibre sur ma table de chevet.

Tu peux passer me prendre ? Au coin de Hutch & 15.

Beth. Le premier texto en cinq jours. Un record depuis que nous étions allées en camp d'équitation dans les montagnes après l'année de cinquième, et revenues avec des colliers de suçons grâce à un moniteur et avec de nouvelles révélations sur le monde.

Je traverse la maison à pas feutrés et prends les clés de la voiture suspendues au crochet près de la porte de la cuisine. Tout le monde a pu entendre la voiture démarrer dans le garage, mais dans ce cas, personne ne dit rien. Mon père blotti contre ma belle-mère, celle-ci blottie contre sa dose de somnifères.

Beth se tient au coin, et son visage, quand il apparaît dans la lumière des phares, est une surprise. C'est une Beth sans masque, chose encore plus effrayante que ses paupières tombantes et son grognement d'adolescente.

Un visage ouvert, écartelé, comme cela ne lui arrive presque jamais, et ses yeux éclaboussés de mascara clignotent sans s'arrêter, ils pénètrent au plus profond de moi.

Éblouie par les phares, elle ne peut pas me voir, mais j'ai l'impression que si. Elle sait que je suis là.

C'est un spectacle, son visage aussi nu. J'ai presque envie de faire demi-tour. Je ne veux pas compatir.

Le temps qu'elle monte dans la voiture, son visage s'est refermé. Elle ne me dit pas grand-chose, à peine un bonjour, et elle se met à envoyer des textos.

« Où tu étais ?

— J'étais de garde, marmonne-t-elle, et ses pouces volettent au-dessus de son petit clavier.

— Quoi ? »

Tap-tap-tap font ses pouces.

« Quoi ? Qu'est-ce que tu as dit ?

— Le sergent Étalon…, dit-elle, et je retiens mon souffle, n'est pas le seul militaire en ville. »

Elle pose son téléphone et me regarde, avec un petit sourire en coin.

« Lequel ? » je demande.

Tous ces soldats décharnés qui se tiennent derrière la table avec Will, décharnés et sans expérience, frottés à la paille de fer.

« Le benêt, dit-elle. Prine. Le caporal Gregory Prine. Appelons-le Gregorious. Tu le connais. »

Je le revois en train de remuer sa langue devant moi, entre ses doigts en V, avec son front couvert d'acné ; un sentiment de menace.

« Eh bien, dis-je en ayant envie de vomir. Tu entres dans le Club des Vilaines Filles, hein ?

— Eh oui », dit-elle avec un rire de crécelle.

Mais je regarde ses mains, qui tremblent. Elle serre son téléphone de toutes ses forces pour essayer de les maîtriser. Quand je vois cela, quelque chose en moi change.

« Beth… » Je sens tout le sang quitter mon visage. Je n'arrive pas à nommer ce que je ressens, mais j'éprouve un sentiment d'abandon. « Pourquoi ?

— Pourquoi pas ? répond-elle d'une voix enrouée, ses cheveux qui tombent devant son visage. Pourquoi pas, Addy ? Pourquoi pas ? »

Je me dis qu'elle va peut-être pleurer. Et en un sens, elle pleure.

14.

La petite Caitlin, son visage pâteux avec sa bouche en queue de cerise, ses cheveux fins de bébé collés sur son front bombé.

Assise dans le canapé de la Coach, je la regarde se promener entre ses jouets éparpillés, le plastique rose et la peluche jaune de l'enfance d'une fille, le tout enrobé de paillettes. Elle se déplace avec le plus grand soin au milieu des vestiges de poneys à la crinière mauve, de tutus aux volants vaporeux et de toutes les poupées aux grands yeux, des poupées au regard presque aussi vide que celui de Caitlin, qui me rappelle un de ces modèles qui marchaient seuls, avec raideur, et que possédaient toutes les petites filles riches ; nous les renversions d'un revers de la main ou nous les faisions dégringoler dans la piscine ou dans l'escalier du sous-sol. C'était comme les empiler sous forme de pyramide uniquement pour les regarder tomber.

« Je sais, je sais. S'il te plaît, veux-tu… Écoute-moi, mon chéri. Écoute-moi bien. »

Dans la salle à manger obscure, la Coach est au téléphone, les doigts refermés autour du lustre bas, le tournant, lui faisant faire des cercles, jusqu'à ce que j'entende un grincement sinistre.

Pendant des heures, elle s'est tordu les mains, en enfonçant son pouce au centre de sa paume, y laissant son empreinte, en grinçant presque des dents, son regard revenant sans cesse se poser sur son portable. Dix fois en dix minutes, une vibration fantôme. Elle le prenait, en le secouant presque. Pour le supplier de s'animer. Nous ne pouvons pas achever une conversation, ni nous entraîner aux roulades-plongeons dans le jardin. Autant de choses qu'elle m'avait promises.

Finalement, elle capitule, elle se faufile dans la pièce voisine, et sa voix, haut perchée, précipitée : *Will ? Will ? Mais tu… Mais Will…*

Les pieds en pâte à modeler de Caitlin écrasent les miens, ses mains collantes se posent sur mes genoux quand elle passe devant moi, et j'ai envie de partir. Tout cela est tellement poisseux et pas amusant du tout, je sens l'air obstruer ma gorge. Pour la première fois depuis que la Coach m'a laissée entrer chez elle, je regrette de ne pas être allée plutôt avec RiRi chez son nouveau petit copain, pour boire du whisky-ginger ale dans le jardin derrière la maison et taper dans des boules de croquet d'un bout à l'autre de la pelouse en pente.

Mais à cet instant, la Coach fait irruption dans le salon, en brandissant le téléphone comme un trophée, son visage irradie soudain d'une énergie nerveuse.

Elle est métamorphosée.

« Tu peux me rendre un service, Addy ? demande-t-elle en jouant avec le bracelet Hamsa dont l'amulette me lance des signaux. Juste pour cette fois ? »

Elle s'agenouille devant moi, les bras posés sur mes genoux. On dirait une demande en mariage.

Son visage est doux et enfiévré, je sens ce qu'elle doit éprouver quand elle me regarde.

« Oui, dis-je en souriant. Oui, bien sûr. Oui. » *Toujours.*

« Ce ne sera pas long, dit-elle. Juste un instant. »

Elle m'explique que Will traverse un moment difficile. Aujourd'hui, c'est le troisième anniversaire de la mort de sa femme.

J'ai des fourmillements dans les jambes, c'est comme à Lanvers Peak, et j'ai conscience de mon importance. Sauter, sauter, sauter... à quelle hauteur, Coach ? Dites-moi juste : à quelle hauteur ?

Quand il arrive, Will n'a pas l'air d'être lui-même, son visage porte les plis des draps, et il sent la bière, la transpiration, il dégage une moiteur qui semble pénétrer jusqu'à ses os. Un pack de bouteilles de bière est coincé sous son bras. Pendant une minute, il donne l'impression de vouloir s'enfouir à l'intérieur de la Coach, et je fais semblant de regarder par la fenêtre.

Tandis que la Coach entraîne Caitlin dans le jardin, nous restons assis dans le canapé, lui et moi, les bouteilles de bière froides appuient contre ma cuisse.

Il s'écoule une longue minute silencieuse, mes yeux suivent le va-et-vient laiteux de sa pomme d'Adam, je suis hypnotisée, je pense aux doigts de la Coach posés à cet endroit.

« Addy, dit-il finalement, et je suis soulagée que quelqu'un dise quelque chose. Je m'en veux de vous déranger. Vous étiez certainement en train de faire des choses. Je suis désolé.

— C'est pas grave. »

Quand j'avais sept ans, le meilleur ami de mon père est mort d'une crise cardiaque sur un parcours de golf, et mon père s'est enfermé dans le garage pendant une heure, ma belle-mère ne voulait même pas que je frappe à la porte. Plus tard, je crois que j'ai grimpé sur ses genoux et je me souviens qu'il m'a laissée rester là un long moment, sans me demander de descendre pour qu'il puisse changer de chaîne.

Je ne pense pas que je devrais m'asseoir sur les genoux de Will, mais j'aimerais pouvoir faire quelque chose.

« Je peux te dire quelque chose, Addy ? » Au lieu de me regarder, il garde les yeux fixés sur l'agneau blanc en peluche sur la table basse, avec la tête penchée. « Une chose affreuse m'est arrivée en venant ici.

— Quoi donc ? je demande en me redressant dans le canapé.

— Je sortais de la boutique de bières de Royston Road et il y a un arrêt de bus juste devant. Une vieille femme descendait du bus, avec ses sacs de courses. Elle portait un chapeau décoré d'une grosse fleur rouge, une sorte de coquelicot, comme ceux que l'on porte pour la fête de l'Armistice. Enfin, que l'on est censé porter pour la fête de l'Armistice.

« Bref, quand elle m'a vu, elle s'est arrêtée net, sur la dernière marche du bus. Elle s'est arrêtée, carrément. Comme si elle me connaissait. C'est alors que ça s'est produit. Je ne pouvais plus bouger. J'étais planté là, avec mes bières à la main, et on se regardait. Et là, une chose s'est produite. »

Il a l'œil vitreux ; un de ses doigts glisse sur le pack de bières posé entre nous.

« Elle vous avait déjà vu quelque part ? je demande, sans être sûre de comprendre.

— Oui. Sauf que non. Et moi, je ne l'avais jamais vue de ma vie. Mais elle me connaissait, Addy. Elle ne cessait de me dévisager sous son chapeau. Ses yeux noirs ressemblaient à des morceaux de charbon. Elle ne me lâchait pas. » Il secoue la tête. « Elle m'empêchait de bouger. »

J'écoute, mais je ne sais pas ce que j'entends. Je me demande combien de bières il a bues, à moins que ce ne soit un des aspects du deuil, diffus et mystérieux ?

« Addy, je crois... » Ses yeux sont revenus se poser sur le petit agneau avec sa tête penchée, comme s'il avait la nuque brisée. « Elle *savait* des choses sur moi. C'est devenu évident. Elle *savait*. Ce que j'avais fait quand j'étais enfant, l'accident de toboggan avec mon cousin, les pétards sur le parking de l'église, et le jour où mon père s'est présenté ivre à mon travail au Hamburger Train, je l'ai poussé, il a glissé sur le sol mouillé et s'est cogné la tête. Mon entrée dans la Garde nationale, et comment, après toutes ces années de picole, je me souviens uniquement des missions d'aide médicale, ces petites filles de l'orphelinat qui me donnaient en douce des poèmes d'amour. Je ne me souviens jamais de tout le reste. »

Il s'interrompt, sa bouteille de bière penche dans sa main.

« Elle savait des choses que je n'ai jamais dites à personne, reprend-il. Au sujet de ma femme, par exemple. On a vécu six ans ensemble et je ne lui ai jamais acheté une carte pour la Saint-Valentin. »

La bouteille vide glisse entre ses doigts et roule sur le coussin du canapé.

« Elle savait tout ça. Et moi aussi, ensuite. »

Je ne sais pas quoi dire. J'ai envie de comprendre, de toucher du doigt ce désespoir éclatant.

Finalement, je demande : « Qu'avez-vous fait ? »

Il rit, un son brutal qui me fait sursauter.

« Je me suis enfui en courant. Comme un gamin. Comme si j'avais vu le croquemitaine. Une sorcière. »

Nous restons muets pendant un moment. Je pense à cette vieille femme. Je vois le chapeau orné d'un coquelicot, son visage, ses yeux d'un noir d'encre qui savent tout. Je me demande si une telle chose m'arrivera un jour.

Will se penche pour récupérer sa bouteille et la poser sur la table basse ; elle laisse un cercle humide sur le bois.

« Tu te souviens du soir où nous sommes montés en haut du pic ? demande-t-il brusquement.

— Oui.

— J'aimerais que ce soit toujours comme ça », dit-il en décapsulant une nouvelle bouteille de bière.

Je l'observe.

« Regarde-toi, ajoute-t-il en avançant la main pour faire danser ma tresse blonde d'une chiquenaude. C'est si facile de parler avec toi, Addy. »

J'essaie de sourire.

« Laisse-moi te poser une question, dit-il en appuyant la bouteille contre son front moite. Est-ce que les gens te voient comme ça, jolie, avec tes cheveux de poupée, ou est-ce qu'ils connaissent les choses que tu gardes en toi ? »

Comment savait-il que je gardais de telles choses ? *Et lesquelles ?*

« Je peux te faire confiance, Addy ? »

Je dis que oui. Y a-t-il des personnes qui répondent non à cette question ?

J'attends qu'il en dise plus. Mais il se contente de me regarder, avec des yeux veinés de sang et remplis de tristesse.

Tout cela n'a ni queue ni tête, et je me dis que Will doit être complètement ivre ou quelque chose. Quelque chose.

L'espace d'une seconde, je me sens submergée et je n'ai qu'une envie, écouter de la musique. Ou piquer un sprint dans les gradins, ou sentir dans ma paume le poids plume du pied d'elfe de Tacy qui compte sur moi pour la maintenir en l'air, c'est si facile.

« Je suis désolé d'avoir gâché votre après-midi », dit-il.

Je suis dans le jardin de derrière, appuyée contre la cabane d'enfant occupée par Caitlin, qui tient de gros crayons pastel dans ses mains potelées. Encore à moitié essoufflée après ma conversation avec le sergent Will, je fume trois American Spirit de la Coach, en pensant à ce qui se passe dans la maison.

Presque une heure s'écoule, ils sont à l'intérieur tous les deux, et Caitlin s'endort dans la cabane, en tétant le coin de la table en mousse.

Les cheveux relevés en queue-de-cheval, la Coach court pieds nus sur la pelouse. Je crois qu'elle va m'étreindre, mais ce n'est pas son genre, et elle passe son bras autour de moi, à la manière d'un coach, en me broyant l'épaule.

« Merci, Addy, dit-elle, haletante. Merci, OK ? »

Elle sourit, de toutes ses dents, le visage rosé.

À croire que je venais de faire pour elle la plus belle chose au monde, comme un grand écart porté ou un double saut périlleux arrière lors des championnats régionaux ; comme un baume sur son cœur.

Un court instant, mes doigts touchent son dos musclé, qui frémit comme le plumage d'un oiseau.

La toucher, c'est comme toucher des oiseaux, leur beauté.

15.

Fête ce soir. Le texto de Beth apparaît sur l'écran.
Impossible, je réponds. **Match à l'extérieur.**
Après, dit-elle. **Comfort Inn Haber.**
Non non.
Si si.
Ça me démange derrière l'oreille. Le Comfort Inn. Les grands frères et les grandes sœurs racontent que ça s'appelait La Belle Marianne dans le temps, avec un balcon au premier étage, si bas qu'on avait l'impression que les putes – de vraies prostituées en chair et en os, comme dans les films, mais avec une plus vilaine peau – allaient sauter dans la cour. On passait devant seulement quand on allait dans le centre, pour se rendre au musée avec l'école, par exemple, et les professeurs étaient gênés de passer devant cet établissement, avec toutes ces filles alignées.

Quand c'est devenu le Comfort Inn, ils ont détruit le balcon, et on ne voyait plus les putes, mais l'endroit palpitait encore du souvenir des actes obscènes.

Et Beth, avec ses actes obscènes. J'ai envie de dire non, mais j'ai envie de dire oui. J'ai envie de dire oui pour l'avoir à l'œil et j'ai envie de dire oui parce que c'est une fête au Comfort Inn dans Haber Road.

Alors, je dis oui.

« Qui organise cette fête ? demande RiRi en glissant la main sous sa chemise pour remonter son sein droit d'abord, puis le gauche, afin qu'ils dépassent un peu de l'encolure. Ton dealer ?

— Mon dealer achèterait tout Haber Road », répond Beth.

Elle n'a pas de dealer, mais elle connaît un garçon à Hillcrest qui a obtenu son diplôme à Sutton Grove il y a dix ans et qui lui vend de l'Adderall, qu'elle partage avec moi parfois, et j'ai l'impression que de l'oxygène explose dans mon cerveau en le vidant entièrement, ne laissant qu'une immense joie qui fait tic-tac dans ma poitrine, et qui disparaît si vite qu'elle me prend tout, et me laisse avec ma triste vie.

« Alors, c'est qui ? » je demande.

Elle sourit.

Tout d'abord, je ne l'ai pas crue, et pourtant si. Ils sont cinq ou six, tous de la Garde nationale.

Des hommes de Will.

Ils sont habillés en civil, mais leurs coupes de cheveux et leurs visages bien rasés les trahissent, leur façon de se tenir également, les pieds écartés, poitrine sortie. L'un d'eux a même les mains croisées dans le dos, au repos, et il a du mal à tenir sa bière.

Je reconnais le soldat de première classe avec les cheveux roux coupés en brosse qui accompagne le sergent Will à sa voiture chaque jour et l'autre, celui avec les mains épaisses comme des jambons et des jambes arquées.

Un petit bar a été installé sur le long buffet en contre-plaqué, et ils sont tous regroupés autour, aucun n'est assis sur les lits affaissés, avec les couvre-lits rêches. L'éclairage est tamisé et il règne une ambiance presque paisible.

C'est juste un endroit pour faire la fête, voilà tout. Une petite fête, deux pièces contiguës, le radio-réveil qui cliquette discrètement et un soldat de première classe qui fait tournoyer d'un air absent la lampe au plafond, proje-tant des pans de lumière dans la pièce comme une boule à facettes, comme la lanterne magique de Caitlin.

Puis le caporal Prine avec sa tête en forme de balle sort des toilettes, le pouce enfoncé dans le goulot de sa bouteille de bière.

RiRi me regarde et secoue la tête en articulant *Mon Dieu, non.*

Les autres sont tous impeccables avec leurs polos bien repassés et le reste aussi, mais Prine porte un tee-shirt décoré de têtes de mort : un gros couteau est planté dans l'un d'eux, et en travers, sur un rouleau de parchemin, on peut lire ce slogan : L'AMOUR TUE.

Prine nous fait signe en hochant sa grosse tête plate.

Beth se débarrasse de son blouson en cuir d'un mouve-ment d'épaules, resplendissante dans son débardeur doré, et marche vers lui, avec un sourire oblique, à sa manière, synonyme de nouveaux ennuis.

RiRi remue les hanches et glisse sa main dans la mienne ; son aisance avec les garçons est un grand soulagement, et bientôt nous voilà en train de danser, en faisant tressauter nos hanches, et RiRi mime un robot.

Il y a du rhum mélangé à du Coca Light spécialement pour nous et des prémix à volonté. Les soldats de première classe se comportent en garçons bien élevés et nous proposent de jouer à un jeu dont j'ai du mal à saisir les règles, mais il faut souvent se pencher au-dessus de la table pour souffler sur des cartes à jouer posées sur une bouteille vide, puis boire et boire encore.

Je me moque de tout, des taches sur le dessus-de-lit ou au plafond, de l'évier qui se détache du mur dans les toilettes quand on s'y accroche pour tenir debout, de la moquette croûtée sous mes pieds, j'ai lancé mes chaussures pour monter sur le lit avec RiRi. Lorsque nous commençons à danser ensemble, nos hanches s'entrechoquent, et les soldats nous regardent et nous acclament. Je me moque absolument de tout.

Je m'en moque à cause du rhum, de la citronnade à la bière et du shot de tequila qui foncent en moi, dans tous les sens, et du sort puissant qui a été jeté.

Le monde du lycée avec son ennui, ses chewing-gums collés, les portes de casiers qui claquent et les chaussures qui dérapent s'enfuit, tout n'est plus que perfection chaude et bouillonnante.

« On va dire à la Coach de venir, marmonne RiRi. On va lui dire qu'on est avec la Garde nationale. » Elle tripote mon portable pour essayer d'envoyer un texto.

Parce que tout va bien, parce que ce sont les hommes de Will et qu'il ne peut rien arriver, l'un d'eux appuie nos têtes l'une contre l'autre, il veut qu'on s'embrasse.

« Toujours prêts, dit-il. Toujours là.

— On n'a jamais pu être amies comme ça, dit RiRi en m'étreignant. Avant cette année. Tu étais toujours la copine de Beth. Elle ne voulait jamais te partager. Cette fille bande pour toi. J'avais même peur de toi. J'ai toujours eu peur de vous deux. »

Elle me regarde, les yeux écarquillés, comme si elle se surprenait elle-même.

Cette sensation chaude qui se répand en moi, je l'ai déjà ressentie, dans des fêtes, autour de feux de camp sur la corniche avec les fûts de bière et les gobelets en plastique qui s'entrechoquent, quand chaque garçon est le plus beau que j'aie jamais vu. Mais là, c'est encore mieux – le Comfort Inn de Haber Road ! – et surtout, ces hommes, des adultes, des soldats – les hommes de Will. Parés du lustre de Will, d'une certaine façon.

Qui suis-je pour ne pas me recroqueviller sous leurs bras musclés et croisés ? Comme la Coach avec Will. Ça pourrait être moi.

Il est tard et nous n'arrivons pas à trouver Beth.

Tout d'abord, je suis persuadée qu'elle est avec Prine, mais le première classe Tibbs, le gentil soldat roux avec un sifflet dans la voix, me montre Prine évanoui sur le lit dans la pièce voisine, et pas de Beth.

Prine, le jean sur les chevilles et le boxer à moitié arraché, offre un spectacle d'abandon charnu. Même s'il est seul, il y a là quelque chose de sinistre. C'est peut-être l'odeur, âcre et malsaine.

Le première classe m'emmène faire un tour dans tous les couloirs et les escaliers, en me parlant de sa sœur, il s'inquiète pour elle, à la fac, il a entendu des histoires de *lap dance* dans les résidences étudiantes et de parcours de la honte au petit matin.

Nous cherchons Beth pendant au moins une heure, et si je conserve un semblant de calme, c'est uniquement parce que, alors que je marche sous les longues rangées de néons, je me concentre très fort pour ne manquer aucun recoin désodorisé du motel.

Mais chaque couloir brûlant ressemble au précédent : jaune éclatant et vide.

Je suis presque dégrisée par l'air de la nuit quand nous la découvrons endormie dans ma voiture ; le visage détendu, enfantin, sauf qu'elle n'a pas de chaussures et, d'après ce que je vois, étant donné que sa jupe est relevée, pas de culotte.

Lorsqu'elle se réveille en sursaut, elle dit des choses mystérieuses et confuses sur Prine.

Elle raconte qu'il l'a entraînée dans la pièce voisine, lui a arraché sa culotte et il a baissé son pantalon, et toutes sortes de paroles s'échappent de sa bouche ivre.

Il a mis ses mains là, il a appuyé sur mes épaules, ma mâchoire, j'ai mal.

Il faut toujours croire ces choses-là. C'est ce que nous disent les enseignants dans les cours de sensibilisation, la femme du planning familial, l'étudiante de Girls, Inc. avec le piercing dans le nez. Les femmes ne mentent jamais au sujet de ces choses capitales. Il ne faut jamais mettre leur parole en doute. Il faut toujours les croire.

Mais Beth n'est pas comme ces filles dont elles parlent. Beth n'est comme aucune autre fille. Ces bourrasques en elle, on ne peut pas voir à travers, hein ?

Impossible de comprendre une personne comme Beth qui en sait toujours plus sur vous que vous-même. Elle vous prend toujours de vitesse.

« Je ferais bien d'appeler quelqu'un », dit le première classe en s'éloignant de nous, de mes soins, et surtout de Beth affalée sur le siège, la ceinture de sécurité entortillée autour de sa cheville nue, les pieds marqués par les graviers.

J'essaie de la dégager, et sa jambe gauche bascule sur le côté, nous découvrons alors, tous les deux, la marque rouge enflammée à l'intérieur de sa cuisse, en forme de pouce. Et la même sur l'autre cuisse.

« Je ferais bien d'appeler le sergent », dit-il d'une voix étranglée.

Soudain, Beth sursaute, son coude pointe vers moi, son regard dur se fixe sur le pauvre soldat.

« Appelez le sergent, dit-elle. Allez-y, appelez-le. C'est de sa faute. Je l'ai appelé cinq fois. Je l'ai appelé pendant des heures. C'est de sa faute. »

Pourquoi Beth appellerait-elle Will ?

Je me retourne vers le soldat. Je secoue la tête. Avec l'air de dire : *cette pauvre fille est complètement ivre.*

Beth est une menteuse. C'est un mensonge, la seule chose qu'il y ait entre elle et Will, c'est l'échec de sa campagne de séduction. Elle tire dans tous les coins, au hasard ; voilà tout.

« Je m'en occupe, dis-je. Je m'occupe d'elle. Vous pouvez y aller. »

Il recule en levant les mains.

Le soulagement sur son visage est stupéfiant.

« Tu ne peux pas l'amener ici, Addy, me dit la Coach alors que je serre mon portable contre mon oreille. Conduis-la chez elle. Ou chez toi. »

Je regarde Beth, recroquevillée dans le creux du siège avant de ma voiture, les yeux presque fermés, mais laissant entrevoir un éclat dérangeant.

« Je ne peux pas », dis-je à voix basse. La manche de mon teddy se prend dans le volant, *dessoûle, dessoûle.* « Elle raconte des choses. Sur le soldat Prine. »

Mes yeux remarquent le sac de Beth sur le plancher ; la fermeture Éclair est à moitié ouverte.

C'est ainsi que je vois sa culotte vert fluo à l'intérieur.

Soigneusement pliée, comme un mouchoir.

Vous ne pouvez pas juger le comportement d'une femme après une agression, disent toutes les brochures. Mais…

« Prine ? » La voix de la Coach se hérisse. « Le caporal Prine ? De quoi tu parles ? »

Je lui raconte la soirée, les mots se bousculent, j'ai la tête molle, confuse. *Laissez-nous venir, Coach, laissez-nous venir.*

Je ne lui dis pas que je suis déjà en train de rouler vers Fairhurst, vers chez elle.

« Elle voulait qu'on appelle le sergent, dis-je, à la vitesse d'une balle. Elle affirme qu'elle l'a appelé, un paquet de fois. »

Un silence, puis sa voix comme une aiguille dans mon oreille.

« Amène-moi cette salope, tout de suite. »

La voiture flotte, les lampadaires, semblables à des projecteurs, braquent leurs cônes sur nous. Et la voix de la Coach qui martèle : *Pourquoi êtes-vous allées à cette soirée, Addy ? Elle dit que Prine lui a fait du mal ? Ce n'est pas un quarterback de lycée. Ils le surnomment le Tripoteur, Addy. Je vous croyais plus futées que ça.*

Je soutiens Beth pour gravir les marches de la véranda de devant, ses pieds nus raclent le ciment.

La Coach m'a demandé de ne pas frapper, alors j'envoie un texto. Quelques secondes plus tard, elle apparaît à la porte, vêtue d'un tee-shirt trop grand sur lequel est écrit AURIT FINANCIAL SERVICES, avec un logo qui ressemble à une route sinueuse montant vers le ciel.

Le regard glacial qu'elle pose sur Beth me dessoûle immédiatement et me pousse à redresser le dos. J'ai même envie de me coiffer.

« Pour l'amour du ciel, Hanlon », dit-elle. C'est *Hanlon* maintenant. « Je m'attendais à autre chose de ta part. »

Je ne peux pas faire comme si je n'étais pas blessée.

En chuchotant et en nous bousculant, nous entraînons Beth dans le bureau.

Juste au moment où la Coach secoue la couverture moelleuse au-dessus de Beth, dont les cheveux lui barrent le visage, nous entendons Matt French descendre l'escalier.

Tout cela n'augure rien de bon.

Il semble fatigué, il s'est frotté le visage à le faire rougir, il a le front plissé.

« Colette, dit-il en englobant la scène du regard. Que se passe-t-il ici ? »

Elle ne cille pas.

« Maintenant, tu vois ce que je dois endurer toute la semaine, dit-elle, presque comme si elle était en colère après lui, une formidable technique. Et maintenant, c'est même le samedi soir. Ces filles sont juste bonnes à boire du vin en cubi et à semer le chaos. »

Tous les deux se tournent vers moi. Je ne sais pas quoi dire, mais je n'ai jamais bu du vin en cubi.

« Colette, dit-il, tu peux venir une seconde ? Je veux te parler. »

Ils disparaissent dans la pièce voisine pendant une minute et je l'entends qui hausse la voix, je saisis quelques mots : *responsabilité… et si… jeunes filles.*

« Que veux-tu que je fasse ? Les parents de ces filles s'en fichent », répond-elle, et ça fait bizarre d'entendre ça.

Après quelques secondes encore, ils réapparaissent.

« Retourne te coucher, Matt, dit-elle en essayant un sourire contrarié, une main posée dans son dos. Tu es épuisé. Je m'en occupe. »

Matt se retourne vers Beth, enfouie dans le canapé, puis détourne la tête.

Pendant une seconde, son regard se pose sur moi. Son visage marbré de sommeil, l'inquiétude qu'on y lit, et ses yeux injectés de sang fixés sur moi.

« Bonne nuit, Addy », dit-il, et, franchement, je ne savais pas qu'il connaissait mon nom.

Je le regarde baisser la tête sous l'encadrement de porte voûté, puis escalader les marches moquettées.

Bonne nuit, Matt French.

La Coach m'attire dans la salle de bains et me fait asseoir au bord de la baignoire, les questions fusent, les lumières roses s'enflamment.

« Je ne sais pas ce qui s'est passé », dis-je, mais les paroles de Beth ne cessent de se caramboler : *sa main derrière ma tête et il l'a poussée vers le bas, sans cesser de dire : « Baise-moi, cheerleader. Baise-moi. »*

La Coach me fait tout répéter cinq, dix fois, me semble-t-il. J'ai des vertiges. Au bout d'un moment, je glisse le long du rideau de douche, mais elle me redresse brutalement et m'oblige à boire quatre gobelets d'eau à la suite.

« À *ton* avis, qu'est-ce qui s'est passé ?

— Je ne sais pas. Vous avez vu ses jambes, les marques rouges ? »

Mais à ce moment-là, la main sur ma propre jambe, je pense à l'hématome violacé que j'ai exactement au même endroit, creusé par le pouce de Mindy qui me soulève pour faire un *thigh stand.*

Et puis, il y a le problème de la culotte vert citron, soigneusement pliée dans le sac à main de Beth.

Mais la Coach ne m'écoute pas, elle ne me regarde même pas.

Elle tient le portable de Beth dans la main. Je ne l'ai pas vue le prendre.

Elle fait défiler la liste des appels. Les appels sortants et les textos adressés à « Sergent Will » : six, sept, huit.

Soudain, elle tressaille.

Un texto. `Venez, sergent Étalon, on attend`
`toutes.` Il y a une photo jointe, on dirait le soutien-gorge
imprimé zèbre de Beth, ses seins pressés l'un contre l'autre.

Elle cogne le portable contre le mur et le balance dans
les toilettes.

Comme si ça changeait quelque chose.

Qui savait, réellement, quelles obscénités numériques se
promenaient dans le portable de Beth, quel fléau électro-
nique elle avait amassé dans ses compartiments les plus
profonds ?

Dans mon état d'ébriété, je ne pense qu'à une chose :
Oh, Coach, elle vous a dans sa ligne de mire. Juste ou injuste,
elle vous en veut. Je vous en prie, soyez plus intelligente, vite.

Plus tard ce soir-là, je quitte sans bruit le canapé du
salon pour me rendre dans le bureau. Je vois Beth, les
couvertures entortillées entre les jambes, tout son corps
enroulé sur lui-même comme un serpent.

« Beth, je murmure en l'enveloppant dans la couverture.
C'est vrai ? C'est vrai que Prine t'a fait des choses ? Qu'il
t'a forcée à faire des choses ? »

Elle n'ouvre pas les yeux, mais je sais qu'elle sait que je
suis là. J'ai l'impression d'avoir creusé un passage jusque
dans son rêve, et qu'elle va me répondre.

« Je l'ai poussé à le faire, murmure-t-elle. Et il l'a fait. Tu
te rends compte ? »

Obligé à le faire. Oh, Beth, qu'est-ce que ça veut dire ?
Je l'imagine en train de l'allumer. De lui faire ses trucs de
sorcière à la Beth.

« Tu l'as obligé à faire quoi ? je demande à tout hasard.

— Je m'en fichais. Ça en valait la peine.

— Beth… La peine de faire quoi ?

— Il faut qu'elle voie ce qu'elle nous fait. Je vais lui faire voir. »

Elle est capable d'employer ce langage. Son langage outrancier, son langage pour raconter des histoires effrayantes autour du feu de camp, son langage de capitaine inflexible. Il est destiné à me faire trembler et ça marche à tous les coups.

« Elle ne savait même pas que nous étions à cette soirée, dis-je.

— Elle croit qu'elle peut s'amuser à jouer les salopes et faire tout ce qui lui plaît. On n'est que des gamines, il aurait pu nous arriver n'importe quoi là-bas.

— On avait envie d'y aller, dis-je, et mon ton se durcit, alors on y est allées.

— À cause d'elle », dit Beth en levant la main pour la refermer autour de son cou. Sa main qui tremble. « On y est allées à cause d'elle.

— Pas moi, réponds-je dans un aboiement. Je n'y suis pas allée pour cette raison. C'est quoi le rapport avec elle ? »

Elle me regarde à travers ses paupières mi-closes, une lueur brille sous ses cils. Beth me connaît. *Tout*, est-elle en train de dire. *Et tu le sais.*

« Ces soldats, ils voient bien ce qu'ils peuvent faire sans avoir d'ennuis, chuchote-t-elle. Ils voient ce qui est autorisé. »

Je vois défiler mes propres pensées, quelques heures plus tôt, pendant que je me déhanchais avec RiRi sur le matelas défoncé… *Tout va bien, parce que ce sont les hommes de Will et il ne peut rien arriver.*

« Beth…, dis-je en essayant de déplacer le curseur vers le centre. Est-ce qu'il… Est-ce qu'il… » Je n'arrive pas à prononcer le mot.

« Quelle importance ? » dit-elle.

J'inspire à fond. Une inspiration si profonde qu'elle me transperce presque.

« Il aurait pu, Addy, tout aussi bien, ajoute-t-elle, et ses yeux s'ouvrent dans un battement de paupières, elle est tellement ivre et perdue que j'ai envie de pleurer. C'est ce qui compte. »

À plusieurs reprises, cette nuit-là, je sens des mouvements dans la maison, des ombres dansantes passent devant moi. Dans mon sommeil aviné, roulée en boule dans le canapé, c'est comme si j'étais dans la chambre de Caitlin, la lanterne rose projetant des silhouettes de danseuses sur les murs toute la nuit.

Un peu avant l'aube, j'aperçois une autre ombre et je sens un très léger poids sur le parquet en érable brillant.

Je me lève et franchis sans bruit la porte du salon, pour sortir dans le couloir, mon estomac se soulève, la gueule de bois m'assaille à chaque pas.

Je vois la Coach dans le bureau, penchée au-dessus du dossier du divan, en train de murmurer à l'oreille de Beth.

Son visage est dur.

Ses mains serrent un peu trop fort le bord du divan.

Je crois entendre. Je sais que j'entends.

Tu mens. Tu es une menteuse. Tu ne sais que mentir.

Puis c'est Beth qui parle, mais je n'entends pas ses paroles, ou je ne peux pas être certaine d'avoir entendu. Dans mon esprit cauchemardesque, c'est :

Il m'a tenu la tête, il m'a soulevé les jambes, il me l'a fait, Coach. Ce que voit le singe, il le fait. Comme nous avec vous. Est-ce que je n'ai pas sauté plus haut, volé plus haut, Coach ? Hein ?

16.

Toute la journée de dimanche, j'ai eu l'impression d'être encore ivre, tout le corps essoré. Impossible d'obtenir de Beth une réponse à mes textos. Réfugiée dans ma chambre, tout ce que je peux faire, c'est me demander si elle a raconté une version de son histoire sordide à ses parents ou, pire, à la police.

Plongeant par intermittence dans un sommeil de gueule de bois, mes rêves épouvantables, la petite tête de Prine entre les jambes emmêlées de Beth, faisant des choses confuses avec ses dents, comme un animal sauvage, le Tripoteur.

Ou bien j'imagine Beth en train de l'allumer et de le provoquer, ondulant dans sa jupe relevée, disant on ne sait quoi, essayant de le pousser à se montrer brutal avec elle, suffisamment brutal pour la marquer. Je me demande jusqu'où il est réellement allé, jusqu'où elle a laissé les choses aller. Ou pourquoi elle s'est infligé ça à elle, à nous toutes.

La Coach doit voir ce qu'elle nous fait. Qu'est-ce que ça veut dire, Beth ?

Pour moi, ça ne veut rien dire.

Dimanche soir, la Coach appelle.

« Je ne sais pas ce qui s'est passé, dis-je. Je n'arrive pas à lui tirer les vers du nez.

— Ça n'a pas d'importance, de toute façon, dit-elle d'une voix morne, presque mécanique. Tout ce qui compte, c'est ce qu'elle raconte. Et à qui. »

Ces paroles me font frissonner. Comment est-ce ça pourrait n'avoir aucune importance ? Mais à un certain niveau, je comprends ce qu'elle veut dire. Un brouillard flotte au-dessus de nous et rien ne peut le transpercer, apparemment.

« Elles sont là-dedans depuis une heure », annonce Emily en se balançant sur ses béquilles. Elle a beau être sur la touche, elle ne manquerait un entraînement pour rien au monde. « Au début, elles parlaient *vraiment* fort. »

Nous sommes postées imprudemment près du bureau de la Coach, dans lequel elle est enfermée avec Beth, stores baissés, et je crains qu'elles puissent nous entendre.

Nul ne semble au courant au sujet de Beth et Prine. Les filles ont juste entendu dire qu'elle avait filé en douce avec quelqu'un, une chose dont elle est coutumière.

« Tu crois que Beth veut revenir dans l'équipe ? murmure Tacy dont les visions de gloire s'échappent entre ses doigts de néon. Tu crois que la Coach la laissera revenir ? Et si jamais elle l'autorise à redevenir capitaine ? »

La petite Tacy, endurcie par le combat, calculant trois coups à l'avance. Fut un temps où elle était uniquement la souffre-douleur de Beth, puis sa Benedict Arnold. Maintenant, elle est la souffre-douleur de la Coach.

Si Beth redevient capitaine, Tacy retrouvera son simple rôle d'assistante, ou pire.

Plus de voltige.

« La Coach ne croit pas aux capitaines, lui rappelle Emily. Et même si elle a changé d'avis, pourquoi diable laisserait-elle *Beth* être capitaine ? Elle ne vient même plus aux entraînements. »

Mais elles ne savent pas ce que je sais. La nouvelle devise de Beth. Payer pour jouer. Je m'interroge : est-ce que ce sera la stratégie de la Coach ? Ce serait la mienne.

Mais ça ne semble pas être sa façon de faire. Sa manière à elle, c'est : répondre aux fanfaronnades par des fanfaronnades.

Dix minutes plus tard, Beth et la Coach ressortent du bureau en ricanant sans que l'on sache pourquoi, de vilains petits rires étouffés. Nous les observons, avec un vif intérêt.

Moi seule vois derrière la façade.

« C'est une dégonflée, me dit la Coach plus tard. Elle a du bagout, mais en fait, ce n'est qu'une mauviette. »

À ce sujet, je sais qu'elle ne pourrait pas être plus éloignée de la vérité.

« Vous la prenez toutes pour une manipulatrice, ajoute-t-elle en secouant la tête. Mais c'est juste une petite nana au cœur tendre. Comme toutes ces gamines de division inférieure. Avec juste de plus gros poumons et un plus joli cul. »

Toutes les deux. Comme le poker d'as en colonie de vacances. Beth gagnait à tous les coups parce qu'elle était bonne en maths et calculait les probabilités, et aussi parce que, en soulevant le gobelet, elle retournait les dés avec son pouce.

« Mais ce Prine... Vous disiez qu'ils le surnommaient le Tripoteur... »

Elle hausse les épaules.

« Elle m'a dit qu'elle ne se souvenait pas qu'il lui ait fait du mal. Il s'est évanoui. Elle pense qu'elle ne savait plus ce qu'elle disait, en fait, elle était tellement ivre. »

Je regarde la Coach et me demande laquelle ment, ou si c'est les deux.

« Alors elle ne va rien faire ?

— Il n'y a rien à faire. Je lui ai demandé si elle voulait que je l'emmène voir mon médecin. Pas question, a-t-elle dit. Elle se souvient juste que ce Prine est un coq nain tout juste bon à brailler. »

« Alors, poufiasse, me dit Beth plus tard dans l'après-midi en mâchonnant des pailles à la cafétéria, tu vas me rendre mon portable ? »

Je revois la Coach le jetant dans les toilettes.

« Ton téléphone ?

— Herr F. m'a dit que tu avais dû le récupérer samedi soir. Sans doute pour m'empêcher de m'en servir bourrée. Tu es une ratée, tu sais ça, Hanlon ? Tu ne vaux rien.

— Je n'ai pas ton téléphone, Beth.

— Alors elle doit se tromper. » De l'écume s'est formée au coin de sa bouche. Sa langue se déplie pour l'essuyer. « Bizarre qu'elle ait pensé que c'était toi.

— Beth, tu as dit que tu avais envoyé des textos à Will cette nuit-là. Tu as dis que tu l'avais appelé et que tu lui avais envoyé des textos, plein de fois. »

Elle ne répond pas, mais sa bouche se contracte très légèrement. Puis elle la tend au maximum et je me demande si j'ai déjà vu quelqu'un faire une chose pareille.

« J'ai dit ça ? » Ses épaules mordorées se soulèvent. « Je ne m'en souviens pas du tout. »

17.

Le lendemain, Beth est de retour dans l'équipe.

Et elle est redevenue capitaine. Avec les honneurs.

Elle sèche le cours de chimie du mercredi pour une séance capitaine-coach et, pendant l'heure d'étude, elle peut aller dans le bureau de la Coach, toute seule, et fumer. Je la vois en passant ; elle me fait un signe de la main, la tête renversée, la fumée s'élève en volutes malveillantes autour de son visage.

Merci, Coach, pensé-je. Merci.

« Elle est vraiment capitaine ? » murmure Tacy, comme tout le monde, mais Tacy tremble dans ses Air Cheer d'un blanc éclatant.

Car apparemment, c'est le cas.

Beth, est-ce de la satisfaction que je vois sur ton visage bronzé ?

Merde alors, me dis-je en ayant l'impression d'être Beth. *C'est donc* ça *qu'elle voulait ?*

Non, évidemment.

« Laisse tomber, dit la Coach. Je n'ai pas le temps de m'occuper d'elle, Addy. Et toi non plus. Voyons ces flips arrière. »

J'essaie, mais mes jambes refusent de rester jointes, mon corps me paraît bizarre, raide.

« Pousse ! » aboie-t-elle.

La sueur tachette ses tempes, et ses cheveux humides s'échappent de l'élastique.

« Verrouille ! » À chaque ordre sa voix s'amplifie, et mon corps se crispe, se durcit. « Reste compacte, reste centrée et, putain, Addy, souris. Souris. Souris. »

Le lendemain matin, j'espionne Matt French quand il se gare sur le parking avec sa Toyota grise, avec la Coach à l'intérieur.

Elle ne jette même pas un regard derrière elle en descendant de voiture. On a l'impression qu'il lui dit quelque chose, mais peut-être pas.

En tout cas, il la regarde, il attend ; pour s'assurer qu'elle rentre bien dans le bâtiment, je suppose.

De plus en plus, quand je vois son visage, je pense qu'il est plutôt beau finalement, dans le genre fatigué.

C'est ça le plus terrible, a-t-elle confié un jour. *Je ne peux pas dire du mal de lui, je ne peux rien dire du tout.*

Ce qui est la chose la plus cruelle que l'on puisse dire, d'une certaine façon.

Et c'est peut-être pour cette raison que je ressens cela maintenant, en le regardant. Matt French. Je ne peux pas l'expliquer, mais sa lassitude au milieu de toutes nos fanfaronnades, de notre frime de filles aux paupières scintillantes, me parle. Comme quand je l'ai vu l'autre soir, la façon dont il m'a regardée.

Ce n'est pas le genre de type que tu imagines. Voilà ce que m'avait dit Will.

Mais je ne sais pas trop ce qu'il croit que j'imagine.

Matt French regarde la Coach pendant qu'elle remonte l'allée centrale du parking, il la regarde franchir la double porte vitrée. Il la regarde longuement, un bras étendu sur le siège du passager, la tête légèrement inclinée.

En la regardant de cette façon, il me fait penser à un père qui regarderait sa fille dans une cage à poules.

Pas une seule fois elle ne se retourne.

« Sa voiture est sur des parpaings au garage Schuyler, me dit Beth, plus tard. Davy l'a vue. L'aile avant est complètement enfoncée. »

Je ne sais pas qui est ce Davy, ni comment il sait à quoi ressemble la voiture de la Coach. Beth connaît toujours des gens – des amis de son frère, des fils des ex de sa mère, le neveu de la Péruvienne qui faisait le ménage chez eux – que personne d'autre ne connaît et ne voit. Ses réserves d'informations, d'objets, de maisons vides, de sacs de créateurs, de permis de conduire et de blocs d'ordonnances semblent illimitées.

J'interroge la Coach à ce sujet, un peu plus tard : qu'est-il arrivé à sa voiture ?

Elle me montre une longue coupure qui remonte le long de son bras.

« Le volant, explique-t-elle, une cigarette pendant entre les lèvres, d'une voix éraillée et fatiguée, presque comme celle de Beth. J'ai percuté un poteau sur le parking de l'aire de jeu de Buckingham Park. »

Je lui dis que je suis désolée.

« Au moment où j'entrais, j'ai dû braquer brutalement. Une fillette s'est précipitée devant la voiture, dit-elle, et ses yeux se perdent dans le vide. Elle ressemblait comme deux gouttes d'eau à Caitlin.

— Vous n'avez rien eu, ni l'une ni l'autre ? je demande, car il me semble que c'est la question qui s'impose.

— C'est ça le plus drôle, dit-elle en secouant la tête. Caitlin n'était pas avec moi. Je l'avais oubliée. Je l'avais laissée à la maison, dans sa chambre, en train de jouer. Ou de renverser de l'eau de Javel, d'avaler du poison dans le placard sous l'évier ou de mettre le feu dans le jardin. Comment savoir ? »

Elle émet un petit rire et secoue la tête, longuement, en faisant tourner son Bic entre ses doigts.

Puis elle s'arrête.

« Je dois être la plus mauvaise mère au monde », dit-elle, le regard vitreux et vague.

Je la regarde, je vois la peur floue sur son visage.

Et je réponds : « Tu l'as dit, bouffi. »

Ce qui la fait toujours rire, comme maintenant ; c'est spontané, c'est beau.

« Elle a voulu éviter un enfant sur l'aire de jeux, dis-je. Et elle a percuté un poteau.

— Je n'y crois pas, dit Beth.

— Pourquoi mentirait-elle ?

— Pour un tas de raisons. J'ai déjà vu juste plusieurs fois. Toi, tu crois toujours les gens, comme au camp d'entraînement, avec cette voltigeuse de St Regina. Cette mytho, Casey Jaye. Tu as gobé tout ce qu'elle racontait.

Beth, toujours en train de passer au crible des histoires anciennes pour répandre les cendres sur moi. Revenant sans cesse sur le dernier été. Notre seule dispute, qui n'en était pas vraiment une. Des trucs de filles idiots.

Je n'aurais jamais cru que vous redeviendriez amies après ça, avait dit RiRi ensuite. Et pourtant, si. Personne ne comprend. Ils n'ont jamais compris.

« Tu ne peux pas laisser tomber, Beth ? » Je suis surprise par la tension dans ma voix. « Tu as eu ce que tu voulais. Tu es redevenue capitaine et tu peux faire ce qui te plaît. Alors arrête.

— Je n'ai pas le choix. Quand quelque chose est commencé, il faut aller jusqu'au bout.

— Au bout de quoi ? Quoi donc, Beth ? Hein, mon capitaine ? »

Elle fait claquer ses dents, une vieille habitude qui date de l'époque où nous faisions glisser des appareils de contention dans nos bouches de gamines.

« Tu ne comprends pas, hein ? Tout ce qui s'est passé. C'est à cause d'elle. »

Elle se renverse en arrière et étale sa longue queue-de-cheval sur son visage, sa bouche.

Puis elle ajoute quelque chose, et je crois entendre : « Elle t'a envoûtée.

— Hein ? »

Je sens quelque chose tinter dans mon ventre, j'appuie mon poing dessus.

« Elle a une responsabilité, répète-t-elle en écartant sa queue-de-cheval de son visage. Dans tout ça. »

Mais je ne peux pas croire que j'ai mal entendu. Si ?

« Il n'y a pas que moi, dit-elle en ouvrant et fermant la mâchoire. Elle a une part de responsabilité. »

J'avais mal entendu.

18.

La Coach passe presque tout l'entraînement dans son bureau, au téléphone, le visage caché derrière sa main. Quand elle en sort, le téléphone sonne de nouveau, mais elle s'en va.

Beth brandit le sceptre à sa place, ou fait semblant. L'entraînement laisse à désirer, et Mindy m'agace, elle se plaint des sillons et des marques rouges qui parsèment ses épaules : empreintes laissées par les chaussures de Tacy. Et Brinnie Cox cannes de serin n'a qu'une seule préoccupation : son régime détox à base de citron.

J'ai la tête qui flotte. En levant les yeux vers les gradins, j'aperçois Emily, un cure-pipe blanc posé là, tout seul.

Je passe mon temps à oublier Emily. Maintenant qu'elle est collée au sol, c'est comme si elle avait disparu dans le trou noir du lycée avec le reste.

Bon sang, ça doit être affreux de ne pas être dans l'équipe. Comment savoir ce qu'on doit faire ?

Sa tête darde dans tous les sens, elle nous observe de l'intérieur de son blouson, sa lourde *moon boot* orthopédique la fait pencher nettement d'un côté.

Emily, que je connais depuis trois ans, à qui j'ai emprunté des tampons, à qui j'ai tenu les cheveux au-dessus de toutes les cuvettes de l'école.

« Hé, sac d'os ! lui lance Beth comme si elle lisait dans mes pensées. Comment tu nous trouves ? »

Emily revient à la vie en frissonnant.

« Vous assurez, répond-elle avec enthousiasme.

— À tous les niveaux », répond Beth en riant, et je me souviens de cette Beth, la capitaine, quand elle se sentait encore une âme de capitaine, quand elle prenait plaisir à exercer ses formidables pouvoirs, avec moi à ses côtés.

Merci, Beth, de m'avoir rappelé ça. Merci.

Teddy a vu la Coach @ Statlers la semaine dernière, dit le texto de Beth. **Elle a bu et parlé au tel toute la nuit, en pleurant face juke-box.**

Et alors ? je réponds à presque une heure du matin.

J'ai envie d'éteindre mon portable. J'ai envie de me débarrasser de Beth jusqu'au lendemain, de ses commentaires sur la Coach et sa voiture, et même de toutes les choses dont elle parlait avant : des cuisses d'avorton de Tacy et des antidépresseurs qu'elle avait vus dans le sac de Mindy, du sex toy qu'elle avait découvert sous l'oreiller de sa mère, qui ressemblait à un boomerang rose fabriqué par Mattel, et c'était peut-être le sort qu'avait connu sa planche de surf Barbie mystérieusement disparue dix ans plus tôt.

Telle une sorte de Petit Chaperon rouge pervers, Beth s'immisçait dans les vies de chacun.

Et alors ? je répète.

Longue pause. J'imagine Beth choisissant soigneusement sa réponse.

Mais parfois, je me dis que le temps qu'elle prend, ces multiples textos homériques, tout cela est délibéré, ça fait monter l'angoisse : Que manigance Beth ? Qu'est-elle en train de faire à cet instant ?

Zzz, l'écran du portable s'allume enfin.

Il dit qu'elle est ressortie en courant + elle a heurté un poteau sur le parking.

Et... ? je réponds.

Pourquoi elle nous a menti, à nous, à toi ? Elle pleurait à cause de quoi ?

Je roule dans mon lit et laisse le téléphone tomber sur le tapis, l'écran me fait un clin d'œil.

Dans le demi-rêve qui s'ensuit, l'écran est une bouche aux dents grinçantes.

19.

Je suis plongée dans un sommeil profond quand je l'entends.

Mon portable braille par terre.

Je le sens bourdonner sous mes doigts quand je m'en saisis.

Par pitié, pas Beth.

Appel Coach indique l'écran, avec ma photo préférée, prise le soir de la défaite des Cougars : la Coach assise sur le capot de ma voiture, rassasiée et débordante de joie.

« Addy, murmure une voix. Addy, j'ai glissé sur le sol. Je l'ai vu et j'ai glissé sur quelque chose, je ne savais pas ce que c'était.

— Coach ? Qu'est-ce qui se passe ? »

Les mots collent à ma bouche pleine de sommeil.

« Je n'arrêtais pas de regarder ma tennis en me demandant ce qu'il y avait dessus. Ce qu'était cette tache foncée. »

Je crois que je suis en train de rêver.

« Coach, dis-je en roulant sur le côté et en battant des paupières pour essayer de me réveiller. Où êtes-vous ? Qu'y a-t-il ?

— Il s'est passé quelque chose, Addy. C'est ce que je crois. Mais ma tête... »

Sa voix est étrange, grêle, atrophiée.

« Coach... Colette. *Colette, où êtes-vous ?* »

Un silence, un grincement dans sa gorge.

« Tu devrais venir, Addy. Tu devrais venir. »

Je suis certaine que l'on va m'entendre, mais, quoi qu'il en soit, personne ne réagit, pas même quand la porte du garage s'ouvre en tremblotant, ni quand le moteur de la voiture rugit. Parfois, je n'essaie même pas d'être discrète. Parfois, j'allume toutes les lumières, je laisse une longue trace qui va de ma chambre au garage, jusqu'à mon retour à l'aube, et nul ne m'a jamais fait la moindre remarque.

Mais pas ce soir.

J'essaie de ne pas regarder mon téléphone, secoué de textos qui ont dû arriver pendant que je dormais, tous émanant de la vampirique Beth qui ne dort jamais, on dirait, et qui, cette nuit, semble particulièrement excitée par des spéculations et des fantasmes sinistres.

Je ne peux pas m'arrêter pour les lire maintenant.

À proximité de Wick Park, je vois les Tours, un colossal ensemble résidentiel, le seul à Sutton Grove, même si on n'a pas l'impression de se trouver à Sutton Grove, mais plutôt sur la piste d'atterrissage précaire d'une boîte en acier larguée de très haut.

J'y suis déjà venue, pour prendre la Coach et la ramener à sa voiture qu'elle avait laissée à l'école.

C'est une des nouvelles cités perchées sur Sutton Ridge ; elle flotte dangereusement au bord du vide, encore à moitié déserte parce que personne n'a envie de vivre près du vacarme de l'autoroute.

C'est génial, Addy, avait dit la Coach. *On se croirait dans un château abandonné. On peut hurler tant qu'on veut, personne ne...*

Je me rappelle quand je m'étais arrêtée devant l'entrée, Will m'avait fait signe de derrière les portes vitrées du hall, le visage et le cou rougis, comme elle. Les cheveux humides et luisants. Et la Coach qui enfilait sa chaussure gauche en courant vers ma voiture.

Son odeur âcre quand elle avait ouvert la portière, si forte qu'elle semblait flotter autour d'elle.

Son visage éclatant, sa jambe droite tremblant encore.

Je ne parvenais pas à en détacher mon regard.

Mais c'était il y a plusieurs semaines, en pleine journée, et je ne reconnais plus rien maintenant. Je fais trois fois le tour de la résidence avant de trouver le bon bâtiment, puis le nom de Will sur le grand panneau éclairé à l'entrée.

Pendant tout ce temps, je repense à la voix de la Coach au téléphone.

« Il est là ? avais-je demandé en sentant mon estomac se soulever. Will est avec vous ?

— Oui. Il est ici.

— Il va bien ?

— Je ne peux pas regarder. Ne m'oblige pas à regarder. »

Elle ne dit rien dans l'Interphone, elle me fait juste entrer.

Le bourdonnement dans mon oreille me rappelle l'alerte anti-tornades à l'école primaire, cette sirène aiguë qui retentissait impitoyablement pendant que nous étions toutes repliées sur nous-mêmes, face aux murs du sous-sol, tête contre la poitrine. Beth et moi collées l'une à l'autre. Le bruit de nos respirations.

Dans l'ascenseur, les chiffres s'allument, et une très curieuse sensation naît en moi. C'est comme avant un match. Ma poitrine fait des bonds, je rebondis sur mes orteils, tout ricoche dans ma tête *(lever le bras plus haut, ne pas avoir peur, compter les temps, rester tendue et réussir)* tout mon corps est raidi, prêt, semblable à un ressort tendu. *Libère-moi, libère-moi, je te montrerai ma férocité, mon extase.*

« Addy », dit la Coach en ouvrant la porte, surprise, comme si elle avait oublié qu'elle m'avait appelée, comme si je débarquais chez elle sans raison, en pleine nuit.

L'appartement est plongé dans le noir, une lampe posée sur le sol projette un cône halogène dans le coin le plus reculé. Un aquarium couvert pétille sur une table près du mur, l'eau trouble donne presque l'impression de fumer : une étuve fluorescente sans poisson visible.

Elle paraît minuscule, son dos dur comme une barre de fer est voûté. Elle est pieds nus, vêtue d'un coupe-vent dont la fermeture Éclair est remontée si haut qu'elle couvre son cou et la pointe de son menton. Ses cheveux humides sont coincés derrière ses oreilles.

« Coach…

— Enlève tes chaussures », dit-elle, la bouche pincée.

Je crois que c'est à cause du parquet, pourtant il n'a pas l'air si beau que ça. J'ôte mes tongs et les laisse près de la porte.

Nous sommes dans le vestibule, qui donne sur un petit coin repas avec une épaisse table noire laquée. Juste derrière, il y a le salon, découpé par les angles abrupts d'un canapé en cuir modulable.

En me retournant vers la Coach, je vois quelque chose dans ses mains, ses tennis, recroquevillées et trempées.

« Je les ai lavées dans l'évier », dit-elle pour répondre à la question que je ne lui ai pas posée. Et soudain, elle me les fourre dans les mains. « Tiens-les-moi, d'accord ? Il faut que je réfléchisse. Il faut que je remette de l'ordre dans mes pensées. »

Je hoche la tête, mais mes yeux ne cessent de revenir vers le dossier du long canapé qui s'étend à travers la pièce comme une tache qui se répand.

C'est peut-être l'obscurité lugubre, la phosphorescence de l'aquarium qui glougloute.

Mais c'est surtout la façon dont les yeux de la Coach semblent vibrer quand elle me regarde, les pupilles pareilles à des têtes de clous.

« C'est quoi, là-bas ? je demande en inclinant la tête vers le canapé. Coach, qu'est-ce qu'il y a, là-bas ? »

Elle me regarde une seconde, en passant sa main dans ses cheveux, si foncés.

Puis elle laisse son regard dériver vers le canapé, et j'en fais autant.

En serrant les tennis dans mes mains, j'avance légèrement.

J'entends sa respiration derrière moi, haletante et rauque.

Les lattes du parquet grincent, et le canapé se dresse devant moi, formant un angle autour du centre de la pièce.

Je marche lentement, l'odeur d'eau de Javel qui monte des tennis m'étouffe presque, je sens quelque chose filer sous mes pieds nus et tournoyer sur le plancher. Un petit objet, comme un bouton ou une bobine de fil.

À mesure que j'approche à petits pas du salon, qui n'est plus qu'à trois, puis deux mètres, le canapé me paraît plus large, plus haut que les poteaux de football, que l'emblème des Eagles sur le terrain, ailes déployées.

Mon pied droit se balance au-dessus du tapis rond au centre de la pièce. En marchant dessus, j'ai l'impression de pénétrer dans une eau noire.

Zzz ! Mon téléphone tressaute comme des pois du Mexique dans ma poche. *Zzz !*

Je suis sûre que la Coach a entendu les vibrations, mais elle ne le montre pas, elle est concentrée sur le canapé, sur ce qui se trouve derrière.

En pivotant sur moi-même, je cherche et appuie sur le bouton Off, si fort que le téléphone manque de tomber de ma poche.

Une profonde inspiration.

Une profonde inspiration.

Je ne suis plus qu'à quelques pas du dossier du canapé ondulant et je risque un coup d'œil derrière le coin, derrière l'accoudoir en cuir écaillé. Je vois quelque chose par terre.

« Je suis entrée avec la clé qu'il m'a donnée, dit la Coach en réponse, encore une fois, à une question que je n'ai pas posée. J'ai sonné d'abord, mais il n'a pas répondu. Alors, je suis entrée et il était là. Ohhh, il était là. »

En premier, je vois scintiller les cheveux blonds entremêlés avec les poils du tapis.

Puis, en avançant, j'en vois davantage.

Les tennis m'échappent, un lacet me chatouille la jambe lorsqu'elles tombent sur le tapis avec un bruit étouffé.

Il est là.

Il est là.

C'est bien le sergent. Will.

« Addy..., murmure la Coach, loin derrière moi. Je crois que tu ne... Je crois que tu n'as pas besoin de... Addy... C'est bien ce que je crois ? »

Torse nu, portant uniquement une serviette, les bras écartés, il ressemble à ces images plastifiées de saints que les filles catholiques rapportaient du catéchisme. Saint Sébastien, la tête toujours rejetée en arrière, le corps à la fois lumineux et torturé.

« Addy », dit la Coach, dans un gémissement. Comme la petite Caitlin qui se réveille terrorisée.

Moi, je continue à regarder. Will. Le sol.

Sur ces images de saints, leurs corps sont griffés, entaillés, lacérés. Mais leurs visages sont beaux, paisibles.

Celui de Will n'exprime ni vertu ni exaltation.

Mes yeux se fixent sur ce qui était sa bouche, et qui ressemble maintenant à une fleur rouge dont les vrilles

s'étendent dans tous les coins avec, comme sur un coquelicot, une pastille noire au centre.

Sur ces images de saints, leurs yeux, tendrement ourlés
de cils, sont toujours levés.

Et malgré l'état délabré du beau visage de Will, ses yeux
fixent le ciel eux aussi.

Mais pas pour regarder le Royaume de Dieu, plutôt le
ventilateur qui chancelle.

Il lève les yeux pour ne pas être obligé de regarder la
destruction de son visage.

Sous sa tête, le tapis est sombre et mouillé.

Je ne peux pas arrêter de le regarder, la traînée éclatante
sur son visage.

C'est comme si je voyais Will et autre chose en même
temps. La vieille femme du bus, celle avec les yeux noirs,
dont Will était persuadé qu'elle pouvait pénétrer jusqu'au
plus profond de lui. Cette histoire ne m'a jamais paru
réelle, comme quand quelqu'un vous raconte un rêve sans
réussir à vous faire partager ce qu'il a ressenti. Elle ne me
paraissait pas réelle, sauf comme une chose que je voulais
comprendre sans y parvenir. Mais maintenant, subitement, j'en étais capable. Le chapeau incliné de la vieille
femme, ses yeux comme de l'argile.

« Arrête de pleurer, me dit la Coach, d'un ton suppliant.
Addy, arrête de pleurer. »

« Je ne l'ai pas touché, dit la Coach, alors que j'ai du mal
à reprendre mon souffle, mais elle ne veut pas attendre.
Quand je me suis précipitée, j'ai glissé là-dessus. »

Elle montre les trois petites choses blanches qui pointillent le sol. Cet objet que j'ai senti rouler sous mon pied et vu tournoyer sur le parquet. Un bouton ou une bobine de fil.

« Qu'est-ce que… » Soudain, je comprends.

Je me retourne vers le visage écarlate de Will, dont la moitié inférieure a été arrachée. Je sais ce que c'est, maintenant.

J'entends monter en moi un gémissement, mes doigts se referment sur mes propres dents, comme si je voulais me rappeler qu'elles étaient toujours là.

« Coach, *qu'est-ce que je fais ici ?* » demande quelqu'un d'une voix que je reconnais vaguement. Les mots se déversent, entravés et perdus. « Pourquoi vous m'avez fait venir ? »

Elle ne me répond pas. Je crois qu'elle ne m'a même pas entendue.

ZZzzz ! Mon téléphone, mon téléphone. Comme un défibrillateur sur mon cœur.

Beth. Je suis certaine d'avoir appuyé sur le bouton assez longtemps pour éteindre l'appareil jusqu'à la fin des temps, mais à force d'appuyer, j'ai dû le rallumer.

L'insistance avec laquelle il sonne, c'est comme si Beth se trouvait dans la pièce, elle aussi. Et j'ai peur de simplement toucher le portable, car j'ai l'impression que Beth le saura si je l'éteins, car elle sait tout. Comme si elle était là, à cet instant, toutes griffes dehors.

« Tu le vois ? me demande la Coach, toujours à trois mètres de moi, refusant d'approcher davantage.

— Oui, je le vois », dis-je aussi calmement que possible, en grattant mon portable avec un doigt, essayant de maintenir le bouton Off enfoncé juste le temps de l'arrêter. Il tremble de nouveau. *ZZzzz !* « Évidemment que je le vois.

— Non, dit-elle, d'une voix plus calme, mais plus pressante. Par terre. »

Je ne veux plus regarder, mais je le fais quand même. Ses mains, paumes visibles, et ses jambes enveloppées d'un étrange plâtre violet.

C'est alors que je remarque l'arme qui dépasse de sous sa jambe gauche.

Je me retourne vers la Coach, qui se tient devant la table de la salle à manger, en tortillant une mèche de cheveux humides derrière son oreille. Elle paraît plus jeune que moi.

« C'est lui qui s'est fait ça ? dis-je dans un murmure, n'osant même pas prononcer ces mots à voix haute.

— Oui. Je l'ai trouvé.

— Il y avait un mot ou quelque chose ?

— Non.

— Vous n'avez pas appelé la police. »

C'est peut-être une question, peut-être pas.

« Non. » Avant que je puisse lui demander pourquoi, elle ajoute : « Je crois que personne n'a rien entendu. Il n'a pas encore de voisins. »

Nous regardons toutes les deux les murs sur notre gauche et notre droite. La pièce semble incroyablement petite.

« Je ne sais pas quand c'est arrivé, dit-elle. Je ne sais rien. »

Des pensées me viennent, concernant Will et ses profondeurs perplexes.

Je ressens une perte soudaine.

Je n'arrive pas à m'y accrocher suffisamment longtemps pour comprendre pourquoi, mais tout à coup, honteusement, j'ai de la peine pour lui.

« Addy, dit la Coach d'une voix plus assurée. Où est ta voiture ?

— Je ne sais pas. »

Je sens en elle une énergie trépidante, son corps se déplace peu à peu vers la porte.

C'est comme si elle m'avait montré un triple saut carpé avec trois ciseaux enchaînés et un flip arrière pour terminer. Sans que ses mains touchent le sol. À aucun moment.

Mais quelque chose me tarabuste. Me retient.

« Attendez, Coach. Où est votre voiture ?

— En réparation. Tu te souviens ? »

Elle parle d'un ton cassant, comme si j'étais son élève la plus lente.

« Alors comment vous êtes venue jusqu'ici ? je demande en marchant vers elle.

— Oh. J'ai pris un taxi. Je suis sortie de chez moi en douce. Matt dormait. Il avait pris deux cachets. Il fallait que je voie Will. Alors j'ai appelé un taxi. » Une pause entre chaque phrase, comme si elle lisait des fiches. « Mais je ne pouvais pas appeler un taxi pour me ramener, hein ?

— Non, Coach. Vous ne pouviez pas.

— Et je ne peux pas rentrer chez moi en taxi maintenant », dit-elle d'une voix qui s'accélère.

Zzz !

Mon portable.

Zzz !

Cette fois, elle est juste à côté de moi, et elle est redevenue la Coach, son bras jaillit, ses doigts se referment sur ma main dans ma poche.

« C'est quoi, ça ? Qui t'appelle ?

— Personne. »

Ses doigts brûlants se referment sur moi, comme quand elle pousse votre corps pour effectuer un saut, supporter ce poids, le poids de cinq filles, sans peine.

En une fraction de seconde, je ne suis plus dans l'appartement de Will, mais à l'entraînement, dans une sale posture.

« C'est un texto. J'en reçois tout le temps.

— En pleine nuit ? »

Elle extirpe ma main de ma poche, et mon téléphone tombe bruyamment.

Par chance, la batterie est éjectée.

« Ramasse-le, ordonne-t-elle. Nom de Dieu, Addy ! »

Je me baisse.

« Ne touche à rien ! » aboie-t-elle et je remarque que ma main repose presque sur la laque noire de la table.

En me redressant, je vois le plateau refléter mon visage flou, mes yeux noirs insondables.

Il n'y a rien, absolument rien.

« Addy, il faut partir d'ici, il faut partir, dit-elle d'une voix qui me pénètre en grinçant. Emmène-moi. »

Quelques instants plus tard, nous traversons précipitamment le parking, mon Acura bleu saphir est comme une balise.

Nous roulons dans la nuit vide et sans étoiles ; le monde entier dort paisiblement, des chaudières ronronnent, les fenêtres sont bien fermées, et les gens bien en sécurité à l'intérieur, avec la certitude réconfortante qu'il y aura un lendemain et un autre lendemain ensuite, faits de monotonie bourdonnante.

Vitres baissées, la fraîcheur cristalline sur moi, je m'imagine dans ce monde, celui que je connais. Je m'imagine blottie dans tout ce confort, un confort si pesant qu'il peut vous étouffer. Si pesant qu'il m'étouffe en permanence.

Oh, n'y avait-il donc aucune joie dans ce monde ? Là-bas ou ici ?

Ici dans cette voiture embrumée par l'eau de Javel, la Coach à côté de moi, tenant toujours ses tennis entre ses jambes. Ne cessant de tripoter la languette, le regard songeur, presque rêveur, fixé sur la route.

Impossible de pénétrer ses pensées.

Finalement, au moment où nous tournons dans sa rue, la Coach me demande de me garer à deux numéros de chez elle.

« Remonte les vitres. »

J'obéis.

« Addy, tout ira bien. Oublie cette histoire. »

Je hoche la tête, mon menton tremble à cause du froid, de la sinistre solitude de ce trajet, quinze, vingt minutes dans la voiture. Elle n'a pas dit un seul mot, elle semblait perdue dans une sorte de rêverie maussade.

« Tu vas rentrer chez toi et faire comme si de rien n'était. D'accord ? »

Quand elle descend de voiture, je reçois de plein fouet une bouffée d'eau de Javel provenant de ses tennis.

Incapable de remettre le contact, je reste assise là.

Si j'avais les idées claires, si je sentais que le monde avait un sens, j'irais trouver la police, je les appellerais. Si j'étais ce genre de personne.

Au lieu de cela, je regarde mon portable. Il faut que je réponde au texto de Beth.

Je m'étais endormie. Y en a qui dorment.

Toujours sans bouger, j'attends sa réponse pendant une minute. Mais mon portable demeure inerte.

Pas de Beth.

Cela devrait m'aider à me sentir mieux – Beth a fini par sombrer dans le sommeil, épuisée à force de tourner en rond, son règne de terreur est terminé, pour le moment –, mais non.

Au lieu de cela, j'éprouve une sensation d'écœurement qui va m'accompagner toute la nuit, je le sais, et qui va rejoindre ce dégoût plus général, cette impression de cauchemar et de menace qui semble ne jamais devoir me quitter.

Je baisse toutes les vitres et je respire.

Puis je redémarre et passe au ralenti devant la maison de la Coach, uniquement pour regarder s'il y a des lumières à l'intérieur.

Soudain, je vois quelqu'un se déplacer, très vite, comme une flèche, dans son allée, vers ma voiture.

Presque avant que je puisse respirer, les paumes de la Coach s'abattent sur mon pare-brise et mon cœur s'emballe.

« Je partais, je partais juste, dis-je dans une sorte de cri en coupant le contact, alors qu'elle se penche par la vitre du passager. Personne n'a vu...

— Tu es mon amie, lâche-t-elle, avec de la souffrance dans la voix. Ma seule amie. »

Sans me laisser le temps de dire quoi que ce soit, elle repart sur sa pelouse et se glisse dans la maison obscure, sans bruit.

Je reste immobile un long moment, les mains sur les genoux, le visage en feu.

Je ne veux pas mettre le contact, bouger, faire quoi que ce soit.

Je n'ai jamais rien donné à personne, avant. Pas de cette façon.

Je n'ai jamais compté pour quiconque.

Pas de cette façon.

Je n'ai jamais existé, avant.

Maintenant, j'existe.

Finalement, dans mon lit aux draps froissés, mes yeux tressautent entre tous les textos de Beth.

Deux heures trois. Deux heures sept. Deux heures dix.

@ Statlers, la Coach boit des Jack ginger ale + au tel pendant une heure à répéter pourquoi tu me fais ça pourquoi

Barman dit qu'elle venait ici quand elle était jeune et buvait avec des sales types et un jour elle s'est cassé les deux poignets en tombant sur le parking

... une sorte de traînée. Elle devrait être contente que Matt soit tombé assez bas pour la récupérer par la peau du cou parce que...

Puis, à deux heures dix-huit :

T OÙ BORDEL ? Tu as intérêt à répondre ou je rapplique. TU SAIS QUE JE LE FERAI. NE JOUE PAS AVEC...

... comme ça jusqu'à deux heures vingt-sept, le dernier :

Je suis là, dans Pinetop Ct, devant ton garage ouvert, où est ta voiture ? Hmm...

Elle ment certainement, me dis-je. Mais je sais bien que non. Je sais qu'elle était là, devant chez moi, à deux heures vingt-sept, penchée au-dessus du volant de la Miata de sa mère. Je le sais.

Je me demande combien de temps elle a attendu et ce qu'elle a pensé.

Je me demande ce que je vais dire et comment je vais la convaincre.

Prise dans ce nœud de peur, j'oublie tout, sauf les paupières plissées et rusées de Beth.

Ces yeux posés sur moi, en ce moment même.

Dans les instants les plus sombres de cette nuit, quand le sommeil m'emporte enfin, un rêve de Beth et moi, gamines, Beth fait défiler les barreaux de ce vieux manège qu'ils avaient à Buckingham Park, elle nous fait tournoyer, tournoyer. Nous sommes allongées, sur la surface granuleuse, nos têtes collées l'une contre l'autre.

« C'est ce que tu voulais, dit-elle, essoufflée. Tu as demandé plus vite. »

20.

Il est encore tôt, le premier cours ne commence que dans une heure, mais j'ai renoncé à dormir, avec tous ces cauchemars à demi-éveillés de pieds enfoncés dans une moquette gorgée de sang et d'aquariums projetant des bulles violacées.

Tu as vu un mort la nuit dernière. Voilà ce que je me dis dans ma tête. *Tu as vu un suicidé, de tes propres yeux.*

Tu as vu Will, mort.

Alors, affalée devant mon casier, je corne les pages de mon livre de cours, *L'Odyssée de l'homme*, un gros surligneur vert enfoncé dans la bouche.

Beth franchit les portes de l'école, furtivement.

Je m'attends à quelque chose d'instantané, son visage bronzé déformé par un grognement, exigeant de savoir où

194

j'étais la nuit dernière, pourquoi j'ai cessé de répondre à ses textos.

Mais au lieu de cela, main tendue, elle m'aide à me relever, son visage est éclatant et mystérieux, nous nous rendons à la cafétéria bras dessus, bras dessous.

Nous prenons un muffin aux pépites de chocolat, luisant de gras, que nous faisons réchauffer dans le toaster rotatif. Placée à côté de la chaleur qui irradie des résistances, je m'imagine subissant une damnation éternelle pour des péchés pas encore très clairs.

Mais le muffin jaillit de l'appareil et dégringole dans mes mains. Ensemble, nous le mangeons à coups de grandes bouchées collantes, sans les avaler. Il n'y a personne, alors nous pouvons le faire, et Beth remplit de grands gobelets d'eau tiède pour faciliter l'opération, puis nous recrachons tout dans nos serviettes en papier.

Ensuite, je me sens beaucoup mieux.

Jusqu'à ce que Beth commence à me parler de son rêve.

« Ce n'était pas n'importe quel rêve, dit-elle en léchant ses doigts l'un après l'autre, sous chaque ongle fuchsia impeccable. C'était comme avant. Comme avec Sandy. »

Depuis que je la connais, Beth fait périodiquement des rêves qui sont de mauvais présages, comme la nuit précédant le jour où sa tante Lou est tombée du palier du premier étage et s'est brisé la nuque. Dans le rêve de Beth, sa tante annonçait au petit déjeuner qu'elle possédait un nouveau talent. Puis, passant son bras autour de son cou, elle leur montrait qu'elle pouvait tourner sa tête à trois cent soixante degrés.

Ou bien, quand on avait dix ans, Beth est arrivée à l'école un jour en disant qu'elle avait rêvé qu'elle découvrait Sandy

Hayles, en stage de football avec nous, derrière la remise, un drap enroulé autour du visage. Ce samedi-là, notre entraîneur de foot nous avait annoncé que Sandy souffrait d'une maladie du sang et qu'il ne reviendrait pas au camp, plus jamais.

« C'était quoi, ton rêve ? je demande en repoussant les nerfs qui transpercent ma nuque et chatouillent mes tempes.

— On faisait des sauts carpés très haut au-dessus sur un des panoramas, comme cette fois-là, tu te souviens ? Et soudain, on a entendu un bruit, genre un truc qui fait une longue, une très longue chute. Je me suis approchée du bord pour regarder en bas, mais je ne voyais rien du tout. Par contre, je sentais quelque chose, parce que ça vibrait, comme ta gorge quand tu cries. »

Et je pense : oui, quand on crie toutes pendant le match, quand nos gorges vibrent, nos pieds martèlent le sol, les gradins tremblent, etc. J'entends tout ça dans ma tête.

« Ensuite, reprend Beth, je me suis retournée vers toi. Il faisait très sombre tout là-haut, et tu étais toute blanche, mais tes yeux étaient noirs, comme les pierres volcaniques en cours de géologie. »

Soudain, j'ai l'impression que c'est moi qui suis en train de rêver, toujours enlisée dans ce cauchemar de tapis qui m'aspire, d'empreintes de pas sanglantes et de pompe d'aquarium qui glougloute, ouvrant et fermant les valves d'un cœur.

« Mais tout le bas de ton visage avait disparu, Addy, murmure Beth en promenant ses doigts sur son menton, ses lèvres. Et ta bouche n'était qu'une tache blanche floue. »

Je retiens mon souffle.

« J'ai commencé à glisser, poursuit-elle. Tu m'as saisie par le poignet et tu essayais de me faire remonter, mais ça faisait mal, et, quand j'ai regardé en bas, j'ai vu que quelque chose m'entaillait la peau, quelque chose sur ta main.

« Tu as soulevé ton autre main, il y avait une bouche en plein milieu de ta paume... Et tu parlais à travers, tu disais une chose très importante. »

Je regarde ma paume.

« Qu'est-ce que je disais ? je demande en contemplant la blancheur de ma main ouverte.

— Je ne sais pas, soupire Beth en secouant la tête. Mais ensuite, tu l'as fait.

— Quoi donc ?

— Tu m'as lâchée. Comme avant que tu apprennes à assurer quelqu'un. »

Attrape le corps, pas les membres.

« Tu me tenais le poignet, et puis tu ne le tenais plus. Tu as lâché. Comme toujours. »

Ma tête est brûlante, mon estomac se rebiffe, je presse ma serviette en papier contre mon visage. Je ne me souviens plus depuis quand je n'ai rien avalé et je regrette presque de ne pas avoir mangé ce muffin. Presque.

« Ce n'est pas un rêve spécial, dis-je. Il ne s'est rien passé.

— Tout s'est passé, dit-elle en sortant son gloss de sa poche de jean. Tu sais comment ça marche. Tout sera dévoilé. »

J'essaie de rouler des yeux, et c'est à ce moment-là que mon estomac se soulève pour de bon, et je dois me jeter sur la serviette. Les haut-le-cœur sont embarrassants, mais rien ne sort à part quelques restes de chocolat, une substance terreuse qui coule jusqu'à mon poignet.

« Ma belle, dit Beth, il va falloir que tu retrouves tes couilles. Tu te ramollis. Maintenant que je suis redevenue capitaine, je vais te redonner du nerf.

— Ouais, dis-je en regardant Beth manier son gloss telle une baguette magique. Comment se fait-il que dans tes rêves, c'est toujours moi qui fais des trucs moches ? »

Elle me tend la baguette.

« Tu as mauvaise conscience. »

Après le cours de civilisations, je retrouve Beth. Elle m'attend à la porte de la salle.

« Rupture, dit-elle. Je le savais. Je savais qu'un truc allait éclater. La Coach et Will, *c'est fini*[1].

— Hein ?

— Il n'est pas assis à sa table de recrutement. Il n'y a que le première classe roux. »

Si vite, pensé-je. *Si vite.*

« Ça ne veut rien dire », je réponds en me retournant. Mais Beth me retient par un passant de ma ceinture. Une partie de moi-même se réjouit que son aspect inquiétant du matin ait disparu et qu'elle soit redevenue Beth la dure à cuire, mais une autre partie n'aime pas du tout son énergie pétillante.

« J'ai enquêté, murmure-t-elle, si près de moi que je vois le creux dans sa langue, là où se trouvait son piercing,

---

1. En français dans le texte.

avant qu'elle décrète que les clous dans la langue faisaient trop gamine. Le petit soldat affirme qu'ils ne savent pas où est le sergent. Il ne répond pas à son téléphone. »

Je ne dis rien, je me contente de faire tourner les chiffres de la combinaison de mon casier.

« Crois-moi, Monsieur s'est trouvé une nouvelle recrue, dit-elle en sifflotant. Tu penches pour qui ? Moi, je mise sur Mme Fowler, la prof de céramique, toujours en train de faire tourner des pots en argile entre ses mains, les cuisses écartées pour que les garçons se rincent l'œil.

— Ça m'étonnerait, dis-je.

— Si c'était RiRi, elle aurait déjà posté des photos sur Facebook. Et puis, je ne crois pas qu'il ait un faible pour la chair fraîche. Et on sait que ce n'est pas *toi*.

— Franchement, on s'en fout », dis-je, l'esprit embrumé.

Elle prend le temps de me jauger, puis sourit.

« Addy-Lubie, je me demande ce que tu as fabriqué cette nuit.

— Hein ?

— Tu réconfortais notre Coach abandonnée, évidemment.

— Non, dis-je en fermant la porte de mon casier. J'ai d'autres occupations. »

J'essaie d'imiter son faux sourire, et peut-être de faire mieux.

Je ne vois pas la Coach de toute la journée, jusqu'à l'entraînement.

Je lui envoie quatre textos, auxquels elle ne répond pas.

Six heures passées à m'interroger à son sujet, à me demander comment elle affronte cette journée. Si elle ressent cette tristesse marécageuse qui m'habite.

En voyant de dos les cheveux brillants, couleur feuille d'automne, de la Coach, sa posture gainée par le yoga, j'ai presque peur de regarder son visage. Peur que nos yeux ne se croisent et que tout bascule vers l'avant jusqu'à ce que je sente l'odeur et entende gargouiller l'aquarium.

Que peut-elle bien éprouver ?

Mais quand elle se retourne…, n'aurais-je pas dû m'en douter ?

Ses yeux passent sur moi en coup de vent, comme si nous n'avions rien partagé, et surtout pas ça.

Oh, cette grâce de pierre, c'est stupéfiant. Je me dis que ça doit être pharmaceutique, alors je cherche à déceler la démarche légèrement traînante, l'élocution ralentie. Mais je ne peux pas en être sûre.

Tout ce que je sais, c'est qu'elle a sa liste d'exercices, son stylo à encre gel violette qui fait *clic-clic-clic* quand elle coche nos figures : roues, renversements avant, appuis tendus renversés, flips, renversements arrière.

Deux heures d'exercices. Il n'y a pas mieux pour penser à autre chose.

Nous enchaînons les figures. Nos corps se cabrent, et quand j'aperçois RiRi et que j'observe les filles alignées, j'éprouve une sorte de calme qui bourdonne dans ma poitrine. La promesse de l'ordre.

Mon corps, par exemple, est capable de s'incliner, de sauter et de bondir, je suis indemne, aucune peur qui palpite derrière mes yeux ne peut toucher mon corps, qui est invincible et n'appartient qu'à moi.

C'est lorsque j'assure RiRi, durant le dernier tour, que j'aperçois Beth qui traîne près de la porte des vestiaires, en short d'entraînement.

Cela me déconcerte, mais je chasse ce sentiment, et mes yeux saisissent l'éclat des marguerites rose vif qui se dispersent devant moi chaque fois que la jupe de RiRi se soulève.

Pourquoi les culottes des autres filles sont-elles toujours beaucoup plus intéressantes que la vôtre ?

« OK, voyons les Scorps maintenant », dit la Coach.

Tout le monde grogne, faiblement. RiRi déclare qu'elle n'est pas assez « élastique » aujourd'hui, elle est incapable d'en faire un, correctement du moins, car il faut être petit, assez petit pour voler. Moi, je peux, presque. Je pouvais. Et je peux encore. Le corps se souvient.

C'était Beth qui, la première, m'avait appris le Scorpion, tenant ma jambe arrière à deux mains, la soulevant lentement derrière moi, de plus en plus haut, en douceur, jusqu'à ce que mon pied gauche rencontre ma main levée. Jusqu'à ce que mon corps ne forme plus qu'une seule ligne.

Elle a été notre prof à toutes, à l'époque où elle était une vraie capitaine. Elle se servait d'une laisse de chien que nous attachions autour de notre cheville pour essayer ensuite de la soulever. Lors du match contre les Centaurs, quand j'avais levé mon pied presque jusqu'à mon front pour la première fois, avant de me redresser, j'avais ressenti une douleur si fulgurante que j'avais vu des étoiles.

Après, Beth m'avait acheté une laisse rose à motif camouflage avec mon nom qui brillait.

En exécutant cette figure maintenant, je sens mon corps se contracter, puis se détendre, chaud, parfait.

En fermant les yeux, je vois presque les étoiles.

Quand je les ouvre, je vois la Coach m'adresser un vrai sourire, et Beth est là, elle regarde, elle hoche la tête. Et j'oublie tout. Simplement.

« Tout va bien se passer, Addy, dit-elle. Personne ne saura jamais rien. »

Le crépuscule vient juste de tomber, la Coach conduit, nous élaborons un plan.

« Jimmy, le soldat de première classe Tibbs, me l'a dit. Cet après-midi, il s'est rendu à l'appartement et il a demandé au concierge de le laisser entrer. Il tenait à m'apprendre la nouvelle lui-même. »

Je ne dis rien pendant un moment, je sens qu'elle m'observe. Puis je demande : « Qu'a-t-il dit, exactement ? »

Elle reporte son attention sur la route.

« Il m'a annoncé qu'il était arrivé quelque chose au sergent. Ensuite, il est resté muet longtemps, il ne pouvait plus parler. Moi, j'attendais. C'était comme si j'avais presque oublié ce que je savais déjà. » Elle s'interrompt, puis reprend : « Et c'était très bien. Comme ça, j'ai vraiment eu l'air étonné quand il m'a annoncé la nouvelle. »

Je me surprends à hocher la tête, car je ne sais pas quoi faire d'autre.

« Il avait apporté cet article qu'il avait imprimé sur Internet. "Guerriers blessés : suicides dans l'armée." Apparemment, a-t-il dit, le sergent se serait suicidé. »

Suicidé.

Ce mot me rappelle que nous avions toutes essayé de nous ouvrir les veines. Je n'avais jamais réussi à entailler la peau. Beth s'était dessiné un grand cœur sur le ventre et elle avait mis son haut de maillot de bain pour le match contre les Panthers. Mais ensuite, elle avait décidé que c'était un passe-temps pour les ringards, et après cela on avait trouvé que ça ne faisait plus très *gangsta*.

La Coach s'arrête à un feu et prend une cigarette.

« Il n'a pas eu une vie très drôle », dit-elle en faisant rouler la cigarette contre les rayons du volant.

Elle penche la tête sur le côté, légèrement, les paupières plissées comme si elle essayait de comprendre quelque chose.

« Je crois qu'il ne s'est jamais remis de la perte de sa femme. »

Je me dis que c'est peut-être vrai.

« Il venait d'une famille difficile, ajoute-t-elle. Il en a bavé. Comme moi. »

J'ignorais qu'il en avait bavé. Et la Coach aussi. Je ne suis même pas sûre de savoir ce que ça signifie. Soudain, j'ai l'impression de n'avoir jamais connu la personne qui est morte, ni celle qui se trouve à côté de moi.

« Elle l'aidait, dit-elle, puis elle a disparu. »

Elle ne pleure pas, elle ne semble même pas vraiment triste. Mais j'ai le sentiment qu'elle attend quelque chose de moi.

« Mais il vous avait, vous, dis-je. Peut-être que vous lui rappeliez sa femme. Tout ce qu'elle était. C'est peut-être ça qu'il trouvait en vous. »

Elle prend un air sombre, entendu.

« Ce n'est pas ça qu'il trouvait en moi », dit-elle tout doucement.

Je ne réponds pas. On dirait une sorte de confession furtive.

« Je crois que je savais que ça se finirait de cette façon », ajoute-t-elle, et sa voix s'accélère un peu. Elle regarde droit devant elle, son pied tapote la pédale de frein, nous faisant faire de petits bonds.

« Pas exactement de cette façon, mais presque. »

Elle hoche la tête comme pour indiquer qu'elle était d'accord avec elle-même. Comme si elle disait : *C'est ça, c'est ça, hein ? On ne pouvait rien faire.*

Elle regarde la route, et moi aussi, je repense à tout ça. La Coach est toujours si efficace, précise, ses mouvements sont nets et secs, il est logique alors qu'elle puisse surmonter tout cela aussi vite, non ?

Il est logique que, moins de vingt-quatre heures après avoir découvert le corps de Will, elle parvienne à la conclusion que ça ne pouvait pas être autrement, qu'on ne pouvait pas l'empêcher, et chacun avait de la chance d'avoir éprouvé du plaisir quand il le pouvait.

Quand je rentre à la maison, il n'y a personne, il n'y a jamais personne, alors je sors du coin de mon placard ma bouteille secrète de Silver Raz et je bois de longues gorgées, puis je m'écroule sur mon lit.

Mais je n'entends que la voix de la Coach, douce et presque dénuée d'émotion : *Il n'a pas eu une vie très drôle, Addy. On ne pouvait rien faire.*

Je m'oblige à m'asseoir devant mon ordinateur, le regard trouble, je me force à regarder.

Je cherche des informations concernant le sergent, en vain.

Je tombe sur le site du scanner de la police, mais je ne comprends rien et je n'arrive pas à me concentrer – *42 on quitte le match de foot ? on savait pas que vous étiez là-bas vous nous avez dit de venir ici 841 Willard elle a le dos brisé c'est ce qu'elle a dit –*, mes yeux bougent dans tous les sens et me brûlent.

Il est presque minuit quand Beth appelle. Je remonte les couvertures sur moi et colle mes lèvres au téléphone.

« Écoute, ma petite, dit-elle. Écoute et tiens-toi bien.

— J'attends, dis-je en me recroquevillant le long du mur, la tête appuyée contre la surface dure.

— Le sergent Étalon s'est suicidé. »

Je sens ma respiration se rétracter. Je ne dis rien.

« Je ne connais pas encore les détails, mais je cherche. J'ai mis les sous-fifres qui me restent sur le coup. Tu étais beaucoup plus efficace pour toutes ces choses avant, Addy. Maintenant, je dois m'occuper de tout. Bref, il est mort. J'ai entendu dire qu'il s'était fait sauter la tête avec un fusil de chasse.

— Je n'y crois pas, dis-je, et il me semble que je n'ai pas prononcé des paroles plus vraies depuis vingt-quatre heures.

— La vérité n'est pas belle à voir, Addy, surtout pour toi. Mais c'est la vérité. Le première classe me l'a dit. Ce gars se prend pour mon chevalier blanc. À cause de l'autre nuit. »

Il me faut une longue minute pour me remémorer le poids fracassant de cette nuit, avec Beth et le caporal Prine, à peine dix jours plus tôt. Ça ressemble à l'époque de Holly Hobbie maintenant.

« Je t'avais bien dit qu'il allait se passer quelque chose.

— Non. Tu disais que tu allais *provoquer* quelque chose.

— Eh bien, ça n'a pas été nécessaire, répond Beth,

— Pourquoi est-ce que Will ferait une chose pareille ?

— Pourquoi pas ? rétorque-t-elle d'une voix animée, sur un ton de commérage, comme si nous avions enfin découvert la clé de tout, une chose qu'elle attendait. Peut-être, Addy-Lubie, peut-être qu'il a vu l'inutilité de toutes les affaires de cœur, qu'il s'est dit : je ne veux pas couler, je ne la laisserai pas me tirer par les chevilles. Putain de merde, je vais la regarder droit dans les yeux et je vais faire le grand saut. »

Il y a un silence et j'entends la respiration rapide de Beth, sa langue qui claque dans sa bouche.

J'ai soudain l'impression qu'elle pourrait dire une chose qui va m'inquiéter et me faire mal. Une chose que je n'ai pas envie d'entendre. Sur la façon dont nous sommes liées, ma chaussure de cheerleader logée dans sa paume d'acier. Sur l'été dernier, quand j'ai dit que j'en avais assez d'être sa lieutenante, d'être son amie, quand ça semblait terminé pour toujours entre nous, mais nous n'avions pas pu nous séparer.

« Beth, dis-je, les bras sur la tête. Je ne peux plus te parler.

— Addy, répond-elle, d'un ton sombre, intime. Il le faut. »

Quelque chose a été échangé entre nous, un secret sur nous, et ce qu'elle attend de moi. Mais je cligne des yeux et je passe à côté.

21.

`Retrouve-moi @ cafétéria à 7 h.`
Le texto de la Coach à cinq heures du matin transperce mon sommeil.

J'ai la gueule de bois, j'ai la gueule de bois depuis deux jours, la lumière du petit matin m'enveloppe de rosée et de mystère, alors que je parcours à pied les cinq pâtés de maisons, ne voulant pas faire démarrer ma voiture à six heures cinquante-cinq du matin. Parfois, j'aperçois mon père à cette heure-là, en train de rôder dans les couloirs, son peignoir flottant au vent, surpris de me voir, comme si j'étais son pensionnaire errant.

La Coach est appuyée contre la desserte du lait et du sucre, mais quand elle m'aperçoit, son corps semble s'élever, son regard s'agite et fait le point.

Elle se dirige vers le comptoir pour me servir un thé vert matcha et, quand je prends un sachet rose, elle l'envoie valdinguer du revers de la main, de son geste familier, et je souris presque, mais j'en suis incapable, apparemment.

Nous emportons nos boissons jusqu'à sa voiture et nous nous installons à l'intérieur, vitres fermées.

Elle m'informe que la police a appelé la nuit dernière, en disant qu'ils avaient des questions à lui poser, simple routine, mais ils pensaient qu'elle préférait régler ça discrètement en se rendant au poste.

Ses paroles ne m'atteignent pas. J'écoute, je hoche la tête et fais aller et venir ma paille derrière mes dents, je la frotte contre mon palais, à en avoir mal.

« Heureusement, Matt est en déplacement, ajoute-t-elle. Je te l'avais dit ? »

Je secoue la tête.

« Il a pris l'avion pour Atlanta hier, pour son travail », précise-t-elle en levant les yeux vers le rétroviseur.

Je n'avais même pas pensé à Matt French. À la façon dont elle gérait sa vie avec lui, au milieu de tout ça, obligée de cacher un secret aussi colossal. Mais peut-être qu'il n'y avait pas beaucoup de différence. Peut-être que ce n'était pas différent du tout.

« Alors j'ai demandé à Barbara de garder Caitlin et je suis allée au poste de police. Ce n'était pas du tout ce que j'avais imaginé. L'inspecteur m'a dit que... il m'a dit ce qu'on savait déjà. Ils mènent une enquête de routine et ils ont trouvé mon numéro de téléphone dans la liste de ses appels. »

Elle s'interrompt. Sa poitrine se soulève un peu. C'est alors que je m'aperçois que son élocution est plus rapide que la veille, teintée d'une méfiance nouvelle.

« Il m'a demandé si je pensais que Will était déprimé. Et si, à ma connaissance, il détenait une arme chez lui. Et si nous nous connaissions bien.

— Vous leur avez dit ? je demande en appuyant mon menton contre le couvercle en plastique de mon gobelet. Qu'est-ce que vous leur avez dit ?

— J'ai été aussi honnête que possible. C'est la police. Et je n'ai rien à cacher, pas vraiment. »

Je lève la tête pour la regarder droit dans les yeux. Ai-je bien entendu ?

« Enfin, si, bien sûr, reprend-elle. Il y a des choses que j'aimerais mieux... » Elle secoue la tête, comme si ça venait de lui revenir. « Je lui ai dit que nous étions amis. Et que Will avait certainement des armes chez lui, mais c'est tout ce que je sais, véritablement.

— Si cet inspecteur a vu la liste de ses appels, dis-je en essayant de l'obliger à me regarder en face, il sait forcément que vous étiez plus qu'amis, non ?

— Will et moi, on ne se parlait pas trop au téléphone, répond-elle d'un ton cassant. Et puis, ça n'a rien à voir avec ce qui s'est passé. »

Je ne sais pas quoi répondre.

Une voix sort de moi en tournoyant, frêle et affolée. « Est-ce que la police va m'appeler ? Ils vont toutes nous appeler ?

Ça me semble possible tout à coup, et je pense : voilà comment votre vie peut s'arrêter.

« Écoute, Addy, dit-elle en se tournant vers moi. Je sais que c'est dur à assumer pour toi. Je sais que ça peut faire peur. Mais la police se contente de faire son travail, et une fois qu'ils auront la confirmation que c'est bien… ce que c'est… ils n'auront plus besoin de s'embêter avec moi. Tout ira bien. Matt va rentrer à la maison et ce sera comme avant. *Avant* avant. Crois-moi, ma petite vie ne les intéresse pas. »

C'est bien plus tard, devant mon casier au lycée, que je pense : *Mais je lui ai posé la question en ce qui me concerne. Est-ce que la police va m'appeler ?*
Et moi, Coach ?

Quand nous entrons dans le lycée, la Coach passe son bras autour du mien durant une seconde, une chose qu'elle n'a jamais faite et qui ne lui ressemble pas. Malgré tout, je la sens se crisper et j'ai envie de la serrer plus fort contre moi, mais ne je le fais pas. Maintenant, nous partageons quelque chose. Enfin. Sauf qu'il s'agit de ça.

Je m'endors pendant le cours de chimie, la joue appuyée sur le plateau surélevé de la paillasse, un téléfilm se déroule dans ma tête : des cheerleaders alignées à l'intérieur d'un poste de police, toutes en uniforme. À la télé, elles portent leurs uniformes toute la journée et elles sourient en permanence.

Quand je me réveille en sursaut, en voyant David Hemans approcher le bec Bunsen allumé à quelques centimètres de mes cheveux, j'ai l'impression que je viens d'effleurer la vérité, la compréhension.

Mais elle s'enfuit.

« Tu es la plus nulle des partenaires de labo que je connaisse, dit Hemans, les yeux fixés sur mon blouson des Eagles. Je vous déteste, toutes autant que vous êtes. »

Pendant la deuxième heure de cours, deux minutes avant la sonnerie, Beth se glisse sur le siège à côté de moi.

« Mademoiselle Cassidy, dit M. Feck, les mains sur les hanches comme toujours. Je crois que je ne vous vois pas avant le quatrième cours normalement. Et encore, pas toujours. »

En mode séduction maximale, à la RiRi, Beth fronce le nez, avec juste un soupçon de malice, et agite son index comme une chenille, en articulant : *Juste une seconde, monsieur Feck, s'il vous plaît !!!*

C'est tout juste si Feck ne s'incline pas pour donner son accord.

Ils sont tellement faibles. Tous.

Tirant ma table vers elle, Beth me murmure à l'oreille, d'un ton avide :

« Alors, elle t'en a parlé ? Crache le morceau, soldat.

— Qui m'a parlé de quoi ? »

Une habitude qui devient lassante, même pour moi.

« Putain, Hanlon. »

Sa main serre mon poignet jusqu'à ce que nos deux mains bronzées pâlissent.

« Oui, dis-je en tronquant ma voix. Elle n'arrive pas à y croire. C'est affreux.

— Le suicide n'est *pas* une solution », dit-elle, et elle dit ça d'un ton léger, cruel.

Puis elle semble se reprendre, et quelque chose s'emmêle salement sur son visage. Pendant une seconde.

En voyant cela, je sens mon menton trembler et la chaleur irradier jusqu'à mes yeux. À l'intérieur, quelque part, bat le cœur de Beth.

« Mais, Addy, dit-elle en me regardant par-dessous, avec l'air de dire *allez, balance tout, petite*, est-ce qu'elle a eu *plus* d'informations ? Comment elle l'a appris ? Qui le lui a dit ?

— Je ne sais pas.

— Mademoiselle Cassidy…, chantonne M. Feck, impatient de reprendre.

— Oui, Monseigneur », dit Beth, et elle mime une révérence. Réellement.

Arrivée à la porte, elle se retourne, sa taille pivote, et elle pointe deux doigts dans ma direction.

À plus.

À plus.

Mon doigt est suspendu au-dessus de mon portable, l'écran vide se moque de moi.

`Tu ne dois pas parler de la Coach et Will…` Je commence à taper.

Puis je m'arrête.

Et je pense à tous les textos que doit avoir Beth, sur tous les sujets.

Un par un, texto après texto, mail après mail, j'efface tout sur mon portable, ma respiration résonne dans mon oreille. Mais je sais que ça ne sert à rien.

Vous ne pouvez pas tout effacer, pas même la moitié. La moitié de ma vie livrée à des écrans gris de la taille de mon ongle de pouce, chaque fusée éclairante lancée négligemment de mon téléphone vers un autre me revient maintenant à toute allure et atterrit sur mes genoux comme une bombe de dessin animé, mèche allumée.

Le problème, quand cela arrive, c'est que vous êtes obligé de donner à Beth ce qu'elle veut.

Mais que veut Beth ?

Malgré tout, la Coach continue, et je suis impressionnée.

À l'entraînement, elle nous bouscule, pendant que Beth reste assise en haut des gradins.

Perchée tout là-haut, sous le toit, ses ailes noires collées au corps, elle contemple son téléphone, qui éclaire son visage.

La Coach compte les temps, concentrée. Elle nous mène à la baguette.

« Il faut que j'accélère, crie-t-elle. Je dois aller chercher ma fille. Ne me faites pas perdre de temps, *girls*. »

Au début, la douleur n'est pas celle que j'aime ressentir. Et quand Mindy me lâche au moment d'une cabriole, me projetant au tapis, je suis gênée de sentir jaillir des larmes brûlantes. Pour la première fois sur un tapis.

« Putain, Hanlon, dit Mindy, surprise. Tu es la lieutenante Hanlon, non ? »

Mais je n'ai pas le temps d'avoir honte et je prends soin de peser de tout mon poids quand j'appuie ma chaussure sur l'épaule raide de Mindy la fois suivante.

Très vite, alors que nous enchaînons les sauts, les roulades et les flips, je commence à me sentir mieux, et mon corps se met à accomplir des choses étonnantes, compact et dur comme la pierre.

Mais voilà que Beth se met à parler fort dans son portable. Je vois la Coach lever les yeux vers elle, à plusieurs reprises, et tout revient au galop.

« Capitaine ! lui lance la Coach, et je me raidis. Peux-tu faire quelques roulades ? »

Beth lève la tête, une mèche de cheveux glisse de sa bouche.

Nous levons toutes la tête.

Elle ne décolle pas le téléphone de son oreille.

J'ai le sentiment que si j'étais plus près, je la verrais montrer les dents.

« J'aimerais bien, madame, répond-elle en prenant sa voix geignarde de petite fille, mais il ne me reste plus qu'un seul tampon et je l'ai porté toute la journée, alors si je fais des exercice au sol, j'ai peur qu'il tombe. »

Nous regardons toutes la Coach, et personne ne dit rien.

Coach, oh, Coach, pourquoi avez-vous demandé ça ?

« Dans ce cas, on verra ton sang sur le tapis », répond la Coach en posant le pied sur la première rangée de sièges.

Oh, Coach… Ces deux-là, tête contre tête, poitrines en avant, c'est tout juste si elles ne se touchent pas.

« J'aimerais bien, Coach, dit Beth. Sincèrement. Mais est-ce qu'on n'a pas vu suffisamment de sang dernièrement ? Est-ce qu'on ne devrait pas toutes penser à ce qu'on a perdu ? »

La Coach demeure impassible, mais je discerne quelque chose sur son visage, quelque chose qui s'effondre.

Regardez-la, Coach, ai-je envie de dire. *Regardez ce qui se passe. Voyez comme elle brave le danger maintenant. Voyez depuis quand elle attend une occasion, et maintenant, elle la tient enfin.*

Il faut que je lui ouvre les yeux. Et les miens ne doivent pas quitter Beth, à aucun moment.

Nous roulons côte à côte dans Curling Way, Beth joue avec l'accélérateur. Nous nous rendons à Sutton Ridge, où le soldat de première classe aux cheveux roux, Jimmy Tibbs, a accepté de retrouver Beth.

Elle lui tire les vers du nez ou quelqu'un tire les vers du nez à quelqu'un, et soudain, ils sont comme deux camarades qui s'échangent des valises et scotchent des X sur des poteaux téléphoniques.

Les bruissements inquiétants de la crête le sont encore plus maintenant que le fond de l'air est froid et que tout brille comme du verre. À moins que ce ne soit l'hésitation énigmatique que je devine en Beth. Comme une chose arrêtée entre l'aller et le retour. Comme cette seconde avant que la position accroupie se transforme en bond.

Nous devons retrouver le soldat dans une clairière près de l'extrémité est, et nous marchons sans bruit, nos baskets écrasent le sol, nos chevilles se tordent sur les mottes et les racines étranges et d'autres créations de la nature. Pourquoi le monde n'est-il pas aussi plat et lisse qu'un plancher monté sur ressorts, aussi dur et sûr que le parquet impitoyable d'un gymnase ?

Nous l'entendons avant de le voir, car quelqu'un sifflote quelque part. Ce son semble effrayer Beth elle-même, qui pourtant ne souffre pas des terreurs teintées de rouge derrière mes yeux.

Mais quand nous approchons, le sifflement ressemble plutôt à celui d'un jeune garçon. Un sifflement destiné à repousser les démons et les peurs de la nuit.

Je finis par reconnaître enfin une version tremblotante de *Feliz Navidad*[1].

Il agite le bras dans la clairière et se dirige vers nous en trottinant à la manière d'un soldat, main tendue.

Beth lui fait don de sa main dorée et d'un regard charmeur, l'illusion puissante de l'enfance fragile.

Je vois bien comment ça fonctionne avec eux.

Beth connaît sa cible.

« Écoutez, les filles, je ne veux pas que quelqu'un ait des ennuis. »

Son visage constellé de taches de rousseur doublement récuré, le soldat Tibbs fait les cent pas en parlant et se gratte le cou jusqu'à ce qu'il soit tout rouge.

« C'était notre sergent. Et pour moi, ça l'est toujours. Alors je le couvre.

— Bien sûr, dis-je. Personne ne veut avoir d'ennuis.

— Le problème, c'est que nos supérieurs sont impliqués maintenant. L'armée mène sa propre enquête. Et on doit coopérer pleinement. »

Il nous regarde, et je m'aperçois qu'il sait que nous savons au sujet du sergent et de la Coach, et je devine que c'est Beth qui lui en a parlé.

---

1. Chanson de Noël pop interprétée par le Portoricain José Feliciano en 1970.

« On comprend, dit-elle, yeux écarquillés et débordante de compassion. Vous faites votre devoir. Vous n'avez pas le choix.

— On veut juste ce qui est le mieux pour le sergent, déclare-t-il d'un ton noble. Mais je veux aussi protéger votre… sergent. »

Beth hoche la tête, lentement, une lenteur destinée à suggérer que, peut-être, elle n'a pas d'autre « sergent » que la vérité.

« Alors ils n'excluent aucune hypothèse pour l'instant ? » demande-t-elle, pour aller à la pêche aux informations.

Je suis émerveillée par son numéro de jeune fille fragile aux grands yeux. C'est comme si elle parvenait à rapetisser son corps, simplement en restant là. Elle sait donner à sa voix tannée l'apparence de la douceur et de la vulnérabilité.

« L'inspecteur affirme que, très souvent, l'autopsie ne révèle pas tout, dit-il en parlant lentement pour que l'on comprenne bien. Il faut s'intéresser au comportement de la victime durant les semaines, les jours et les heures qui ont conduit au décès. C'est comme ça qu'on devine ce qui se passe dans la tête d'un type. Pour savoir si c'est un suicide ou un meurtre.

— Un meurtre ? » dis-je dans une sorte de rire. Qui en devient un.

Mais lui ne rit pas.

Pendant une longue seconde, tous les deux me regardent.

« De quoi vous parlez ? je demande, en essayant d'entretenir le rire.

— Un jeune gars, dans la fleur de l'âge, dit le première classe en échangeant un regard grave avec Beth faussement grave, et tous les deux m'admonestent. Il n'a laissé aucun mot. Ils sont obligés d'étudier toutes les possibilités.

— Mais sa femme… Il… »

Il baisse la tête, soupire, puis me dévisage.

« Justement, ils essaient de savoir ce qu'il avait dans la tête, alors ils vont poser des questions et je serai obligé d'y répondre. »

Je le regarde, puis Beth qui se trémousse joyeusement à côté de lui. Tous les deux, pour qui se prennent-ils, le brave soldat et la bonne Samaritaine ?

« Allez-y, dites-le. Vous allez leur raconter ce qui se passait, dis-je. Avec la Coach.

— Je suis obligé. »

Je le regarde, et l'irritation monte en moi.

« Désolée, dis-je après un silence. Je repensais à la dernière fois où je vous ai vu. Quand vous m'avez regardée refermer les cuisses de cette fille sur le parking du Comfort Inn. »

Il me jette un regard effaré.

« Mais revenons-en à votre problème, dis-je. Je suppose que vous allez tout leur raconter, donc. Que vous nous avez fait boire de l'alcool, et aussi à des gamines de quatorze ans. Et vous leur parlerez de Prine. »

Le visage du soldat est plus rouge que jamais : une sirène stridente.

Beth se racle la gorge, comme si elle était à la fois agacée et impressionnée. *Ma lieutenante, ma lieutenante.*

« Une fille veille sur sa Coach comme sur une mère, dit-elle au soldat en haussant les épaules. Le truc, soldat, c'est qu'on veut tous protéger nos supérieurs. »

Tibbs gratte sa nuque écarlate jusqu'à ce qu'elle flamboie, puis il hoche la tête, la bouche livide. Comme s'il avait un peu peur de nous deux. Comme s'il éprouvait le besoin de se remettre à siffler.

Le mot *meurtre* s'insinue dans mon cerveau, sa queue claque dans tous les sens.

Beth et moi regagnons la voiture en marchant côte à côte, elle entortille le bas de ma natte autour de son doigt.

« Jeu déloyal, dis-je en roulant des yeux.

— Ce n'est pas un petit gamin, Hanlon. Avec ce genre de ruche, tu attrapes plus de miel si tu bourdonnes tout doucement à son oreille. Et toi, avec ta putain de tronçonneuse ! Quelle idée de parler du Comfort Inn.

— J'ai appris aux pieds du maître bûcheron. »

Si je ressemble à quelqu'un en disant cela, c'est à Beth.

« Mais notre objectif, ce n'est pas d'intimider pour obtenir le silence, dit-elle. C'est de découvrir ce qui s'est passé. » Elle me regarde. « Non ? »

Évidemment, ce n'est aucun de nos objectifs.

« Et je suis sûre que la Coach, plus que n'importe qui, veut savoir ce qui est arrivé à son mec, dit-elle en approchant son visage du mien, prenant un immense plaisir à tout ça. Je suis sûre qu'elle nous sera reconnaissante. Et je m'étonne que tu n'aies pas plus envie de l'aider.

— Je ne veux pas qu'il nous cause des ennuis. Je protège l'équipe.

— Voilà qui est parler en capitaine, ironise-t-elle. J'ai toujours su que voulais être capitaine.

— Non, jamais », dis-je en lui tournant le dos pour continuer sur le chemin.

Il fait nuit noire maintenant, je l'entends derrière moi.

« Non, bien sûr », dit-elle, et j'entends son sourire.

Elle se trompe. Je ne l'ai jamais voulu. Pas une seule fois. C'était déjà assez dur d'être lieutenante.

« D'ailleurs, ajoute-t-elle en se glissant à ma hauteur, *c'est* bizarre en effet, maintenant que j'y pense. Un homme dans la fleur de l'âge. *Bang, bang*, il se colle une arme sur la tempe ?

— Dans la bouche », je rectifie.

Au moment où ces mots sortent de ma bouche, je sens mon sang se glacer.

« Dans la bouche ? » répète Beth, vive comme l'éclair.

Toute ma vie avec Beth, sous les projecteurs. À ses côtés quand elle braque le projecteur sur quelqu'un d'autre.

Je bafouille. « C'est ce que j'ai lu, il me semble. Ce n'était pas dans la bouche ? »

Avec elle ou contre elle, vous avez intérêt à être prêt. La partie va commencer. Comme quand vous êtes sur le terrain, avec les tribunes qui vibrent, les baskets qui crissent sur le parquet ciré, et que vous devez faire semblant de sourire, à en avoir mal. À avoir envie d'en mourir.

Redresse-moi ce dos, sors-moi ces nichons, sois prête, toujours. Car elle, elle l'est toujours.

« Je ne sais pas, Addy. C'était dans la bouche du sergent ?

— Non. Je me suis trompée. Je suis au bord de l'hypo-glycémie. »

Je tire sur ma natte, des pinces à cheveux s'envolent et s'éparpillent sur le sol.

Je sens presque sa déception en voyant la pauvreté de ma réaction.

Pendant des heures ensuite, je me maudis d'avoir pu penser que je pourrais rivaliser avec Beth, que je pourrais être à la hauteur.

Si tu l'avais vu, avais-je envie de lui dire, tu saurais que c'était un suicide. Tu t'en apercevrais. Si tu voyais cette bouillie sombre à la place de son visage…, tu sentirais son désespoir et sa renonciation.
Non ?
Est-ce ce que j'avais ressenti ?
Je n'en suis pas certaine.
Je réfléchis brièvement, sombrement, à cet appartement, gravé au plus profond de mon esprit. Une crique boueuse qui glouglou te au centre de la terre.
N'empêche, pour moi, c'était comme si j'avais pénétré dans le tourbillon marécageux d'un homme sous l'eau, en train de se noyer.
Non ?
C'était désagréable. Ça, je le savais. C'était le pire endroit où j'avais jamais mis les pieds. Et maintenant, cet endroit était en moi.

Ce soir-là, enfin, la Coach m'appelle.
« Pourquoi tu ne viens pas à la maison, Addy ? » La chaleur dans sa voix, et le désespoir. « Tu pourras passer la nuit ici. Matt est en voyage, tu te souviens ? Je me sens seule. »
Je ne peux même pas imaginer les sentiments qui la hantent, vu ce que j'éprouve déjà. Je suis heureuse de savoir qu'elle ressent ces mêmes choses, car on ne pourrait pas le deviner en la voyant.

« Je nous ferai des milk-shakes à l'avocat, on chantera des chansons à Caitlin pour l'endormir, on étendra les couvertures sur la terrasse et on s'y enroulera pour contempler les étoiles. Ou autre chose », dit-elle, en faisant un énorme effort.

J'ai rêvé de cette tentative de séduction un mois plus tôt, et il y a là-dedans quelque chose qui me touche, même au milieu de tout cela, ou pour cette raison, peut-être. Nous partageons un enjeu singulier et troublant, mais il nous lie pour toujours, non ? Un enjeu qui déclenche en moi une nouvelle crise de panique toutes les heures, mais maintenant, pour la première fois, il me réchauffe le cœur également.

Alors j'y vais, mais Caitlin dort déjà, et la Coach n'a pas d'avocats, et un crachin gras tombe sur la terrasse.

Pendant que je suis perchée sur un tabouret de cuisine, désœuvrée, elle dresse une liste de courses. Elle règle une facture d'électricité. Elle essore des torchons, les entortille autour de ses mains en regardant d'un air vague par la fenêtre au-dessus de l'évier.

À croire qu'elle n'a aucune envie que je sois ici, maintenant que j'y suis.

Comme si je lui rappelais des choses désagréables.

À un moment, en revenant des toilettes, je la vois qui regarde mon téléphone posé sur l'îlot de la cuisine.

« Tu peux l'éteindre ? me demande-t-elle. Tu n'as dit à personne que tu étais ici, hein ? »

Je la rassure.

Ses doigts effleurent le portable. Elle m'observe pendant que je l'éteins et attend que l'écran devienne noir.

« Oh, Addy, dit-elle finalement, faisons quelque chose, n'importe quoi. »

Et voilà comment nous nous retrouvons dans le jardin de derrière, un peu avant minuit, en train de faire des renversements arrière sous la pluie. Des grands écarts. Du gainage.

Il y a un parfum de sainteté, le vent qui carillonne sur la terrasse nous transporte vers les contrées les plus reculées de l'Himalaya, ou ailleurs, là où le monde est paisible et clair.

Nous transpirons malgré le froid, et je perçois, dans le trait de lumière d'une voiture qui passe devant la maison, le visage de la Coach, détendu et libre.

Les pleurs débutent juste après, quand nous rentrons dans la maison. Alors qu'elle avance dans le couloir, elle se plie en deux, secouée de sanglots violents et douloureux. Je la tiens par les épaules, leurs muscles élastiques vibrent dans mes mains.

Elle s'est arrêtée au milieu du couloir, j'essaie de la soutenir et elle pleure longtemps.

Cette nuit-là, je dors à côté d'elle, sous ce gros morceau de couette.

Nous sommes couchées face à face, et je me dis : c'est là que dort Matt French, et je me dis que le lit est grand, que la Coach est loin, la couette forme une congère au milieu. Si elle pleure encore, je ne peux pas le savoir.

Je me sens seule pour deux.

À un moment, dans la nuit, je l'entends parler, d'une voix dure, étranglée.

« Comment as-tu pu me faire ça ? grogne-t-elle. Comment ? »

Je la regarde : ses yeux sont presque ouverts, ses poings broient les couvertures.

Je ne sais pas à qui elle parle.

Les gens disent toutes sortes de choses quand ils rêvent.

« Je ne fais rien », murmure-t-elle, comme si elle s'adressait à moi.

22.

J'allume mon téléphone, à sept heures, je découvre que la page Facebook de l'équipe est constellée de nouveaux messages, de Brinnie, Mindy, RiRi.

Lundi : FINALE !

Allez les Eagles !

Slaussen, t'as intérêt à ASSURER ! C'est TOI notre billet pour le tournoi !

J'ai hâte d'y participer. J'ai hâte d'y être.

Je trouve la Coach dans la cuisine, en train de faire des gaufres dans le mini-four pour Caitlin, qui mâchonne le bout de sa couette en regardant la lueur orangée du four, hypnotisée.

« C'est le téléphone qui t'a réveillée ? » demande-t-elle, une cuillère à la main, en train de couper une banane au-dessus de l'assiette couleur lavande de sa fille.

Je m'aperçois alors que c'est le cas.

« Il faut que je retourne voir la police, dit-elle, et ses yeux se ternissent. Dans une demi-heure.

— Ils interrogent les soldats de la Garde nationale, dis-je à voix basse, comme si Caitlin risquait de comprendre. Le roux. Tibbs. »

La cuillère, enduite de banane, lui échappe.

Elle se fige, main tendue.

Je m'apprête à ramasser la cuillère, mais sa main jaillit pour m'en empêcher.

« Ils sont obligés d'interroger ses hommes, dit-elle. Je m'en doutais.

— Mais, Coach, dis-je en essayant de prendre un air entendu, personne ne veut que quiconque ait des ennuis. *Personne.* »

Elle m'observe d'un œil pénétrant, et je ne sais pas pourquoi je me montre si mystérieuse ; c'est lié à Beth, aux yeux derrière sa queue-de-cheval, aux battements de paupière de Caitlin.

« Les ennuis sont partout, dit-elle en soutenant mon regard.

— Exact. Et je suis sûre que tout le monde en est conscient.

— Le soldat Tibbs en est conscient ?

— Je pense. »

Mais la Coach doit percevoir quelque chose en moi, la peur qui se rassemble sous ma peau.

« Qu'est-ce qui pousse ce soldat à te faire toutes ces confidences ? demande-t-elle en gardant ses mains collantes levées devant elle, le corps statufié.

— C'est à Beth qu'il se confie », dis-je après une très courte hésitation.

Ça me met mal à l'aise de lui révéler ça, mais je le serais également si je ne le faisais pas.

Il lui faut une seconde pour assimiler cette nouvelle information.

« C'est Beth, je répète.

— J'ai compris », dit-elle, ses mains glissantes toujours levées, tel un médecin prêt à opérer. Prêt à poser ses mains sur votre cœur.

Dans le couloir du rez-de-chaussée, après la deuxième heure de cours, après sa visite au poste de police :
« C'est bon », dit la Coach en passant près de moi d'un pas vif. Sa natte est très serrée, une veine palpite sur sa tempe. « Pas de problème. Tout va bien. »

Après le déjeuner, Beth me retrouve à la bibliothèque du lycée, où je ne vais jamais et où personne n'aurait dû avoir l'idée d'aller voir. Sauf elle.

« De mon temps, il y avait des livres dans les bibliothèques, commente-t-elle, alors que nous surfons sur Internet côte à côte devant les grands écrans. Et on marchait huit kilomètres dans la neige pour aller à l'école.

— C'est pour ça que tu as des chevilles aussi fortes, dis-je en cliquant au hasard à travers le néant. Photos d'entrejambes de célébrités, secrets pour jeûner…

— Le première classe est passé à l'attaque ce matin, annonce-t-elle. Il m'a raconté sa chanson triste en buvant des bières.

— Et ? je demande en décrivant des pirouettes avec mon doigt au-dessus du pavé tactile.

— Il paraît qu'ils ont convoqué la Coach.

— Ouais, elle me l'a dit. Tout s'est bien passé. »

Je ne la regarde pas, je n'aime pas cette sensation naissante, ces picotements sur mon front.

« Ah… » fait-elle, et même si je ne la regarde pas, je sais qu'elle sourit, j'entends le chewing-gum claquer dans la coin de sa bouche déformée par un grand sourire.

Cela me rappelle la fois où la mère de Beth m'a juré, en prenant son café du matin, que sa fille était née avec des dents pointues.

C'est pour mieux boire le sang des nouvelles recrues, avait dit Beth.

« Alors, demande-t-elle, qu'est-ce qu'elle t'a dit au sujet du bracelet Hamsa ?

— Quel bracelet Hamsa ?

— Celui qu'ils ont découvert dans l'appartement de Will. »

Je clique sur la publicité pour le Thé miraculeux Wu Long.

« *Hé, attends un peu !* s'exclame-t-elle en se frappant le front. Tu n'avais pas un de ces bracelets ? Celui que tu as offert à la Coach. Dans ta période petit toutou. Pour la protéger du mauvais œil des maris trompés, je suppose. »

Je la regarde. Je n'avais même pas conscience que Beth était au courant pour le bracelet.

« Et alors ? dis-je.

— Bah, j'imagine qu'elle a dû le laisser chez Will à un moment donné, dit Beth. Lors d'une… rencontre.

— Beaucoup de gens ont ce genre de bracelets. »

Elle me regarde et je sens un pincement dans la poitrine, un souvenir, une connexion. Mais impossible de m'y accrocher. Elle m'observe de très près, mais je n'arrive pas à mettre la main dessus.

« Ils pensent que c'est à elle ? je demande.

— C'est à elle, Addy ? » Son sourcil gauche s'est dressé. « Elle a dû te dire qu'ils lui avaient posé la question. Vous vous entendez comme larrons en foire, toutes les deux.

— On n'a pas vraiment eu l'occasion de parler, dis-je en agrippant le bord du bureau.

— Elle est très occupée, c'est vrai. Plus que quatre jours avant le Grand Match, et tout ça. »

Elle repousse sa chaise et balance une jambe dorée sur la table la plus proche.

« Regarde comme je suis affûtée, dit-elle en s'examinant. Il faut lui reconnaître ce mérite. Mais tu crois que la P'tite Tacy le lapin russe est capable d'être notre Top Girl ? Tout est une question d'équilibre. Et elle a un mollet plus gros que l'autre. Tu n'as jamais remarqué ?

— Non.

— Je suis sûre que si. Toi, ton équilibre est parfait. Avec dix centimètres de moins, tu aurais fait une Top Girl idéale. »

Je laisse passer une seconde. Puis je demande :

« Le soldat Tibbs ne sait pas qu'elle en a un, hein ?

— Un quoi ? répond Beth, de manière exaspérante, en examinant maintenant mes jambes avec son œil froid de capitaine.

« Un bracelet Hamsa, dis-je en essayant de repousser un accès de panique dans ma voix.

— Pas encore, Adelaide. Pas encore. »

Je récupère mes livres et m'éloigne.

« Tu vas devoir oublier qu'elle est jolie et qu'elle s'intéresse à toi, Addy ! » me lance-t-elle.

Je continue à marcher, mais je l'entends encore.

« Rentre le ventre, Addy. Serre tes jambes. Souris, souris, souris ! »

Tout le monde m'observe, je garde les yeux fixés devant moi.

« Souviens-toi de ce que disait la Coach Templeton, Addy ! »

Je pousse la double porte vitrée qui tremble.

« Une bonne cheerleader ne se mesure pas à la hauteur de ses sauts, mais à l'envergure de son esprit ! »

23.

« Quatre jours, les pouffes ! » s'écrie Mindy.

RiRi fait des assouplissements en montrant sa culotte, bordée de paillettes cette fois-ci.

La nouvelle recrue surfe sur YouTube avec son ordinateur pour visionner les chorés des Celts.

Paige Shepherd chante d'un voix nasillarde – *Ima go for the gold, heart is in control, I'm a go, I'm a go, I'm a go getta* – en levant une longue jambe pour faire un *bow and arrow*.

Cori Brisky dompte ses cheveux dans sa très longue queue-de-cheval blonde, presque blanche, l'image de marque qui l'a rendue célèbre dans tous les lycées environnants.

Tout est comme avant.

Toujours sur la touche depuis sa chute spectaculaire, Emily la boiteuse distribue les tatouages éphémères qu'elle a commandés pour l'équipe. Elle s'en est collé un sur chaque joue et a décoré son attelle au genou. J'ai trouvé ça triste, comme si elle était notre mascotte. Personne ne respecte une mascotte.

Nous avons tous de la peine pour elle. Elle ne peut même pas défiler avec nous, elle n'arrive pas à suivre à cause de cette grosse chaussure ; elle a déjà été repérée par les équipes de lacrosse et de golf qui veulent la recruter – il n'y a rien de plus triste – et elle se fait draguer sauvagement par les furies du hockey sur gazon, le meilleur moyen d'avoir les genoux éraflés.

Je me souviens, vaguement, d'avoir été amie avec elle. Je lui tenais les cheveux pendant qu'elle vomissait pour devenir maigre comme un clou. Un soir, je l'avais même appelée, au lieu d'appeler Beth, pour lui confier des choses. Mais je ne sais plus de quoi nous avions parlé.

À quinze heures vingt, la Coach franchit les portes du gymnase, menton dressé.

Beth, plantée devant le miroir, ne tourne même pas la tête, trop occupée à enduire ses cils de mascara, aucune inquiétude ne ride son visage.

« Les filles, j'ai une nouvelle à vous annoncer. »

Je m'accroche à la porte de mon casier.

« Je l'ai appris par mon contact au comité de sélection. Une recruteuse sera présente lundi pour le match. Si on assure, on est en régionales l'année prochaine ! »

Tout le monde pousse des cris, saute sur les gradins et se prend par le cou comme les joueurs de foot.

La pauvre Emily avec son attelle éclate en sanglots.

« L'année prochaine, tu auras repris ta place, lui dit RiRi, une main sur l'épaule.

— Oui, mais pas lundi, gémit Emily.

— Concentrons-nous », dit la Coach en tapant dans ses mains.

Nous nous mettons au garde-à-vous.

En la regardant, je ne comprends pas. Impossible de deviner qu'il se passe quelque chose. Elle est prête à nous entraîner. Sans une goutte de sueur, droite comme un i.

« Il faut penser aux Celts », déclare Mindy.

L'équipe des Celts, c'est du sérieux ; elles sont célèbres pour leurs expressions, leurs mouvements de tête, leurs langues tirées, leurs bouches ouvertes et leurs yeux écarquillés quand leur voltigeuse s'envole, quand elles bondissent en arrière, et le public retient son souffle.

« Elles font des trucs déments à deux », dit Brinnie Cox avec un soupir. C'est sa façon de s'exprimer. « Une fille de ma taille est capable d'attraper les deux pieds de la voltigeuse dans sa paume.

— Leurs mimiques sont d'enfer, concède RiRi.

— Je me contrefiche de leurs langues qui s'agitent et de leurs queues-de-cheval qui tressautent, dit la Coach. Je me contrefiche des Celts. La seule chose qui m'intéresse, c'est cette recruteuse régionale. Il faut qu'elle voie notre atout vedette. »

Nos regards gênés se tournent vers Tacy.

« Votre voltigeuse n'est pas le sésame magique, reprend la Coach. C'est l'équipe. Vous devez montrer que vous êtes un gang venu tout droit de l'enfer. Et pour cela, il n'y a qu'une seule façon. On va donner à cette recruteuse un truc qui nous assurera la qualif. On va lui montrer un deux-deux-un. »

Le deux-deux-un.

Ce sera notre coup d'éclat, si on le réussit.

Trois niveaux de filles, deux bases au sol soutenant deux bases intermédiaires sur leurs épaules, la voltigeuse projetée au milieu ; les filles du bas lui bloquent les pieds, pendant que les deux autres soutiennent ses bras écartés, dans le style crucifixion. Et les filles postées derrière attendent le saut de la mort.

C'est autorisé en compétition, pas pendant un match.

Et c'est le genre de figures qu'il faut maîtriser pour accéder aux régionales. Aux tournois.

« Cap'taine, dit la Coach en levant les yeux vers Beth, retournée au milieu des gradins, présence sombre qui plane. Elles sont à toi aujourd'hui. Je veux qu'elles en bavent. »

Elle lui lance le sifflet.

Beth, un sourcil dressé, l'attrape au vol.

En un instant, une bouffée d'énergie semble parcourir son corps, son allure avachie et morose se déploie pour la première fois depuis des mois, depuis... je ne m'en souviens même plus.

La Coach vient de lui remettre le bâton, et, Dieu soit loué, Beth semble toujours penser qu'il vaut la peine d'être manipulé.

« Faites-moi des équilibres sur les mains, dit-elle en descendant des gradins, lentement, avec souplesse, les bras ballants, faisant claquer ses doigts. Me cherche pas, RiRi. Les membres relâchés, ça peut le faire pour tes petites

soirées du samedi, mais je veux que tu sois tendue comme un string. Fais-moi voyager dans le temps. »
Beth nous engueule pendant un moment, et c'est bon. Elle est tellement à fond, pleine de vie.
Portée sur le trône et magnifique.

À un moment donné, la Coach se faufile dans son bureau.

Quelques instants plus tard, tandis que Beth est occupée à pourrir Tacy à cause d'un saut carpé, en la traitant de pauvre fille pathétique, je m'éclipse pour aller jeter un coup d'œil et je vois la Coach au téléphone, la main sur les yeux.

Je pense : c'est la police. C'est la police. Et maintenant ?

Au bout d'une heure, nous sommes prêtes pour la pyramide deux-deux-un.

Comme je ne suis pas trop costaude, ni trop petite, je suis au milieu.

Sous moi se trouve Mindy Coughlin, bras à l'horizontale ; mes pieds sont recroquevillés autour de ses clavicules, tout son corps est gainé.

Mais je me dis que c'est plus dur pour moi, je n'ai pas de sol sous les pieds, et quarante-deux kilos de panique tremblante au-dessus.

Dès que nous serons dressées, Tacy sera projetée entre RiRi et moi, nous la rattraperons par les jambes pour l'immobiliser.

Ensuite, elle les impressionnera tous en exécutant un saut périlleux arrière pour retomber dans le berceau des bras tendus des réceptionneuses, cinq mètres plus bas.

Tout le monde aura le souffle coupé, accroché à son siège.

Le saut de la mort, c'est notre grand moment d'effroi, d'admiration mêlée de respect.

Quoi qu'en dise la Coach, tout repose sur la voltigeuse.

Nous pouvons la soutenir, mais si Tacy chancelle, dévie, pivote du mauvais côté : *clac, crac, boum.*

C'est sans doute pour cette raison qu'elle ressemble à un mitrailleur arrière condamné à se retrouver coincé dans une tourelle tremblotante.

« Vous devez toutes assurer un max pour Slaussen, nous dit Beth. Sinon, elle va se tuer sur le tapis. Il y a deux ans, lors du match contre les Vikings, j'ai vu une fille dévier de deux centimètres en l'air. Ses équipières ne l'ont pas rattrapée. Bang ! Sa nuque a heurté le sol, et elle a dérapé si brutalement qu'un morceau de sa queue-de-cheval blonde s'est arraché de son cuir chevelu. »

Le visage de Tacy passe du vert au blanc, puis au gris. Beth et son pouvoir de détruire d'un seul souffle. Il y a deux mois, Tacy galopait dur à ses côtés, larbin sous son emprise écrasante. Oh, les revers de fortune…

Les yeux fixés sur les jambes toniques de Tacy, semblables à des mini-barres chocolatées, Beth secoue la tête.

Je m'aperçois qu'elle a raison : Tacy a un mollet plus gros que l'autre.

« Tu as toujours été une traînée, dit Beth en secouant la tête. Toujours prête à lever les guibolles pour les gars dont je ne voulais plus. Mais j'ai l'impression que tu levais uniquement la gauche. »

Elle s'agenouille sur le tapis devant le corps menu de Tacy.

Elle humecte son doigt et le fait glisser sur la cuisse et le mollet de Tacy.

Nous observons toutes la scène, comme si nous regardions la recrue d'un gang se faire introniser.

« C'est bien ce que je pensais, dit Beth en levant et en agitant son index, bruni par ce que je pense être de l'autobronzant. Tout le bronzage artificiel du monde ne te donnera pas ce que tu ne possèdes pas. Soit tu as du muscle, soit tu as des cannes de serin. Ou, dans ton cas, des cotons-tiges.

— Je peux y arriver, Beth, dit Tacy d'une voix aiguë. La Coach le sait. J'ai gagné ma place.

— Voyons ça, alors, poufiasse, répond Beth en se levant. À toi de me convaincre. »

Elle recule, monte le son dans les enceintes, et notre musique, de la pop grivoise avec des chœurs de petites filles mélangée à un rap lourd. « *Get down, girl, go 'head get down.* »

Je saute sur l'épaule de Mindy, sa main se lève, sa paume s'étend sous mes fesses.

À cet instant, la Coach revient dans le gymnase.

« Tu en es capable, Slaussen », dit-elle en passant devant Beth d'un pas nonchalant pour se placer dans le dos de la pyramide. Quel soulagement de l'entendre. « Tu l'as fait une fois, tu peux le refaire. »

Curieusement, la Coach joue le rôle du gentil flic dans ce nouveau monde étrange.

Mais RiRi et moi, nous ressentons le même tiraillement, les yeux fixés sur les jambes de Tacy, semblables à des petits bâtons de cannelle qui pourraient se briser.

Quand nous la soulevons, aussi légère qu'une bouffée d'air, elle tremble comme ces figurines qui remuent la tête, comme Emily avant elle. Je la sens qui essaie de raidir tout son corps, ça irradie en moi, mais ce regard rempli de terreur de dessin animé me glace le sang.

« Montrez-moi ce que vous savez faire ! »

La voix de Beth résonne dans nos oreilles.

Nos bras tremblent, nous devons les verrouiller, mais impossible, autant essayer de faire tenir droite une paire de serpents gélifiés.

Nous redescendons Tacy une seconde.

« Elle n'y arrive pas, déclare Beth. Soit on laisse tomber le deux-deux-un, soit on trouve une autre voltigeuse. »

Personne ne dit rien.

Soudain, la voix de RiRi s'élève derrière moi :

« Pourquoi pas Addy ? »

Je me retourne vers elle, mon cœur s'accélère. Elle sourit et me fait un clin d'œil.

« Et si Addy était notre Top Girl ? »

La Coach m'observe, sourcils dressés. Je sens le regard de Beth également.

« Addy n'aime pas être au-dessus, dit-elle, impassible.

— Hé ! s'exclame Tacy. J'ai été voltigeuse toute la saison. »

La Coach acquiesce.

« Ça mérite qu'on y réfléchisse pour plus tard, dit-elle. Mais dans l'immédiat, on a besoin d'Addy là où elle est, au milieu. C'est notre colonne vertébrale. »

Je n'aime pas tous ces yeux posés sur moi. J'aurais préféré que RiRi ne dise rien.

Mais c'est sans importance, car, une seconde plus tard, tout le monde a reporté son attention sur Tacy.

« Elle n'y arrive pas, Coach », dit Beth, aussi simplement que si elle avait dit autre chose.

Mes mains viennent de lâcher l'os iliaque si frêle de Tacy, et je sens que Beth a raison.

« Regardez-la, ajoute cette dernière en ricanant. Elle n'est pas au point. »

Ce sont des paroles de provocation, et nous le savons toutes. Un crachat au visage de n'importe quel coach.

« Elle veut prendre ma place, Coach, voilà tout, dit Tacy d'un ton presque gémissant. Je peux y arriver. Portez-moi encore. »

La Coach observe Tacy.

« Slaussen ? Tu es prête ?

— Oui ! »

Beth pousse un soupir sonore.

« Qu'est-ce qui arrive, chantonne-t-elle, quand une jeune et jolie coach prend sous son aile une équipe disparate d'inadaptées et de crétines ? Eh bien, elles volent, volent, volent. »

La Coach la regarde.

« On avait juste besoin de quelqu'un qui croie en nous, ajoute Beth.

— Cassidy, arrête de jouer avec elle, dit la Coach en lui faisant baisser les yeux, dans le style duel à l'aube, mais en gardant un ton neutre. Sinon, c'est toi que je colle sur la touche.

— Regardez sa jambe, rétorque Beth, on dirait un bréchet qui vibre comme une corde.

— Cassidy, dit la Coach comme si elle avait oublié la prudence dont elle devait faire preuve vis-à-vis de Beth ou si elle s'en fichait désormais. Quand tu me montreras que tu sais faire autre chose qu'exhiber tes nichons et utiliser ta bouche comme un égout, peut-être que nous pourrons discuter. »

Non, Coach, me dis-je. *Non.*

« Vous avez entendu la Coach, dit Beth en se tournant vers nous, tout sourire. Soulevez-la et laissez-la tomber. »

La musique se remet à cogner, Beth compte les temps, Mindy et Cori s'alignent. Paige et la petite nouvelle se placent derrière elles pour faire monter le deuxième niveau, RiRi et moi. Nos corps se redressent, leurs paumes enserrent nos mollets.

Face à face, nous soulevons Tacy entre nous et la hissons, en tendant les bras au maximum, les mains serrées autour de ses poignets. Elle a les bras écartés, à la Jésus, sa jambe gauche est pliée devant elle, les filles au-dessous agrippent son pied droit pour la stabiliser.

Pendant une seconde, elle est compacte.

Sept, huit. Beth compte les temps jusqu'au saut de la mort. Et le moment est venu, le moment pour nous de la laisser basculer en arrière pour une chute horizontale. Et pour les autres, de la rattraper en bas.

Nous la lâchons.

Les yeux exorbités, Tacy bascule, mais son corps semble se transformer en caoutchouc, mou comme un spaghetti. Sa main se tend vers moi pour m'attraper, je me sens glisser avec elle. Sur le sol, Paige et Cori crient : « Slaus, là, là, là. Attrape ! »

Mais elle plonge, nos mains sont vides.

Le bruit écœurant lorsque Tacy, encore à moitié dans les bras inclinés de Paige, heurte le tapis, tête la première.

RiRi et moi sommes toujours en hauteur, je crois que mes genoux vont céder, mais j'entends la voix de la Coach, douce et inflexible : « Hanlon, ralentis la descente », tandis que RiRi et moi perdons l'équilibre.

Je sens quelque chose se refermer sur mon bras. Beth est là. Elle me tient durant la chute. Et me dépose saine et sauve sur le tapis, pieds en avant.

La Coach est au sol près de Tacy, les pieds encore prisonniers des bras enchevêtrés des filles chargées de la recevoir, tandis que sa tête, le cou renversé, le menton largement ouvert, nettoie le tapis.

« Au moins, elle sait tomber », murmure RiRi.

La bouche ouverte par des sanglots étranglés, Tacy montre ses dents qui brillent d'un éclat écarlate.

« Quand on s'en prend au roi, dit Beth, mieux vaut ne pas rater son coup. »

RiRi et moi conduisons Tacy chez l'infirmière Vance, qui lui applique quelques pansements papillon et me charge de la conduire à l'hôpital pour qu'on lui pose des points de suture, ce qui provoque une nouvelle vague de sanglots.

« Ta carrière de mannequin est terminée », lui dis-je.

Tacy regagne son casier, les lèvres violettes et bourrées de coton, en pleurant à cause du match et des recruteurs, répétant qu'elle doit absolument faire le deux-deux-un, elle seule est assez légère, ce qui n'est pas vrai, et la Coach a intérêt à la laisser continuer, même si elle est défigurée.

Un nouveau sanglot l'étouffe, elle avale une bouffée d'air.

« Mais ça devrait être Beth, de toute façon, chuchote-t-elle de façon théâtrale. Beth est notre Top Girl. »

Pendant une seconde, j'entends RiRi : *Et Addy ? Et si Addy était Top Girl ?*

Mais ça n'a jamais été moi, hein ? Je n'ai jamais voulu. Je n'ai jamais été une voltigeuse, j'étais là pour assurer les autres, les soulever. Voilà ce que je suis.

Les Top Girls étaient différentes de nous.

Je repense à Beth l'année dernière, après le match des Norsemen ; on buvait toutes avec les joueurs, là-haut sur la crête, et Brian Brun s'amusait à la soulever au-dessus de sa tête, en lui agrippant les chevilles, elle avait les pieds calés dans ses paumes, puis elle avait balancé une jambe derrière elle pour exécuter son célèbre *bow and arrow*, pendant qu'elle tournoyait et tendait sa jambe en l'air et la glissait derrière sa tête luisante, devant nos visages ébahis.

Pendant des jours, des semaines, nous n'avions parlé que de ça, rêvé que de ça.

« Ça a toujours été Beth, dit Tacy d'une voix indistincte en se frottant la tempe avec le dessus du poignet. Et ce qui compte, c'est l'équipe. Être cheerleader, j'ai jamais compris que ça comptait autant. Avant que la Coach me choisisse. Elle a changé ma vie. Maintenant, je ne pense plus qu'à ça, Addy. J'entends les comptes dans mon sommeil. Pas toi ? Je ne veux pas que ça s'arrête. »

Je lui dis de cesser de parler.

« Tu ne comprends donc pas, Addy ? » Les mots se précipitent dans sa bouche, ses yeux brillent d'une lueur de folie. « Quand on sera sur le terrain lundi soir, il faut leur montrer ce dont on est capables. Ce qu'on est. Il faut qu'ils le sachent. Il ne faut pas seulement les impressionner.

« Il faut leur donner du jamais-vu. »

Rien que de tourner le volant, ça me fait mal. Je sens encore l'étau des doigts de Tacy, la peur que l'articulation de mon bras saute. L'écho de la voix de Beth disant : « Montrez-moi ce que vous savez faire ! »

Et la façon dont sa main s'est refermée sur moi pour interrompre ma chute.

Et ensuite, la Coach me disant, alors que j'aidais une Tacy boitillante à traverser le gymnase : « Hanlon, la prochaine fois, après l'avoir lâchée, garde tes bras le long du corps. Ne lui montre pas tes mains. Si elle les voit, elle voudra les attraper. Tu n'en ferais pas autant ? »

Et vous ? ai-je envie de lui demander.

Je repense à Emily, blessée, qui s'étiole là-haut dans les gradins. Et je me souviens que la semaine dernière, elle a posté sur mon mur Facebook : « Tu ne m'appelles plus. Les autres non plus. » J'ai décrété qu'il s'agissait d'une plaisanterie, une des innombrables blagues d'Emily.

Je ne voulais pas m'embêter avec ça.

Pendant les matchs, elle s'assoit, à peine séparée de la foule des tribunes, dans cette zone frontière, ce nulle part entre notre gloire bronzée et la grisaille floue du reste, de tous les autres, dans ce monde triste.

Plus tard, chez moi :

Tu as jeté un sort à Slaus, dis-je à Beth par texto.

Tu aurais dû « lui » donner le Hamsa, répond-elle.

Comme si j'obéissais à l'ordre d'un hypnotiseur, mon esprit est envahi par l'image de mon bracelet dans l'appartement de Will. Un cercle rouge sur le tapis.

Mais je ne cesse d'entendre les paroles de Beth dans ma tête : *Elle a dû te dire qu'ils lui avaient posé la question. Vous vous entendez comme larrons en foire, toutes les deux.*

Pourquoi la Coach ne m'a-t-elle rien dit ?

Je songe que je devrais l'appeler pour lui poser la question. Mais je ne le fais pas.

Je veux que ce soit elle qui m'en parle.

Si je suis obligée de lui demander, ça n'a aucune valeur.

Des heures plus tard, un texto arrive avec un petit bip, mais c'est Beth : **Devine qui sera la voltigeuse lundi soir ?**

Exit Tacy, place à Beth. Un curieux mélange de terreur et de soulagement me submerge, suivi du mystère moqueur concernant le genre de conversation qui s'est déroulée entre Beth et la Coach durant les heures qui ont suivi à l'entraînement pour conduire à cela.

Tu es heureuse maintenant ? je demande.

Pas de réponse.

C'est pendant le désordre sombre de la nuit que je sens mon téléphone siffler dans ma main.

Sors.

D'un doigt, je soulève le store et vois une voiture garée devant chez moi. La Coach est au volant.

L'herbe froide craque sous mes pieds quand je traverse la pelouse en bondissant.

Je m'assois dans la voiture, celle de Matt, pas aussi jolie que la voiture de la Coach. Elle sent la cigarette, alors que je n'ai jamais vu Matt French fumer.

Trois ou quatre cercles de café tachent le porte-gobelet ; on dirait le cœur d'un vieil arbre.

Quelque chose s'entortille autour de ma cheville, les anses d'un sac en plastique peut-être, ou les bords recroquevillés d'un vieux ticket de caisse, un vestige oublié par Matt French.

Quelque chose dans l'état de saleté de cette voiture provoque en moi des sensations, comme la fois où je l'ai vu, après minuit, penché au-dessus d'un bol de céréales, et où j'ai compris que c'était son dîner, ce mélange spécial, holistique, de céréales bio, et Matt French replié sur lui-même devant l'îlot de la cuisine, les pieds se balançant dans le vide, en chaussettes, un casque sur la tête pour ne pas entendre notre hystérie et nos mastications.

Et maintenant, ce pauvre Matt, dans un aéroport ou un immeuble de bureaux, quelque part en Géorgie, dans une salle de réunion où les hommes comme lui vont pour faire ce qu'ils font, et qui n'intéresse aucune de nous, mais peut-être que ça nous intéresserait si on savait. Même si j'en doute.

Sauf que parfois je pense à lui et à ce fouillis mélancolique dans ses yeux, qui ne ressemble pas à celui qui était dans les yeux de Will, car les yeux de Will semblaient toujours s'intéresser à Will. Ceux de Matt French s'intéressaient uniquement à la Coach.

« Il est toujours absent ? je demande.

— Absent ? répète-t-elle.

— Matt. »

Un silence.

« Oh, dit-elle en détournant la tête l'espace d'une seconde. Oui. »

Comme après réflexion.

Les mains refermées autour du volant, elle ajoute :

« Il y a du nouveau, Addy. »

Le bracelet, elle va m'en parler, enfin.

« La police… Je crois qu'ils ont entendu des choses. Ils m'ont demandé quelle était la nature de notre relation. C'est l'expression qu'ils ont utilisée.

— Oh.

— Je leur ai répété qu'on était amis. Ils cherchent sans doute juste à comprendre son état d'esprit.

— Oh.

— Ils m'ont posé un tas de nouvelles questions sur le dernier contact que j'ai eu avec lui. Je pense que la police et la Garde nationale veulent comprendre comment il a pu en arriver là. »

Ces paroles ne semblent pas lui appartenir. Elles sont trop formelles, elle les malaxe dans sa bouche comme si elles ne lui convenaient pas.

« Je suis sûre que tout va bien, Addy, dit-elle en serrant plus fort le volant. Mais je me suis dit que je devais te le dire.

— Je suis contente que vous me l'ayez dit », réponds-je. Mais elle ne m'a rien dit. « C'est tout ? »

Peut-être a-t-elle perçu ma déception, car elle me tapote l'épaule.

« Addy, rien ne peut nous arriver si on tient bon. »

Sa main reste posée sur mon épaule, je ne me souviens pas qu'elle m'ait jamais touchée de cette façon.

« Sois forte. Reste concentrée. Après tout, il n'y a que toi et moi qui savons tout.

— Exact. »

J'ai envie de ressentir la chaleur étourdissante des choses partagées avec elle, mais elle ne partage pas, pas véritablement, et la seule chose que je ressens, c'est Beth, telle qu'elle apparaît maintenant, tapie, aux aguets.

« Alors, c'est bon ? » demande-t-elle.

Une partie de moi a envie de tout lui dire, toutes les manières dont elle doit surveiller Beth, couteaux sortis. Mais elle me raconte uniquement ce qu'elle veut. Alors je n'en dis pas plus.

« J'ai choisi Beth », ajoute-t-elle en lisant dans mes pensées, comme elle sait le faire. Comme elles le font toutes les deux. « Elle sera Top Girl. C'est elle qui sera la voltigeuse pour la finale. »

Coach, ai-je envie de lui demander, qu'est-ce qui vous fait croire que vous pouvez vous arrêter là ? Vous êtes obligée de tout lui donner, jusqu'à ce qu'on devine ce qu'elle veut. Et elle aussi.

« Pour commencer, je l'ai nommée capitaine. Maintenant, Top Girl », dit-elle, les yeux posés sur moi, pour me sonder.

J'entends Beth dire : *Elle ne m'a pas nommée Top Girl. C'est moi qui me suis faite Top Girl. Toute seule.*

La Coach referme ses doigts autour du levier de vitesse.

« Je ne sais pas quoi faire d'autre, avoue-t-elle avec une légère expression d'hébétude. Bon sang, ce n'est qu'une gamine de dix-sept ans. Pourquoi est-ce que je devrais… »

Un silence.

« Elle finira par se lasser, ajoute-t-elle, comme si elle essayait de se convaincre elle-même. Elles se lassent toujours. »

Chez moi, cette nuit-là, je passe une heure à lire les infos, le front quasiment collé à l'écran de mon ordinateur portable.

Toujours pas de réponses : l'enquête se poursuit pour déterminer la cause de la mort du soldat de la Garde nationale.

Qu'est-ce que ça impliquerait si c'était un meurtre ? Quel rapport avec la Coach, avec moi ?

La Coach, la Coach, mon propre sergent, qui m'a entraînée dans le brouillard de la guerre...

Je voulais faire partie de votre monde, mais j'ignorais que c'était ça, votre monde.

Cette nuit-là, je rêve de ce jour avec Beth, j'étais ivre pour la première fois, et nous escaladions Black Ash Ridge. Elle n'arrêtait pas de répéter : *Tu es sûre que tu es prête, Addy ? Vraiment ?* Je promettais que oui. Nous avions l'esprit confus à cause de l'alcool, nos corps étaient en extase. Elle dit : *Mais tu n'as pas peur, hein, Addy ? Montre-moi ton cœur de lion.*

Plus tard, je me souviens d'être tombée à la renverse, de grands X à la place des yeux, à moitié délirante, et Beth qui rampe vers moi, torse nu, avec son soutien-gorge d'un rouge flamboyant. Elle dit qu'elle m'empêchera de rouler vers ma mort. Elle promet de me sauver, de nous sauver.

Ne regarde pas en bas, Addy, ne regarde jamais en bas.

... et sa voix, comme si elle provenait d'un gouffre profond en moi, vibrait dans ma poitrine, ma gorge, ma tête, mon cœur.

Quand tu contemples les abîmes, Addy, dit-elle, ses yeux brillant au-dessus de moi telles deux étoiles éclatantes, en riant et même en pleurant, *les abîmes te contemplent.*

24.

« Devine ce que je suis en train de faire ? » me demande Beth en m'appelant à l'aube, pendant que je suis devant ma glace. J'étale du rose sur mes joues, mes paupières, j'en barbouille mes lèvres tremblantes.

Je ne réponds pas. Je n'aime pas le son de sa voix. Genre le chat et le canari.

« Je lis le journal. J'ai cru que la vieille allait s'évanouir. Elle m'a dit : "Sais-tu seulement ce que c'est, ma chérie ?" Oh, quel esprit dès le matin chez les Cassidy.

— Hmm.

— "D'après une source au sein de la Garde nationale, le suicide du sergent serait de plus en plus sujet à caution, lit-elle. L'examen des mains de la victime a révélé la présence d'une très faible quantité de poudre." »

Je ne dis rien.

« Oh, et il se trouve que tu avais raison, dit-elle en s'interrompant comme pour manger quelque chose, et j'ai soudain l'image d'un morceau de viande rouge déchiquetée entre ses dents. C'était bien une balle dans la bouche et pas dans la tempe. Tu disais que tu étais troublée, mais en fait, pas du tout, Addy. »

Les néons agonisant au-dessus de moi bourdonnent implacablement.

Je suis dans les toilettes des filles du rez-de-chaussée, dans la deuxième cabine, et je viens de vomir, ma joue droite est appuyée contre la porcelaine. J'avais oublié à quoi pouvait ressembler ce genre de vomissements, ceux où vous ne vous enfoncez pas les doigts dans la gorge, comme Emily, en suppliant d'être libérée des redoutables gerbes de cupcakes ou de la vase acide d'un excès de Stolichnaya Citronas. Non, c'est vomir comme quand on descend du manège à sept ans, quand on découvre un rat mort sous la véranda, quand on découvre qu'une personne que l'on aimait ne vous a jamais aimée.

Je suis assise sur le sol des toilettes, le journal humide toujours plié dans ma main, avec ces phrases barbouillées :

« ... Alors que la police refuse de commenter les rapports faisant état d'indices contradictoires sur la scène de crime, une source proche de l'enquête a mis en cause la position de l'arme près du corps. Généralement, à cause du recul, une arme à feu atterrit derrière le corps, a souligné cette source, et non pas à côté de la tête, là où on l'a trouvée. »

Je sens mon estomac se soulever de nouveau.

Soudain, Beth est là, debout au-dessus de moi, elle me tend un long ruban de papier-toilette qui ondule, encore attaché au rouleau.

Tout d'abord, je crois être victime d'une hallucination.

« Toute ta vie tu attends qu'il se passe quelque chose, dit-elle, avec un air vertueux, semblable à une princesse, sous les néons givrés. Et soudain, toutes les terreurs de la terre surgissent en même temps. C'est ça que tu ressens, Addy ? »

Elle fait tourner le ruban de papier-toilette autour de moi, se penche et en introduit une extrémité dans ma bouche humide de vomi.

« Je suis malade, voilà tout. C'est rien. »

Elle sourit en tapotant le journal dans mes mains noircies.

« J'attends qu'ils parlent du bracelet Hamsa, dit-elle. Qu'ils publient une photo pour voir si quelqu'un le reconnaît.

— Ils n'en parlent pas parce que c'est pas important. Ils savent que n'importe qui a pu le laisser là.

— Oui, possible. Sauf que non.

— Comment tu le sais ? je demande, assaillie par une nouvelle salve d'effroi.

— À cause de l'endroit où ils l'ont trouvé. Mais peut-être que notre cheftaine intrépide ne te l'a pas dit ?

— Où... ils l'ont trouvé ? » J'essaie de repousser les gémissements de ma voix.

« Sous le corps du sergent. C'est le première classe qui me l'a dit. Ça me laisse perplexe. »

Son sourire est léger et si perçant en même temps. J'ai l'impression que je vais devenir aveugle.

Et cette image dans ma tête : le tapis grumeleux, le corps inerte de Will, sa tête noire comme la coquille brillante d'une moule.

Sous son corps.

« Peu importe, dis-je en secouant vigoureusement la tête et en parlant de plus en plus vite. Peut-être qu'il traînait par terre avant.

— Hanlon, dit Beth en se penchant, dans une bouffée de noix de coco et de vanille sucrée, son parfum le plus fillette, qu'elle porte uniquement les jours de graves ennuis et de grand désordre. Tu devrais faire attention. Après tout, même si tu le lui as offert, c'est *ton* bracelet.

— Tout le monde sait que je le lui ai offert. »

C'est la vérité, mais je m'aperçois que j'ai fait un nouveau cadeau à Beth. Je lui ai montré une fêlure dans mon armure.

J'ai honte de moi.

Elle me tend la main, en m'écrasant d'un sourire, mais je ne la prends pas.

« Je sais ce qu'elle représente pour toi, Addy, dit-elle en laissant retomber sa main. Mais ça dépasse ton béguin de pucelle. Tu ferais bien de surveiller tes arrières. »

Ma tête se redresse d'un mouvement brusque et se cogne contre le mur carrelé.

« C'est énorme, ajoute-t-elle. Ne te dégonfle pas. Ressaisis-toi. »

Elle commence à me parler d'une émission qu'elle a vue sur truTV, l'histoire d'un homme dont la femme s'était apparemment suicidée. En fait, il l'avait assassinée.

« Tu sais comment ils ont compris ? À cause de ses dents. Elles étaient toutes pétées, comme si on avait introduit l'arme de force dans sa bouche. »

La lame plantée en moi est aiguisée et exigeante.

« Quel rapport ? je demande dans un souffle.

— Le première classe et son capitaine ont identifié le corps. Ils disent que le sergent avait les dents du haut brisées. Des couronnes, d'ailleurs, si tu veux savoir. »

Je ne dis rien. Je revois Will nous faisant des confidences à Lanvers Peak, nous montrant son sourire factice, comme s'il ôtait un beau masque pour en dévoiler un plus beau en-dessous.

« Alors, quelqu'un a fourré un flingue dans la bouche de Will, dit-elle en tapotant ses propres dents, et je les entends claquer. Contre ses défenses en ivoire et… Bang ! »

Je glisse le long du mur, je suis trop lasse pour elle.

« Non, ce c'est pas ça, Beth. Il l'a fourré lui-même dans sa bouche.

— Comment tu le sais ? demande-t-elle en riant, avec une sorte de frivolité rare et déconcertante chez elle. Tu y étais ? »

En cours, dans les couloirs, j'essaie d'échapper au harcèlement sournois de Beth, avec sa façon de m'y entraîner avec elle, de traverser mon corps, comme une fièvre.

Que sait-elle ? Ce sont des suppositions, voilà tout. Des souhaits.

Mais le bracelet, le bracelet. *Sous* son corps.

Il existe des millions d'explications, me dis-je. Et la Coach me le dira, je le sais.

Ce n'est plus comme avant, quand le grondement de la voix de Beth dans ma tête pouvait étouffer tout le reste.

Autrefois, c'était le cas, et je faisais ce qu'elle me demandait. Même l'été dernier, au camp d'entraînement, quand elle m'avait parlé de Casey Jaye, en affirmant qu'elle racontait des mensonges sur moi dans mon dos. J'avais fini par la croire. J'avais capitulé.

Mais pas cette fois. J'ai vu des choses qu'elle n'a pas vues. Lanvers Peak, nous trois là-haut, la Coach, Will et moi. Elle et lui blottis autour de moi, sachant que je prendrais soin d'eux. L'odeur des feuilles qui brûlent, la façon dont nous l'avions partagée, le sentiment d'un monde de beauté et d'émerveillement aujourd'hui disparu.

Nous trois, ce que nous partagions. C'était une chose fugace, mais elle possède un pouvoir rayonnant. C'est une chose qui n'appartient qu'à moi, et je ne la laisserai pas me l'enlever.

Le grondement de la voix de Beth ne suffit pas à me convaincre d'y renoncer.

Car jamais la Coach n'accepterait qu'il m'arrive quelque chose.

Vous pouvez tomber de quatre mètres de haut, nous a-t-elle dit, *et atterrir saine et sauve sur un plancher à ressorts.*

Mais plus tard ce jour-là, en cours d'anglais, le texto de Beth surgit dans mon portable. Un lien avec un deuxième article : « Recherche de la vérité aux Tours. »

Ça ne va plus s'arrêter.

La police interroge tous les habitants de l'immeuble.

Les techniciens du laboratoire examinent tout ce qui a été découvert dans l'appartement, ils ont prélevé des échantillons de tapis.

Mes tongs ont-elles laissé des empreintes ?

Mais je me souviens que la Coach, avec ce qui m'apparaît maintenant comme une stupéfiante présence d'esprit, m'avait obligée à ôter mes chaussures. Une renversante présence d'esprit, vraiment.

Puis l'article ajoute, en passant, à la fin :

« Les inspecteurs vont visionner les images de la caméra de surveillance placée dans le hall. »

La caméra de surveillance placée dans le hall.

La Coach et moi repartant sur la pointe des pieds, elle tenant ses tennis à la main, à deux heures trente du matin.

Je sens un rideau tomber sur moi.

Second texto de Beth, juste trois mots cette fois :

La vérité éclatera.

Dans le bureau de la Coach, les stores sont fermés.

Elle est assise derrière son bureau, mon téléphone est posé sur le sous-main devant elle.

Je n'ai jamais pleuré dans le bureau de la Coach et je n'ai pas l'intention de commencer maintenant.

« C'est Beth qui t'a envoyé cet article ?

— Oui, oui, dis-je en pointant le doigt sur l'écran du portable. Une caméra de surveillance, Coach.

— Et alors ? S'ils m'avaient vue sur ces images, tu ne crois pas qu'ils l'auraient dit ? »

Et moi ? ai-je envie de demander. Mais je ne le fais pas.

J'essaie de nouveau :

« Ils pensent qu'il s'agit d'un meurtre.

— Ce n'est pas un meurtre, répond-elle avec fermeté en repoussant mon portable d'une chiquenaude, comme on chasse une mouche. Il ne faut pas que tu te laisses effrayer, Addy. Les soldats de la Garde nationale se protègent. Ils craignent une mauvaise publicité. »

Je ne dis rien.

« Addy. Regarde-moi. »

Je la regarde.

« Tu ne crois pas que, plus que tout, j'aimerais croire que Will n'a pas fait ça ? À lui et à moi ? »

Je hoche la tête.

Quelque chose en elle s'ouvre en grinçant, un endroit où elle ne veut pas aller.

« On l'a vu, Addy, dit-elle en portant ses doigts à sa bouche, le visage blanc comme un linge. On a vu ce qu'il a fait. »

J'ai envie de m'agripper à sa main et de dire des choses douces.

« Addy, reprend-elle d'un ton fiévreux en serrant le poing. Il faut que tu comprennes. Les gens essaieront toujours de t'effrayer pour te forcer à faire des choses. Ou te dissuader de les faire. Ils t'effraieront pour que tu renonces à des choses que tu ne peux pas t'empêcher de désirer. Tu ne dois pas avoir peur. »

« Plus que trois jours ! s'écrie Mindy. Il paraît qu'il y a *toujours* des recruteurs assis en haut des gradins à gauche. Il faut travailler dans ce coin-là. »

Ma poitrine se soulève. Notre petit univers bizarre où une parole de Mindy Coughlin, son visage rouge et bestial, peut m'inciter soudain, à m'intéresser de nouveau au Grand Match. Notre tentative de qualification.

Mais la Coach est introuvable.

« Pourquoi elle n'arrête pas de disparaître ? » demande Tacy, la bouche étouffée par des bandages. Elle se tient à côté de Cori, qui remue d'un air inquiet. Son poignet gauche solidement bandé depuis que le pied tremblant de Tacy s'est appuyé dessus.

Et Emily, Emily la Boiteuse, toujours avec son attelle, presque oubliée.

Cette collection de blessures ; je me demande comment je suis encore debout.

Nous les *happy few*, nous la bande de poufiasses, disait Beth. Ne l'oubliez pas.

Beth choisit justement ce moment-là pour passer devant nous sans se presser, en remuant des hanches dans le style *gangsta*.

« Allez, on commence, les filles, dit-elle. Les Celts n'attendent pas une bande de trouillardes pathétiques. »

Je me dis : C'est bon pour elle, ça. *Oui, oui, Beth. Prends et laisse-toi nourrir. Nourris-toi de ça pendant un moment, s'il te plaît.*

« Pour gagner, il faut attirer l'attention ! » s'écrie-t-elle.

Sa voix monte dans les aigus et vibre dans nos oreilles.

« Agitez la tête », dit-elle, et nous le faisons.

« Faites claquer vos mains », dit-elle, et nous le faisons.

« Montrez sur vos visages que vous êtes branchées sur le plaisir », dit-elle, et nous rayonnons, extatiques.

« Donnez-leur votre plus beau sourire de suceuse, dit-elle, et si elle avait un fouet, elle le ferait claquer sur nos cuisses. Soyez excitantes. »

Nous nous donnons à fond pour elle. Il nous reste trois jours avant la finale, et nous travaillerons dur pour Beth, car nous voulons montrer que nous sommes sexy, notre effronterie d'enfer, devant les hordes de Celts méprisants lundi soir.

Mais surtout, nous travaillons dur, car cela provoque un vacarme, un vacarme féroce et strident qui parvient presque à couvrir le bruit du courant et du chaos qui approche. Le sentiment que tout est en train de changer, d'une manière que nous ne pouvons pas prévoir, sans que l'on puisse y faire quoi que ce soit.

Mais peut-être que ce n'est pas du tout ça. Peut-être que nous essayons toutes de couvrir le calme terrifiant, l'impression qu'il n'y a rien à entendre, hormis nos faibles échos. Le sentiment que la Coach échappe à nos mains serrées, que peut-être elle est déjà partie. Qu'il n'y a plus de centre, qu'il n'y en a jamais eu peut-être.

Nous n'avons que Beth. Mais ce n'est pas rien, son tonnerre remplit entièrement le silence.

Dans les vestiaires, le vacarme se dissout, les filles se dispersent, puis s'en vont. Je me retrouve seule, ou presque.

En l'absence de la Coach, tout le monde laisse du bazar. C'était comme ça avant, avec Beth. Des serpentins éparpillés, des cannettes vides de boissons énergisantes sans sucre qui roulent sur le sol, des emballages de tampons et des baies de goji écrasées. Et même un string arachnéen.

Des pinces à cheveux craquent sous mes pieds tandis que j'inspecte ce chantier.

J'ai encore le cœur qui palpite après l'entraînement, je me dis que Beth y est allée fort aujourd'hui, je ne l'ai pas vue comme ça depuis la deuxième année, quand la passion battait encore si fort en elle. Quand elle n'était pas distraite par des griefs mesquins et les propres malheurs de sa vie, par son ennui lancinant.

Peut-être qu'elle n'a jamais été aussi bonne, aussi impliquée.

Voilà ce que la Coach a fait pour elle, me dis-je. Elle nous aide toutes.

Je la vois ensuite, plantée sur le seuil du bureau de la Coach, ouvert. L'ombre qu'elle projette paraît si longue que son mètre cinquante-deux avale l'entrée. Beth.

« Cap'taine, dis-je pour l'aider à assouvir sa soif, tu nous as tuées aujourd'hui. »

Elle me tourne le dos, je ne vois pas son visage.

Je m'approche.

J'espère, je prie pour voir de l'allégresse.

Après tout, n'est-elle pas la Coach en ce moment du moins pour un temps ?

« Beth. Le retour du roi. »

Le coucher de soleil submerge tout, son corps tout entier luit d'un éclat mordoré. Je m'arrête à quelques pas de son dos ambré.

« Beth, tu as assuré. »

Enfin, sa tête se tourne à moitié, lentement. Un soupçon de profil, assombri par son frémissement de cheveux noirs.

C'est alors que je découvre que rien n'a été gagné, rien n'a été sauvé. Elle pensait que ce serait la fin, et ça ne l'était pas.

« Le soleil est couché et la lune est belle, dit-elle d'une voix éteinte. C'est l'heure de rôder. »

Et je dis oui. Évidemment.

25.

Affalées sur le capot de ma voiture, nous sommes presque au sommet de la face sud de la crête, à l'endroit où une chute sur un millier de kilomètres, ou plus, vers les profondeurs de la terre.

Nous avons bu du vin épais comme du sirop contre la toux, qui colle à la langue. Beth appelle ça du vin de clochard, et en effet, nous avons l'impression d'être deux clochardes maintenant. Des vagabondes. Des *midnight ramblers*.

J'oublie tout et je pense que, cachée là-haut, derrière le granit scintillant d'un millier de gorges et de protubérances, je suis à l'abri de tous les dangers.

Mais il y a Beth à côté de moi, qui respire fort et s'exprime sous forme de phrases hachées qui semblent s'étirer autour de ma tête et dans le ciel au-dessus de nous.

À un moment, je cesse de l'écouter pour me concentrer sur la beauté de mes mains blanches, je les plie et les incline devant moi, sur le fond du ciel noir.

« Tu entends ce que je te dis, Addy ? demande-t-elle.

— Tu parlais des forces obscures, dis-je, au hasard, car c'est généralement son sujet préféré.

— Tu sais qui je crois avoir vu hier, passer devant St Reggie au volant de sa Kia de pute ?

— Qui ça ?

— Casey Jaye. Ta copine avec qui tu as passé tout l'été dernier dans ton lit superposé, à glousser, avec vos soutifs de sport assortis, et ce nœud d'amoureux qu'elle t'a donné.

— C'était rien du tout, dis-je en me sentant rougir de manière inexplicable. Ça ne voulait rien dire du tout.

— Elle ouvrait ses cuisses pour te montrer ses quadriceps bien durs. J'ai bien vu son manège. Mais j'ai craché le morceau trop vite, tu n'étais pas prête à me croire. Tu ne voulais pas. »

Elle ne laissera jamais tomber. Elle n'oubliera jamais.

Elle se redresse brutalement, et je manque de glisser de la voiture, mes mains agrippent son blouson.

« Regarde là-bas », dit-elle en pointant le doigt dans la direction où se trouverait Sutton Grove s'il n'y avait pas que la nuit.

Je scrute l'obscurité, mais je ne vois rien, uniquement le scintillement d'une ville quelque part, pas totalement endormie, mais presque.

Enveloppée d'une brume de vin épais, je crois que j'espère, dans ma colossale naïveté, que Beth décidera qu'elle a gagné, elle est capitaine, la Coach n'est quasiment plus une coach ces temps-ci, elle cède de plus en plus de pouvoir, alors je me dis qu'elle va laisser tomber... Elle va laisser tomber et la Coach sera libre.

Tout est fini, ou presque.

La police comprendra ce qui s'est passé et tout sera terminé.

Beth en aura fini.

Ou presque.

Je suis ivre.

« Avec ses plaisanteries pour initiés, ses orgies de yoga et ses réunions de scouts dans son jardin, dit-elle. Vous toutes enroulées à ses pieds. Cléopâtre en sweat à capuche, ça ne m'a jamais fait rêver.

— C'est vrai, pas une seule fois, dis-je en essayant de chasser cette impression de menace qui transperce la brume.

— Mais quand je regarde là-bas, ajoute-t-elle en balayant d'un geste l'horizon sans lumière, je ne pense qu'à une chose : *elle va s'en tirer comme si de rien n'était.* Elle peut tout se permettre.

— Beth... »

Je contemple l'obscurité veloutée au-dessous. Cette étendue de néant qui semble palpiter soudain, nerveuse et vivante.

Qu'est-ce qui se trouve tout en bas ?

Dans cet état, le désespoir fougueux de la vie de Will, avec sa fin meurtrie, m'apparaît différemment.

J'ai envie de joues brillantes, d'éclats de rire et de bons moments, des choses que je n'ai jamais réclamées. Sauf que si.

« Addy, dit Beth en agitant les pieds en l'air. Je sens cette fièvre dans mon sang. Je suis prête à chercher les ennuis. Toi aussi ? »

Non. Oh, non. Mais qui laisserait Beth seule quand elle est ainsi ?

« Allons regarder le diable droit dans les yeux, ma chérie », dit-elle en renversant la bouteille de vin au-dessus de ma bouche ouverte, et je bois, je bois, je bois.

Beth a pris le volant, nous faisons des boucles incessantes, des huit, et les lampadaires tressautent devant mes yeux.

Puis nous remontons, et, durant une pause entre deux chansons, j'entends un grondement dans mes oreilles. Face au pare-brise, je vois que l'autoroute assourdissante est de nouveau au-dessous de nous.

Nous l'avons presque atteinte quand je comprends où elle me conduit.

« Je ne veux pas aller là-bas », dis-je dans un murmure.

Elle arrête la voiture devant la pancarte lumineuse. Les Tours.

Nous restons assises, la lumière verdit nos visages.

« Ce n'est pas un endroit où j'ai envie d'être, dis-je en élevant la voix.

— Tu sens l'énergie ? demande-t-elle en étalant son gloss avec son doigt, comme si nous nous préparions pour un rencard. C'est un pouvoir de séduction obscur.

— De quoi tu parles ?

— De notre grande cheftaine, le loup-garou. La lionne. Je le sens, dit-elle avec un sourire inquiétant. Comme elle cette nuit-là. »

Je ne dis rien.

« La nuit où elle a abattu son amant », ajoute Beth en mimant de petits pistolets avec ses doigts.

Bang-bang, murmure-t-elle dans mon oreille. *Bang-bang !*

Voilà, elle l'a dit.

« Tu débloques complètement, dis-je, et les mots pèsent des tonnes dans ma bouche. Tu as perdu la boule.

— *Hé, Coach*, chantonne-t-elle, et son sourire s'élargit de plus en plus, *où vous allez comme ça avec ce flingue à la main ?*

— Ferme-la. »

Ma main jaillit pour la pousser et je laisse échapper un curieux petit rire.

Mais je me mets à la pousser plus violemment et je ne ris plus. Beth me saisit les poignets et les immobilise. *À quel moment a-t-elle dessoûlé ?*

« Il s'est suicidé, dis-je, si fort que c'est douloureux à entendre. Elle n'a rien fait. Jamais elle ne ferait une chose pareille. »

Mes mains dans les siennes, elle se penche vers moi, très près, son haleine chargée de vin sur mon visage, mes poignets emprisonnés, si solidement que je sens une larme brûlante dans le coin de mon œil.

« Jamais elle ne ferait une chose pareille, répète-t-elle.

— Elle l'aimait. »

Mes paroles semblent insignifiantes et ridicules.

« Oui, c'est ça, dit Beth en pressant mes mains contre sa cage thoracique, comme si elle étreignait un garçon sur la banquette arrière. Parce que personne n'a jamais tué quelqu'un qu'il aimait ?

— Tu es ivre, tu es ivre et ignoble. » J'essaie de libérer mes mains et nous nous balançons, nos visages sont tout proches. « Tu es une ignoble salope, la pire que je connaisse. »

Elle lâche enfin mes mains, renverse la tête et m'observe.

Soudain, l'alcool monte en moi, mes mains sont paralysées, il faut que je descende de voiture.

Les pieds sur l'asphalte lisse, fraîchement coulé, du parking, j'inspire à fond.

Mais c'était ce qu'elle voulait, car elle descend aussi.

Je la regarde, son visage n'est pas éclairé par le clair de lune, mais la lueur bleutée, blafarde, de la rangée de lumières du parking.

« Allons-nous-en, dis-je. Je n'ai pas besoin de…

— Tu sens quelque chose ? Une odeur de fleurs ou un truc comme ça ? Le chèvrefeuille.

— Je ne sens rien. »

Je sens toutes sortes de choses, surtout le chlore. L'eau de Javel. Le sang.

« Tu savais que le gouvernement étudie la possibilité que les gens dégagent des odeurs quand ils mentent ? demande Beth, et je dois être en train de rêver. Chaque odeur est très personnelle. Comme une empreinte digitale. »

J'ai pénétré dans un des cauchemars de Beth en rêvant, celui où nous sommes face à un gouffre, semblable à une gorge ouverte.

« Je me demande si la tienne, c'est le chèvrefeuille, dit-elle.

— Je ne mens pas.

— Une odeur de chèvrefeuille si sucrée que j'ai son goût dans la bouche. Tu es à croquer, Addy-Lubie, dit-elle, et je sens toute sa monstruosité.

— Il s'est suicidé, dis-je d'une voix presque inaudible. C'est la vérité, si tu veux savoir.

— Tu mens, tu mens sans cesse, et moi, je n'arrête pas de tout avaler, dit-elle en faisant claquer sa langue. Mais plus maintenant.

— Il l'a fait. Il s'est tiré une balle dans la bouche sur son tapis. » Ce n'est plus ma voix, ce ne sont plus mes paroles, mais elles viennent à toute allure, pleines d'assurance. « C'est la vérité. »

Beth m'observe, mais je ne peux plus m'arrêter.

« Il s'est suicidé », dis-je. J'aimerais m'arrêter, mais je ne peux pas tant que je ne l'ai pas convaincue. « Il est tombé sur le tapis, sa tête était toute noire. Et il est mort là. »

Dans la lumière des projecteurs, son visage ressemble à du marbre, elle ne dit rien.

Et moi, je continue.

« Tu ne sais pas. » Le vent balance mes cheveux dans mon visage, ma bouche. « Parce que tu n'as pas vu. *Mais moi, je sais.*

— Comment tu sais ? rétorque-t-elle, et elle répète la question qu'elle m'a posée dans les toilettes. Tu y étais ?

— *Évidemment que j'y étais*, dis-je, presque dans un hurlement, à bout de souffle.

— Évidemment que tu y étais, dit-elle en enfouissant ses doigts dans mes cheveux flottant au vent.

— C'est comme ça que je le sais, dis-je en renforçant ma voix. C'est comme ça que j'en sais plus que toi. J'ai vu son corps. Je l'ai vu allongé sur le sol. »

Elle reste muette pendant un moment.

« Tu l'as vu se suicider ?

— Non, après.

— Ah. Donc, tu l'as vu quand il était déjà mort. Après que la Coach l'avait abattu.

— Non ! On l'a découvert ensemble. On est entrées dans l'appartement et il était là. »

Nouveau silence.

« Je vois, dit-elle avec un regard épouvantablement lubrique. Qu'est-ce qui se passait exactement pour que la Coach t'emmène au domicile du sergent à n'importe quelle heure de la nuit ? Tu étais un trophée vierge...

— Non. » Je me retiens pour ne pas crier, j'ai la nausée. « Elle l'a trouvé et elle m'a appelée. Je l'ai rejointe. »

Elle esquisse un sourire.

« Hmm », fait-elle.

Mon estomac se soulève. Appuyée contre la portière ouverte de la voiture, j'inspire.

« Attends, dis-je en reculant pour me laisser tomber sur le siège avant. Tu nous as vues ce soir-là. Tu m'as vue rentrer chez moi ensuite.

— Je n'avais pas besoin de te voir, dit-elle en chatouillant mes chevilles avec ses orteils, mais ce n'est pas vraiment une réponse. Je connais toutes tes habitudes, Addy.

— Tu connais tout.

— Je te connais. Mieux que tu ne pourras jamais te connaître. Tu n'as jamais été capable de regarder en face tout ce qui te concerne. Pour ça, tu comptes sur moi. »

Je presse mon visage contre l'appuie-tête.

« Et ce que tu viens de me dire, reprend-elle, je suis contente que tu aies enfin craché le morceau, mais ça ne change rien. »

Je tourne lentement la tête vers elle, ma bouche s'entrouvre…

« Hein ?

— Tout ce que ça prouve, Addy, c'est que tu m'as menti. Mais je le savais déjà. »

Plus tard, dans mon lit, tandis que l'alcool s'échappe de moi, je ne peux empêcher ma tête de fonctionner.

Ivre et faible, je lui ai tout donné.

Je me sens manipulée, trompée.

Car je l'ai été.

Tu me crois maintenant ? avais-je demandé en gémissant comme une gamine, durant tout le trajet du retour.

Tu ne comprends donc pas ? avait-elle dit en secouant la tête. *Il en avait fini avec elle. Et maintenant, elle en a fini avec lui. Mais elle t'a fait sombrer avec elle. Bientôt, elle en aura fini avec toi aussi.*

Elle a fait de toi sa complice.

Elle a fait de toi sa chienne… Mais là encore, est-ce que tu ne l'étais pas déjà ?

Je crois que je n'arriverai jamais à m'endormir, mais finalement, si.

26.

Je me réveille en sursaut, et une image jaillit.

Lundi soir dernier, la Coach qui m'ouvre la porte de l'appartement de Will. L'affolement dans ses yeux, comme si elle avait oublié qu'elle m'avait appelée. L'humidité scintillante qui s'accroche à ses cheveux épais.

Une image si nette qu'elle en est douloureuse. Mon cœur s'emballe dans ma poitrine, mon tee-shirt me colle à la peau, mon corps nauséeux s'embrase.

Saisissant la bouillotte près de mon lit, je comprends une chose subitement. Une chose que j'avais oubliée.

La rosée sur elle.

Légère. Comme quelqu'un qui a pris une douche une demi-heure plus tôt peut-être.

Et Will, allongé par terre, avec sa serviette.

Je ne parviens pas à faire le lien, mais ça me rappelle quelque chose.

Ça me rappelle un autre moment.

Ça me rappelle ceci :

Will me faisant signe à travers les portes du hall, les cheveux mouillés, luisants.

La Coach qui apparaît derrière lui et se dirige vers moi, les cheveux pendant en mèches mouillées qui assombrissent son tee-shirt.

La première fois où je suis allée aux Tours, la fois où je suis allée la chercher. Et je savais ce qu'ils avaient fait avant que j'arrive, car c'était marqué sur eux.

Ils étaient habillés, mais semblaient totalement nus, le plaisir qu'ils s'étaient donné marbrait leurs visages.

Ils sortaient de la douche, une douche commune, avais-je imaginé.

Je l'imagine maintenant.

Lundi soir, la Coach et Will, mouillés après la douche encore une fois, mais Will est mort.

Elle n'a pas découvert son corps, avait dit Beth. *Elle était là quand ça s'est passé. Elle était déjà là.*

Mon téléphone sonne, sonne, sonne. Je l'éteins et le fourre sous mon matelas.

Les pensées qui me viennent sont brutales et implacables.

Les jours qui ont précédé la mort de Will, le comportement de la Coach, ses absences aux entraînements, l'accident de voiture... Maintenant, je me demande si elle a menti sur tous ces sujets. Si elle avait senti que Will s'éloignait, alors elle l'avait appelé, elle l'avait supplié de venir, comme cette fois-là chez elle, quand elle avait finalement réussi à l'attirer. Quand elle m'avait fait attendre dans le jardin de derrière avec Caitlin.

Et cette nuit-là. Les cheveux légèrement humides. Les tennis lavées à l'eau de Javel. Qu'est-ce que ça signifiait, au juste ?

Et comment s'était-elle rendue chez Will ?

J'ai pris un taxi, avait-elle dit. *Je suis sortie de chez moi en douce. Matt dormait. Il avait pris deux cachets. Il fallait que je voie Will, Addy.* Cette voix étrangement robotique. *Alors j'ai appelé un taxi. Mais je ne pouvais pas appeler un taxi pour me ramener, hein ?*

Elle avait fait le mur à deux heures du matin et Matt French ne l'avait pas entendue ? Il était beaucoup plus logique de penser qu'elle était partie plus tôt, elle avait inventé une excuse pour Matt, ou bien elle était partie parce qu'il n'était pas encore rentré.

Se pouvait-il que Will en ait fini avec elle et qu'elle...

Soudain, je repense à la semaine dernière, à ce grognement endormi en pleine nuit, alors que j'étais couchée près de la Coach :

Comment as-tu pu me faire ça ? Comment ?

J'entends Beth dire : *Bang, bang.*

Il y a un Post-it à mon attention sur l'îlot de la cuisine.

« A. Debbie m'a dit qu'une personne de la police avait appelé pour te parler. Quelqu'un a encore volé la mascotte ? Bises, P. »

Oui, papa, pensé-je en m'accrochant au bord du comptoir. *C'est exactement ça.*

Je cours dans Royston Road quand la voiture s'arrête.

Je ne cours jamais. Beth dit que les coureurs sont des masturbateurs sans aucun sens créatif. Je ne savais pas ce que ça voulait dire, mais ça m'incitait à ne jamais courir.

Mais ce matin, avec le clonazépam de ma belle-mère qui me colle encore à la langue, courir me semble la meilleure chose à faire.

Comme à l'entraînement, comme pendant les matchs, je peux tout oublier, sauf les talents particuliers de mon corps de fille particulier, qui fait tout ce que je lui demande, qui est indemne et pur, doux comme de la lotion pour bébé, marqué uniquement par les bleus d'un sport de fille.

La sensation du béton qui irradie dans mes tibias est presque exquise, et quand vient la libération, c'est comme réussir une figure, mais en mieux, car je suis seule et personne ne peut me voir, mais je la fais, je la fais quand même, sans fanfaronner, sans attendre que quelqu'un me dise que je l'ai réussie, car je le sais. Je le sais.

Alors, je continue à courir. Jusqu'à ce que je ne sente plus rien.

Et personne ne peut plus m'atteindre maintenant. Mon portable est éteint, loin de moi, et nul ne sait même où je suis, si tant est que je sois quelque part.

À part les inspecteurs de police.

On se croirait à la télé. Ils s'arrêtent le long du trottoir et l'un d'eux se penche par la vitre baissée.

« Adelaide Hanlon ? »

Je m'arrête, mes mini-écouteurs glissent de mes oreilles.

« On peut te poser quelques questions ? »

L'homme me tend une bouteille d'eau. Ça me permet d'occuper mes mains, ma bouche.

Nous sommes assis dans un bureau, et, quand la femme voit mes jambes en sueur qui glissent légèrement sur la chaise, elle m'offre le fauteuil de bureau, apparemment elle se fiche que je transpire dessus.

« Si tu te sens plus à l'aise en présence de tes parents, dit l'homme, on peut les appeler.

— Non, dis-je. Ça va. »

Ils me regardent tous les deux et approuvent d'un hochement de tête, comme si j'avais pris une sage décision.

Après quoi ils échangent un regard rapide. L'homme s'en va, la femme reste.

Dans ma tête, je récite mes comptes de cheerleader. Un-deux, trois-quatre. Je continue jusqu'à ce que les battements de mon cœur ralentissent. Jusqu'à ce que je puisse vider mon visage et jouer l'adolescente qui s'ennuie.

« Nous voulons juste confirmer quelques détails à propos de lundi soir », dit-elle.

Elle a une queue-de-cheval très serrée qui me rappelle celle de la Coach et une fossette à un coin de la bouche. Elle ne sourit pas vraiment, mais elle parle doucement.

Bizarrement, je commence à me sentir à l'aise, comme si je discutais avec le directeur adjoint d'une chose que vous connaissiez, mais qui ne vous concernait pas. Si vous en dites le moins possible, ils ne peuvent rien vous faire.

Généralement, les questions débutent sur le ton de la conversation. Qu'est-ce que j'aime le plus à l'école ? Depuis quand suis-je cheerleader ? Certaines figures ne sont-elles pas dangereuses ?

Quand les questions changent, c'est un changement en douceur, dans sa bouche du moins.

« La Coach French et toi, vous vous fréquentiez en dehors du lycée ? »

Cette question me paraît étrange. Je crois avoir mal entendu.

« C'est ma coach.

— Et lundi soir dernier, tu l'as vue ? »

Je ne sais pas quoi répondre. J'ignore ce qu'elle leur a dit.

« Lundi dernier ? Je ne sais pas.

— Essaie de te souvenir, OK ? Es-tu allée chez elle lundi dernier ? »

La deuxième partie est un cadeau. *Chez elle.* Si ce n'est pas la Coach qui leur a dit ça, qui ça peut être ?

« Oui, je crois. Je l'aide parfois à s'occuper de sa petite fille.

— Comme une baby-sitter pendant qu'elle sort ?

— Non, non », dis-je, aussi calme que possible. D'ailleurs, comment ose-t-elle me traiter de baby-sitter ? « Je ne fais pas de baby-sitting.

— Alors tu donnes juste un coup de main ? »

Je l'observe, avec ses lèvres nues et ses sourcils mal épilés.

« Je suis souvent chez elle. Elle m'aide à faire des trucs. J'aime bien aller là-bas.

— Donc, lundi dernier, tu étais là-bas avec ta coach et son mari ? »

Et son mari. « Oui, dis-je, car c'est certainement la version de la Coach et dans notre intérêt il vaut mieux que nos versions concordent, non ? J'y étais.

— Et tu connaissais le sergent ?

— Je l'avais vu à l'école.

— Ta coach était amie avec lui ?

— Je ne sais pas. Elle ne m'a jamais rien dit.

— Tu ne les as jamais vus ensemble ?

— Non. »

J'ignore totalement ce que je viens de faire ou de défaire.

« Tu aimes aller chez ta coach. Tu aimes passer du temps là-bas. »

Elle m'observe attentivement, mais je suis obnubilée par le poil qui dépasse sur le côté de son sourcil droit trop fourni.

Comment a-t-elle pu passer à côté d'une chose pareille ? Ce détail, c'est comme repérer un mouvement relâché dans l'enchaînement d'une autre équipe.

Ça me rend plus forte.

Adjointe Hanlon, lieutenante froide et dure, mon vieux déguisement... J'avais oublié que c'était si agréable.

« C'est ce que j'ai dit, oui, madame. »

Je me renverse contre le dossier, étends mes jambes et ajuste ma queue-de-cheval.

« C'était un endroit agréable ? Ils semblaient bien s'entendre ?

— Oui.

— C'était un couple heureux ? »

Je la regarde en penchant la tête, tel un chien. Comme si je ne voyais pas ce qu'elle voulait dire. Qui pensait au bonheur des couples ?

« Oui, bien sûr, dis-je, et ma voix change de registre, c'est ainsi que je parle quand je dois m'adresser à des gens qui ne comprendront jamais rien, mais qui pensent me connaître, qui pensent tout savoir sur les filles comme moi.

On aime bien la Coach, dis-je. C'est une femme très gentille. »

Et j'ajoute : « Parfois, elle nous montre des mouvements de yoga, c'est super. Elle est géniale. Le Grand Match, c'est lundi, vous devriez venir. »

Je me penche vers elle, comme si je lui confiais un secret.

« Lundi, on va casser la baraque. Et l'année prochaine, on sera en régionales. »

« Il se peut qu'on ait d'autres questions, dit l'inspectrice en me raccompagnant.

— OK, dis-je. Cool. »

Un mot que je n'emploie jamais.

En passant devant tous ces policiers, tous ces inspecteurs, je relève mon maillot de quelques centimètres, comme si je le décollais de ma peau moite.

Je leur laisse voir mon ventre, dur et plat.

Je fais voir à tout le monde que je n'ai pas peur et que je ne suis pas qu'une cheerleader idiote, une fille de seize ans au corps léger qui n'a pas plus de jugeote qu'un bout de guimauve.

Je leur montre que je ne suis pas rien.

Et surtout pas ce que je suis.

27.

Chez moi, je sors mon téléphone de sous mon matelas.

J'ai sept messages vocaux de la Coach et seize textos. Autant de variations sur le même thème : *Appelle-moi avant toute chose*. *Appelle-moi IMMÉDIATEMENT.*

Mais avant cela, je décide de faire des étirements, comme nous l'a montré la Coach.

Posture du chat. Posture du chien. Le triangle.

Elle peut attendre.

Je fais couler l'eau de la douche et reste longtemps dessous.

Puis je me sèche les cheveux au séchoir, je lisse langoureusement chaque mèche, pendant que mon esprit serpente et divague.

Quelque part au fond de ma tête crépitent d'anciennes paroles de motivation des cheerleaders : *Le moment approche, sois à l'écoute de toi-même.*

Ça ressemble à une chose qu'aurait pu dire la vieille coach Templeton – Fish –, quelque chose qu'elle aurait trouvé sur Internet et imprimé, ou bien écrit avec des arabesques en bas de nos carnets de cheerleaders.

Comme si on pouvait s'écouter soi-même. Comme s'il y avait quelque chose à entendre. Une personne en vous qui a un tas de choses intelligentes à dire.

Mes doigts caressent l'écran de mon ordinateur ouvert, la page Facebook de l'équipe, toutes les photos de ces trois années de défis lancés à la mort et de rubans éclatants.

Cheerlébrités !!!

Il y en a une où l'on voit Beth et moi à l'arrière-plan, nos visages couverts d'une couche de paillettes, bouches ouvertes, langues tirées, nos doigts faisant les cornes.

Nous sommes terrifiantes.

La photo date de l'année dernière. Tout d'abord, je ne me reconnais pas. Avec tout ce maquillage, impossible de nous différencier. Pas uniquement Beth et moi, toutes.

Les fenêtres de la façade de la maison de la Coach portent encore les traces du gel de la nuit, les flocons de papier de Caitlin sont éparpillés. Une lampe est allumée à l'intérieur.

On dirait un cottage de conte de fées, comme sur une de ces peintures au centre commercial.

Caitlin se tient derrière la porte d'entrée, deux doigts enfoncés dans la bouche. Elle, habituellement si propre et soignée, a les cheveux pleins de nœuds, telle une poupée négligée. Des miettes de pain constellent ses joues.

Elle ne dit rien, mais elle ne dit jamais rien. Je me contorsionne pour la contourner, mes jambes frôlent les boules pelucheuses de son pull léger et froissé qui semble plus adapté au mois de juillet.

Elle aime être jolie, dit toujours la Coach, comme si c'était la seule chose qu'elle savait de sa fille.

« Je ne pensais pas qu'ils s'intéresseraient à toi si vite », dit la Coach. Elle est en train de nettoyer les vitres du bureau à l'aide d'un long manche, au bout duquel est fixée une raclette avec un ramasse-poussière au-dessous. « Je n'ai pas arrêté de t'appeler. J'étais sûre d'arriver à te joindre avant eux. »

Une pellicule de sueur luit sur son visage.

Je ne dis rien, car je veux voir cette transpiration, pour l'instant du moins. Elle m'a suffisamment fait transpirer.

« Ça m'a semblé plus simple de leur dire que tu étais ici ce soir-là, reprend-elle. Si tu étais chez moi, je ne pouvais pas être chez Will. »

Elle me regarde, sous son bras levé, ses muscles élégants tendus.

« Et tu ne pouvais pas y être toi non plus, ajoute-t-elle. Donc, on est couvertes toutes les deux.

— Et Matt ?

— Oh, il est revenu, dit-elle avec un geste en direction de l'extérieur. Il est dehors. »

Dans le coin le plus reculé du jardin, je l'aperçois assis sur le rebord en brique d'un bac à fleurs vide.

Je n'arrive pas à deviner ce qu'il fait, mais il est immobile.

Je ne l'ai jamais vu ainsi, ni même dehors d'ailleurs. Je me demande s'il se sent apaisé.

« Non, dis-je en retrouvant ma concentration. Je veux dire… Il a raconté à la police que vous dormiez ici, hein ? C'est ce qu'il croyait, en tout cas ? »

Pourquoi aviez-vous besoin de moi comme alibi, alors que vous l'aviez, lui ? ai-je envie de demander.

« C'est mieux, Addy. » Les mots sortent de sa bouche d'un pas léger. « Ils ne croient jamais les conjoints. Et il dormait, ce n'est pas une vraie preuve… »

Elle s'interrompt, les yeux fixés sur un point de la vitre. Une tache que je ne vois pas.

« Avant, j'utilisais du papier journal, dit-elle. Puis Matt m'a acheté ça. (Du bout des doigts, elle caresse le ramasse-poussière à l'extrémité du manche.) C'est de la laine d'agneau. »

J'attends de l'entendre dire qu'elle est désolée, *désolée de ne pas t'avoir prévenue, désolée de ne pas t'avoir préparée, désolée de ne pas t'avoir protégée de tout ça.* Mais elle n'a jamais été du genre à être désolée.

« Coach, vous n'avez pas envie de savoir ce que j'ai dit à la police ? »

Elle me regarde.

« Je sais ce que tu leur as dit.

— Comment vous le savez ? » Je m'agenouille sur le canapé, sur lequel elle est montée, pieds nus. « J'aurais pu vendre la mèche sans m'en rendre compte.

— Je le sais parce que tu es intelligente. Je le sais parce que j'ai confiance en toi, dit-elle en allongeant le manche télescopique de son balai. Sinon je ne t'aurais pas entraînée dans tout ça.

— Dans quoi ? » Ma voix racle ma gorge. « Dans quoi vous m'avez entraînée, Coach ? »

Elle ne me regarde pas. Elle regarde par la fenêtre.

« Dans mon pétrin, dit-elle d'une petite voix. Tu crois que je ne le sais pas ? »

Je suis la direction de ses yeux.

Au loin, dans le jardin, Matt French s'est retourné et il semble regarder vers nous. Vers moi.

Je ne distingue pas son visage, mais c'est comme si j'y parvenais.

« Coach, pourquoi vous aviez les cheveux mouillés ?

— Hein ? dit-elle en faisant glisser la raclette sur la vitre.

— Quand je suis arrivée à l'appartement de Will ce soir-là, dis-je, sans quitter des yeux Matt French dans le jardin, son dos voûté. Pourquoi vous aviez les cheveux mouillés ?

— Les cheveux mouillés ? Qu'est-ce que... Ils n'étaient pas mouillés.

— Si. Ils étaient humides. »

Elle repose son appareil.

« Oh, fait-elle en me regardant enfin. C'est toi, alors, qui n'as pas confiance en moi.

— Non, je...

— Est-ce que la police... est-ce qu'ils...

— Non. Je viens de m'en souvenir. J'avais oublié, puis ça m'est revenu. Je veux juste... Coach, il avait une serviette autour de la taille et vos cheveux... »

Il se passe quelque chose : cette expression vide, efficace, s'efface, laissant apparaître une chose brute, meurtrie. On dirait que j'ai commis un geste puissamment cruel.

« J'avais pris un bain avant d'aller là-bas, dit-elle. Comme toujours.

— Mais, Coach…

— Addy, dit-elle en me toisant, et son balai transperce le coussin du canapé comme un bâton ou une épée, il faut que tu arrêtes de parler avec Beth. »

Des picotements courent sous ma peau.

« Elle veut juste récupérer sa jolie poupée », dit-elle en levant de nouveau le balai pour presser la raclette contre le carreau, qui grince.

Je sens un frisson en moi et j'ai soudain l'image des doigts de Beth enserrant mon poignet.

Finalement, je le dis.

« Vous ne m'avez jamais parlé du bracelet.

— Le bracelet ? répond-elle en lâchant enfin son appareil pour descendre de son perchoir.

— Mon bracelet Hamsa.

— Ton quoi ?

— Pour protéger du mauvais œil. Le bracelet que je vous ai offert. »

Il y a un moment de silence. « Oh, oui. Eh bien ?

— Pourquoi vous ne m'avez pas dit que la police l'avait trouvé ? » J'attends quelques secondes avant d'ajouter : « Sous le corps de Will. »

Elle me dévisage.

« Addy, je ne sais pas de quoi tu parles.

— Vous voulez dire qu'ils ne vous ont pas posé la question ? Ils ont trouvé le bracelet sous le corps de Will. »

Sa voix bondit : « Ils te l'ont dit ?

— Non. C'est Beth. »

Je sens que mes pieds vont se dérober sous moi, alors que je suis assise.

Nous sommes devant la commode de la Coach, son coffret à bijoux en acajou est face à nous.

Elle place ses mains de chaque côté et soulève le couvercle dans un bruissement.

Nous regardons les bijoux soigneusement glissés dans les fentes en velours. Son bracelet tennis, quelques bracelets sport aux couleurs fluo, et un autre avec de fins maillons en argent.

« Il est forcément là, dit-elle, et ses doigts caressent le velours. Je ne l'ai pas porté depuis des semaines. »

Mais il n'y est pas.

Je regarde le coffret, puis la Coach, son visage qui semble à la fois crispé et relâché, des veines gigotent sur ses tempes, mais sa bouche est molle, blessée.

« Il est là, dit-elle en faisant tomber le coffret, et tout se répand sur le tapis, avec éclat.

— Il n'y est pas », dis-je.

Elle me regarde, tellement impuissante.

Pendant un long moment, peut-être, nous restons agenouillées sur le sol, nos doigts s'enfouissent dans les poils du tapis pour arracher les fins bracelets à ces boucles couleur caramel.

Ce magnifique tapis, si dense. Au moins cinq nœuds par pouce.

« Addy, tu as écouté Beth, maintenant tu dois m'écouter. S'ils avaient trouvé ce bracelet, un bracelet de fille comme ça, comme un des tiens, dit-elle en montrant mes bras chargés de fils tressés, de plastique fluo et de lacets de cuir, tu ne crois pas qu'ils t'auraient posé la question, à toi aussi ? »

Je ne peux rien répondre à ça. Je la regarde entrer dans la salle de bains et fermer la porte.

Aucune de nous deux ne veut admettre ouvertement jusqu'où peut aller la ruse de Beth, et aucune de nous deux ne veut se demander pourquoi je l'ai crue.

J'entends couler l'eau de la douche et comprends que je dois m'en aller.

Quand vous faites partie d'une pyramide, vous ne la voyez jamais.

Lorsque nous nous regardons ensuite, ça paraît toujours irréel. Des images tremblantes sur YouTube d'un essaim de bourdons qui s'assemblent dans des ruches en hauteur.

Vu du sol, c'est très différent. Là, vous devez river votre attention sur les corps dont vous vous occupez, ceux qui sont juste au-dessus de vous.

Vous devez vous focaliser uniquement sur votre équipière, celle dont vous êtes responsable, celle dont vous agrippez la jambe, la hanche, le bras. Celle qui compte sur vous.

Postée à gauche, concentrez-vous sur le flanc gauche. Ne regardez pas à droite.

Postée à droite, concentrez-vous sur le flanc droit. Ne regardez pas à gauche.

Les yeux fixés sur ceux de la voltigeuse, ses épaules, ses hanches, vous guettez le moindre signe de désalignement, de déséquilibre, de doute.

C'est comme ça que vous empêchez les chutes.

C'est comme ça que vous évitez que tout ne s'écroule.

Vous ne voyez jamais l'exécution de la figure.

Les yeux fixés sur votre équipière.

Vous n'avez toujours qu'une vision partielle, car c'est la seule façon de maintenir tout le monde en l'air.

En ressortant, j'aperçois Matt French qui continue à errer dans le jardin. Je suis frappée de constater que je l'ai rarement vu sans son ordinateur devant lui, ou avec son casque sur les oreilles. Il semble perdu.

Je m'arrête devant la fenêtre de la cuisine, en me demandant ce que lui a raconté la Coach. Ce qu'il croit.

Il tend la main vers une branche qui dépasse d'un grand buisson d'aubépine, celui sur lequel Caitlin se coupe sans cesse.

Il n'a pas l'air plus triste que d'habitude, c'est-à-dire plutôt triste.

Soudain, il lève la tête, et c'est comme s'il me voyait, mais je pense que je suis trop loin, trop petite derrière la fenêtre à carreaux.

« Tu as tout inventé », dis-je.

Je suis chez Beth, dans sa salle de bains. Elle a posé une jambe sur le siège des toilettes pour l'examiner avec soin.

« C'est l'Asiatique qui m'a épilée à la cire, elle a une approche très exhaustive de la chose », dit-elle en agitant un flacon couleur flamme de Notre désir, le parfum de sa mère. « Sauf que maintenant, je pue le biscuit. Avec un glaçage. Et des petits morceaux de sucre.

— Tu as tout inventé, je répète en faisant tomber sa jambe d'une grande tape. La police ne l'a jamais interrogée au sujet d'un bracelet. Tu as tout inventé.

— Les flics t'ont convoquée, hein ? dit-elle en se redressant, sans cesser d'agiter le flacon de parfum d'avant en arrière, comme un geste obscène de garçon. Moi aussi ils m'ont appelée. J'y vais aujourd'hui, après l'entraînement.

— Ils n'ont jamais trouvé aucun bracelet, hein ?

— Tu as intérêt à faire ce qu'il faut, petite. »

Elle lève de nouveau la jambe et l'asperge d'une brume d'orange amère et d'ylang-ylang.

Je n'aime pas ça. Elle ne peut pas me maltraiter comme si j'étais Tacy ou une fille de deuxième division.

« Qu'est-ce qui t'a poussée à lui poser la question, finalement ? »

Je repousse son pied encore une fois et m'assois sur le couvercle en fourrure des toilettes.

« Tu as tout inventé, dis-je. Si les inspecteurs avaient découvert un bracelet, ils m'en auraient parlé. »

Elle me toise. « Addy, je ne peux pas t'obliger à me croire. Quant à toi et la Coach... »

Elle pose sa main sur ma tête comme une bénédiction.

« Nous ne sommes jamais trompées, dit-elle d'une voix grave et vibrante. Nous nous trompons nous-mêmes. »

Nous sommes allongées sur la moquette bleu foncé de la chambre de Beth, comme nous l'avons fait cent fois, mille fois, épuisées par notre travail, par nos guerres, quelles qu'elles soient. À la dérive sur cet océan outremer immaculé, Beth m'exposait toutes ses machinations martiales, à moi son attachée, son émissaire. Sa porte-parole parfois. Tout ce qu'on me demandait.

D'une certaine façon, Beth ne se trompait jamais dans ses jugements.

Emily, mince comme une feuille de papier, nourrie de jus de citron, n'avait pas assez de force pour exécuter cette figure.

Tacy ne possédait pas le mental ni les jambes puissantes d'une vraie voltigeuse.

Avec Beth, si pleine de mensonges, vous devez passer outre le mensonge pour découvrir la vérité plus profonde qui le sous-tend. Car Beth ment presque tout le temps, pour n'importe quoi, mais le mensonge est sa façon de révéler autre chose, une chose enfouie ou ignorée.

Vous devez continuer à jouer, et peut-être que la vérité se dévoilera, peut-être que Beth se lassera et finira par abattre ses cartes. Ou peut-être que ça cessera de l'amuser et qu'elle vous jettera cette vérité au visage, pour vous faire pleurer.

Je ne t'ai jamais aimée, de toute façon.

Tu es tellement grosse que ça me déprime.

J'ai vu ton père au centre commercial en train d'acheter de la lingerie avec une inconnue.

Casey Jaye affirme que tu es incapable de réussir un renversement avant correct et elle a dit à RiRi qu'il y avait un truc bizarre en toi, mais elle n'a pas voulu dire quoi.

Et au fait, je faisais semblant de m'intéresser à toi.

« Ça ne doit pas être facile, dit-elle en examinant ses jambes enduites de crème, de savoir que tu as été complice d'un crime, même si c'est après-coup. Aucune ado américaine digne de ce nom ne s'attend à se retrouver dans cette situation, surtout après tout ce que tu as fait pour ta Coach.

— Comme tout ce que j'ai fait pour toi ? je rétorque. Tu croyais que j'allais rester ta lieutenante éternellement ?

— Qu'est-ce que tu as fait pour moi que tu n'avais pas envie de faire ? » demande-t-elle, les paupières plissées.

Elle roule sur le ventre, pose son menton bronzé sur sa paume et tend son autre main vers moi.

« Oh, Addy. Tu ne le vois même pas, tu es tellement aveuglée par l'amour. J'en suis désolée. Et désolée de devoir te faire ça. Sincèrement.

— Je ne suis pas… aveuglée par l'amour », je bredouille, déstabilisée par cette remarque. Je devine que c'est le but, mais…

« Tu te pointes à un duel au pistolet avec un couteau, poursuit-elle. Tu ne vois pas la réalité, même étalée devant toi. Même quand la police te convoque au poste pour enquêter sur le meurtre de son amant. Qu'est-ce qu'il te faut ? »

Je sens un sanglot se faufiler dans ma poitrine. Elle est tellement forte que j'ai du mal à respirer.

« Tu n'arrêtes pas de répéter ça, dis-je, mais tu ne m'as pas donné une seule vraie raison de croire qu'elle aurait pu… »

Beth penche la tête sur le côté. « Qu'elle aurait pu ? répète-t-elle d'un ton chantant. Pourquoi elle ne l'aurait *pas* fait, tu veux dire ? »

Ça cogne dans ma tête, car je ne sais plus ce que je dois croire maintenant, sauf que je les crois toutes les deux,

Beth et la Coach, d'une manière différente, quand leurs paroles s'insinuent dans mon cerveau. Tout semble réel avec elles. Sombre. Douloureux. Vrai.

« Ça me tue, franchement, dit Beth, la façon dont vous rampez devant elle. La façon dont *toi*, Addy, tu as rampé devant eux deux. Elle n'est pas ce que tu crois, et lui non plus. Ils n'étaient pas maudits par le sort. Ce n'était qu'un type comme tous les autres. Ils s'envoyaient en l'air et il en a eu marre d'elle avant qu'elle en ait marre de lui. Elle est habituée à avoir tout ce qu'elle veut et elle n'a pas supporté de ne plus l'avoir. »

Les palpitations dans ma tête deviennent autre chose, pire encore, plus insistantes.

Je me redresse en position assise, j'ai la tête qui tourne et tout flotte en moi. Un soupçon d'hystérie perce dans sa voix, ça ne peut rien donner de bon.

« Et aucune d'entre nous ne peut s'en tirer comme ça, dit-elle en s'agenouillant devant moi. Aucune.

— Tu ne sais rien, dis-je. Aucune de nous ne sait. »

Elle m'observe, et, l'espace d'une seconde, je vois presque toute la souffrance et la rage, accumulées depuis des siècles, traverser son visage.

« Ce n'est pas une meurtrière », dis-je en essayant de prendre une voix chargée de lassitude.

Elle me toise, ses yeux sont insondables, destructeurs.

« L'amour est une sorte de meurtre, Addy, dit-elle. Tu ne le sais pas ? »

Il reste trois heures avant l'entraînement, le Grand Entraînement avant le Grand Match.

Je ne peux pas continuer à vivre une seconde de plus dans la tête de Beth, alors je passe quelques heures au centre commercial, à traîner, les mains serrées autour de ma bouteille de kombucha, dont les filaments fermentés tournoient au fond.

La Coach, ma Coach. Je pense à son visage lisse comme une perle et je me demande si je suis capable d'imaginer la chose, j'essaie de me représenter son corps, dur et ordonné, faisant ce que Beth l'accuse d'avoir fait.

C'est impossible. J'ai beau essayer, l'image qui me vient à la place, c'est celle de ses jambes, enroulées furieusement autour de Will dans la salle des professeurs, l'exaltation, tout en elle relâché, libéré, dévoilé. Personne ne regarde, personne n'observe, tout lui appartient.

Il est à moi, il est à moi, et je ferai n'importe quoi pour toujours ressentir ça.

N'importe quoi.

En sentant Will lui échapper, s'était-elle retrouvée en train de faire une chose qu'elle n'aurait jamais pensé faire ?

C'est peut-être un sentiment que je connais.

C'est le sentiment qui me fait retourner aux Tours, pour la deuxième fois en autant de jours ; une caresse magnétique me chatouille à l'intérieur et m'appelle là-bas.

En pénétrant sur le parking, je ne vois aucune trace de la police. Il y a même moins de voitures que d'habitude en cette journée venteuse ; les bourrasques sifflent sous mes essuie-glaces, le ciel est froid, mélancolique.

Je reste assise là un long moment, à appuyer sur les boutons des stations préréglées de l'autoradio, puis je coupe le moteur, j'enfonce mes écouteurs dans mes oreilles pour me noyer dans les chansons plaintives des peines de cœur adolescentes, mais très vite elles me dégoûtent, et je balance mon lecteur sur le plancher.

Ce geste me semble appartenir à ce même monde contrefait de musique pour adolescents, et je me hais moi aussi.

C'est alors que je m'aperçois que je suis en planque, sans même le savoir.

Car j'aperçois, traversant le parking pour entrer dans le bâtiment A, le caporal Gregory Prine.

Je reconnaîtrais cette tête n'importe où.

Je le regarde entrer dans le bâtiment puis, sans même réfléchir, je le suis, mes baskets couinent sur le parking mouillé.

Arrêtée par les portes closes du hall, je ne comprends pas pourquoi il a une clé et je me demande si c'est celle de Will. Je reste planté devant le grand panneau de l'interphone, comme il y a cinq jours, et j'essaie d'être aussi audacieuse que Beth, mes ongles fluo dansent au-dessus des boutons argentés, en appuyant sur tous, en attendant une voix grésillante, la sonnerie plaintive de la porte.

« Euh, désolée, j'habite au 14B et j'ai oublié mes clés. Ma mère n'est pas à la maison, vous pouvez m'ouvrir ? »

Quelqu'un le fait, et avant même de m'en rendre compte, me voilà dans l'ascenseur, couverte d'une pellicule de sueur luisante, les néons sifflent, et je me retrouve dans le couloir vide à l'étage vide de Will.

Je n'ai absolument pas peur, j'ai l'impression d'être mue par le même genre de pulsion chimique que pendant un match, comme après trop de Slim-FX et rien à manger, à part de la Jell-O sans sucre, pour pouvoir retrouver l'espace entre les cuisses, une sensation très spectaculaire.

Je la ressens à cet instant, si puissante que je ne peux pas m'empêcher de foncer droit devant, et mon pied shoote accidentellement dans un ruban adhésif délimitant la scène de crime, qui reste collé au bout de ma Puma.

Je suis là, devant la porte de l'appartement 27G ; une longueur de ruban adhésif est toujours enroulée autour de la poignée.

Avant que je puisse décider de ce que j'ai l'intention de faire – sonner ou faire irruption à la manière d'un gangster –, je m'arrête et recule en trébuchant, contre la porte de l'escalier, et j'inspire profondément, trois fois.

Prine. Et s'il…

Je remarque alors que la porte de l'appartement voisin est légèrement entrouverte, et un souffle provenant de la gaine de chauffage l'a poussée un peu plus.

J'approche à petits pas et risque un coup d'œil à l'intérieur.

On dirait une copie conforme de l'appartement de Will, mais meublé de manière plus spartiate.

Même parquet, même tapis couleur sable.

La seule différence semble être le plateau tournant en plastique posé sur la table de l'entrée. Chargée de brochures : *Vie de luxe proche de la nature.*

Si j'avançais encore pour pénétrer dans l'appartement, je suis sûre que je verrais le même canapé en cuir barrant le centre de la pièce.

Mais je n'avance pas. Bizarrement, je sens que si je fais un centimètre de plus, le canapé deviendra ce canapé, et là, sur le tapis, je le verrai. Lui.

Mais l'appartement a surtout l'air vide.

Sauf que non.

Une porte se referme avec un bruit sourd, puis des pieds frôlent le tapis, et je vois venir vers moi le soldat Prine en personne, il tient un sac plastique d'épicerie dans sa main qui ressemble à un jambon.

Tout se passe très vite. M'apercevant, il se fige devant la porte ouverte.

Le torse gonflé comme un gorille, des lunettes de soleil perchées sur sa coupe en brosse, il cligne des paupières par à-coups, le sang rougit son cou épais et son visage.

On dirait qu'il n'en croit pas ses yeux et j'ai presque du mal, moi aussi.

« Oh, dit-il, c'est une de vous. »

De retour sur le parking, nous sommes assis dans ma voiture.

« Écoute, dit-il, le sac plastique suspendu délicatement à son poignet. Je n'ai rien dit. Alors ne t'inquiète pas.

— De quoi vous parlez ? »

Je n'en reviens pas de penser que Prine est dans ma voiture, nous deux, là.

« J'ai des antécédents. J'ai eu un problème de drogue, avoue-t-il, et ses doigts font craquer bruyamment le sac. Alors je ne dirai rien aux flics. Tu peux lui dire qu'elle n'a pas à s'inquiéter. Et tu peux lui dire aussi de me laisser en dehors de tout ça. »

J'ignore qui est cette « elle », mais je ne pose pas la question.

L'imminence d'une révélation est palpable, et je veux y aller en douceur. Enfin quelqu'un qui n'est pas assez intelligent pour me mentir, ni même pour comprendre pourquoi il devrait le faire.

Pourtant, alors que je suis assise là à côté de lui, son pied gauche pris dans le soutien-gorge de sport à motif léopard qui traîne sur le plancher, je songe soudain qu'il pense peut-être la même chose.

« Vous habitez ici ? je demande en tripotant le levier de vitesse.

— Non », répond-il en regardant ma main. Il avale une bouffée d'air. « Le sergent me laissait pieuter chez lui. Il savait que personne d'autre ne vivait là. Les agents immobiliers laissent tout ouvert. Il m'a donné la clé d'en bas. Pour les fois où ça chauffe à la maison. »

Il me regarde d'un air penaud.

« Mon père et moi, on s'entend pas toujours très bien, explique-t-il. Le sergent, il comprenait... C'était un chouette type. »

Soudain, ses yeux se remplissent de larmes. J'essaie de masquer mon étonnement. Il détourne la tête et regarde dehors, en faisant glisser ses lunettes de soleil sur son nez.

Je demande : « Alors, qu'est-ce que êtes venu faire ici ?

— Il fallait que je voie si j'avais laissé des trucs. »

Il ouvre le sac plastique pour me montrer un flacon de bain de bouche, un rasoir à une lame et une savonnette poussiéreuse.

Et il se met à murmurer, alors qu'il n'y a aucun signe de vie aux alentours :

« Écoute... Les flics savent pas que j'étais là, cette nuit-là. »

J'essaie de ne pas lui montrer que je tressaille.

« OK.

— Mais ça n'a aucune importance, ajoute-t-il. Je suis parti avant le coup de feu. Je sais même pas ce qui s'est passé, bordel. Par contre, je les ai entendus faire cogner la tête de lit contre le mur, un bon quart d'heure avant minuit, j'arrivais pas à dormir. »

La Coach. Elle était là ce soir-là. Quand Will était toujours vivant.

Je prends ce fait, ce fait ahurissant et traumatisant, et je le place dans un coin reculé de mon cerveau. Pour le moment. Je ne peux pas le regarder. Je le mets de côté.

« C'était toujours comme ça entre eux, dit Prine. Je n'aime pas entendre la vie privée des gens. Et franchement, tous les deux, ça me rendait triste. » Il me regarde, pendant que ses doigts triturent l'anse du sac. « C'était une situation malsaine, non ? dit-il en me regardant, sourcils dressés. On sentait qu'un sale truc allait se passer. »

Je sais qu'il attend une sorte de confirmation, mais je ne dis rien.

« En tout cas, reprend-il, je ne dirai pas un mot, comme je le lui ai promis.

— À qui ? »

Je contrôle ma voix. Je dissimule tout.

« À ton amie, répond-il, avec à présent une pointe d'agacement. La petite brune.

— Beth ?

— Oui, Beth. Celle avec les nichons. Tu as l'air d'une gentille fille, mais elle aussi, au départ. Une fille comme elle, ça pourrait m'attirer des ennuis. »

Il se dévisse le cou pour regarder l'immeuble, de façon inquiétante.

« Vous toutes, vous n'êtes qu'un gros paquet d'ennuis, dit-il. Et je n'ai pas besoin de ça. »

Un gros paquet d'ennuis.

« Je crois que le sergent s'en est aperçu, hein ? » Il me regarde d'un air menaçant. « La reine de la ruche. On ne joue pas avec la reine. »

Je l'observe en me demandant de quelle reine il parle.

Sur le chemin du retour, je suis totalement incapable de tout démêler. Pourquoi Beth voudrait-elle que Prine ne dise pas qu'il avait entendu la Coach dans l'appartement de Will cette nuit-là ? Et pourquoi ne me l'avait-elle pas dit, à moi, si son but était de me convaincre de la culpabilité de la Coach ?

Mais le cœur vibrant du problème, c'est ça : la Coach était là-bas avec Will cette nuit-là, avec Will vivant. Tous les deux dans le lit.

Je revois l'image : la Coach debout devant moi, tenant à la main ses baskets lavées à l'eau de Javel.

La Coach.

Le haut de la pyramide penche, elle tend la main vers moi, elle veut agripper mon bras, en sachant ce que ça signifie. Où cela va nous entraîner toutes les deux.

« Deux jours et quatre heures, déclare RiRi en tapotant nerveusement ses cuisses. Cinquante-deux heures avant le match, les filles. Où est-*elle* ? »

Nous sommes toutes dans le gymnase, à attendre la Coach.

Je n'ai toujours pas décidé de ce que je ferai quand elle arrivera, si je laisserai mon visage trahir quoi que ce soit.

Je glisse sous ma langue deux cachets de Tylenol avec de la codéine, vestige de ma foulure au pouce l'année dernière, et j'attends.

Mais la Coach ne se montre pas.

Et Beth… n'est pas là non plus.

« Je ne comprends pas comment la Coach peut nous faire ça, miaule Tacy, dont la lèvre meurtrie a pris une teinte lavande nacrée. Deux jours avant le grand match.

— C'est sûrement une sorte de test, dit Paige Shepherd en hochant le menton avec une assurance feinte. Pour nous montrer qu'on peut se débrouiller seules. »

RiRi est en train de faire un grand écart facial contre le mur, ça la détend, généralement.

« Non, dit-elle. Il y a un problème. Un gros problème. J'ai entendu des choses. Et si tout ça, c'était en rapport avec le sergent Étalon ? »

Cette remarque allume un incendie.

« Mon frère… Écoutez ça ! s'exclame Brinnie Cox entre ses grandes dents qui ressemblent à des Chiclet. Mon frère bosse au fast-food à côté du poste de police, là où les flics viennent déjeuner, et il les a entendus parler de la Coach. Je ne sais pas ce qu'ils ont dit, mais… »

C'est la débandade, les spéculations s'étirent, comme des filaments de chewing-gum collants, mais je reste à l'écart.

Au lieu de cela, je m'entraîne. Je martyrise le tapis. J'enchaîne les roulades, mon corps s'enroule sur lui-même, comme un requin.

« Tu as bien raison », me glisse RiRi en passant.

Je lui donne une grande tape sur la cuisse, avec un sourire.

« Tu es plus en forme que tu l'as jamais été avec Beth, dit-elle.

— Je travaille dur.

— L'été dernier, tu traînais avec Casey Jaye. Tu étais super.

— Pourquoi tu parles de ça ? Pourquoi est-ce que tout le monde veut toujours parler de ça ? »

C'est le sujet que personne ne veut lâcher. Moi, si. J'aimerais ne plus jamais y penser.

« J'étais contente de vous voir ensemble. C'est tout ce que je dis. »

Je pense à Casey soudain, l'aisance de ses mains légères sur moi quand elle faisait basculer mes hanches, en riant.

« Tu sais, reprend RiRi, Casey m'a dit que pour elle tu étais la meilleure cheerleader, la plus courageuse qu'elle ait jamais connue, et elle a été cheerleader toute sa vie.

— Elle parlait de Beth, dis-je. Elle parlait forcément de Beth. »

Addy, m'a murmuré Casey un soir, perchée sur son lit au-dessus de moi. *Elle ne voudra jamais que ce soit toi. On s'en fout de tes douze centimètres. Tu es légère comme l'air. Tu pourrais être Top Girl. Tu assures grave et tu es belle. Tu devrais être capitaine.*

« Et cette bagarre entre Beth et toi, on savait toutes que ça allait éclater, ajoute RiRi en secouant la tête. On a dû s'y mettre à quatre pour vous séparer.

— C'était un accident, dis-je, mais personne ne m'a jamais crue. Ma main s'est retrouvée coincée. »

Un jour, en cours de tumbling au bord du lac, alors que j'assurais les flips de Beth, j'ai levé le bras et mes doigts se sont pris dans sa créole, et je l'ai arrachée.

J'essayais de te retenir, lui ai-je expliqué, la créole encore autour des doigts. *Tu étais tordue.*

Elle était restée face à moi, en se tenant le côté de la tête, du sang écarlate coulait entre ses doigts bronzés.

Tout le monde racontait que c'était à cause de Casey, mais c'est faux. C'était un accident. Beth et ses boucles d'oreilles grosses comme des heurtoirs. C'était arrivé, voilà tout.

Parfois, quand elle me regarde pas, j'observe son lobe et j'ai envie de le toucher, pour comprendre quelque chose.

Je n'aurais jamais cru que vous redeviendrez amies après ça, avait dit RiRi ensuite. Eh bien, si. Personne ne comprend. Elles n'ont jamais compris.

« J'étais avec elle quand ils lui ont recousu l'oreille, ajoute RiRi. Je ne l'avais encore jamais vue pleurer. Je ne savais même pas qu'elle avait des canaux lacrymaux. Je ne savais même pas qu'elle avait du sang dans le corps !

— C'était juste une bagarre », dis-je, et je nous revois enchevêtrées toutes les deux, pendant que quelqu'un hurlait.

RiRi dit : « Ce jour-là, j'ai pensé : "Addy tient enfin tête à Beth." Personne n'avait jamais eu assez de cran.

— Une stupide bagarre entre filles, c'est tout.

— Si tu veux savoir, Beth a raconté un tas de saloperies sur Casey, dit RiRi, mais je ne l'ai jamais crue. »

Moi, si. J'avais défait mon lit et j'étais partie m'installer au fond de la cabane, à la place que Beth avait déjà libérée pour moi. Et je n'avais plus jamais parlé à Casey.

« Tu peux encore le faire, Addy, me dit RiRi. Tu pourrais être capitaine, ou ce que tu veux.

— Ferme-la. »

Elle a un petit mouvement de recul, comme si je l'avais frappée.

« C'est de l'histoire ancienne, dis-je en tendant les bras pour exécuter une nouvelle roulade. C'était l'été dernier. »

Une demi-heure s'écoule, tout le monde fait des sauts et des étirements, sans conviction, quand soudain nous entendons le bruit.

La vieille radiocassette de la coach Templeton glisse sur le sol du gymnase en crachant un rap de sale gamine : « *Take me low, where my girlies go, where we hit it till they're kneeling, till there's glitter on the ceiling...* »

Nos têtes se tournent et Beth apparaît, chaussettes blanches et sifflet autour du cou.

« Allez, les pouffes ! braille-t-elle d'une voix vibrante. Montrez-moi ce que vous savez faire. C'est moi qui prends les rênes.

— Comment ça ? demande Tacy. Où est la Coach ? »

Notre lamentation perpétuelle.

« Vous n'êtes pas au courant ? s'étonne Beth en montant le son de la musique, et les vibrations poussent quelques filles à se lever d'un bond. Elle a été embarquée par les flics.

— Qu'est-ce que tu racontes ? dis-je.

— Elle est au poste. Les flics sont allés la chercher avec une voiture de patrouille. Elle traînait sa chaîne et son boulet derrière elle. »

Je ne la laisse pas croiser mon regard.

« Comment tu le sais ? demande RiRi, un sourcil froncé.

— Je suis allée voir si elle avait besoin d'un chauffeur. C'est Barbara la baby-sitter qui me l'a dit. Elle avait l'air terrorisée. Elle m'a dit que les flics étaient venus avec des sacs-poubelles. Et ils ont emporté des trucs. »

Tout le monde se regarde avec des yeux écarquillés.

« Mais je ne suis pas ici pour m'occuper des ragots, reprend Beth. Montrez-moi qu'il y a autre chose que des cœurs de poulet derrière ces soutifs rembourrés. »

Nous formons des lignes avec une rapidité qui me stupéfie.

Les filles se frappent les cuisses, secouent les jambes, leurs visages rouges comme des tomates, prêtes à éclater.

Comme si elles avaient hâte.

Comme le ferait n'importe qui, à condition d'avoir assez de force.

« Finies les psalmodies tantriques et toutes ces conneries, dit Beth. Je veux voir du sang sur le sol. Et souvenez-vous de ce que disait l'ancienne coach Templeton... »

Elle recule, tandis que tout le monde se rassemble pour les flips arrière, sauf moi.

« *Cheerleader, cheerleader, tu ne dois pas avoir peur !* » scandent-elles. Certaines sourient même.

Beth, aux anges, leur répond : « Quand vous volez tout là-haut, regardez le ciel et criez : Eagles, Eagles, Eagles ! »

Une heure plus tard, nous attaquons le deux-deux-un, Beth est notre voltigeuse.

Lancée entre RiRi et moi, déjà à deux mètres du sol, nos jambes bloquées par Mindy et Cori en-dessous. Nos queues-de-cheval au sommet.

Mes bras se lèvent, je tiens son côté droit, son poignet droit, son bras semblable à une latte de parquet, dur et immobile, et RiRi à sa gauche.

Et elle, la colonne vertébrale tellement droite, la ligne de sa nuque, son corps figé, dense, parfait.

Je la tiens, nous la tenons, et Beth se retrouve plus haut que n'importe qui avant elle.

Une fois que tout le monde a disparu dans les vestiaires, je repère une silhouette solitaire qui observe l'entraînement du haut des gradins.

Pas de bronzage pour elle, ni rien du tout, mais plus maigre que jamais, une pince à cheveux, et elle semble me dire quelque chose.

Cette énorme attelle autour de son genou, sa bouche ouverte, un grand O, elle peine à se lever.

C'est Emily. Et elle dit quelque chose.

Je lui crie : « Quoi ? Qu'est-ce que tu veux, Royce ? »

Lentement, elle descend des gradins, chaque pas l'oblige à balancer sa jambe.

Je ne songe même pas à monter pour la rejoindre.

« Addy, dit-elle, essoufflée. Je n'avais jamais vu.

— Quoi donc ?

— Les figures. De là-haut. Je ne nous avais jamais vues.

— Comment ça ? dis-je, un léger remous dans la poitrine.

— Tu y as déjà réfléchi sérieusement ? À ce qu'on fait ? » demande-t-elle, agrippée à la balustrade.

Elle se met à parler, d'une voix hachée et aiguë, de la manière dont nous sommes empilées, comme des cure-dents, des sucres d'orge, nos corps semblables à des plumes, légers et extensibles. Nos esprits concentrés, affamés, possédés. Toute la structure est animée par nos corps élastiques qui s'emboîtent, se collent, puis...

Une pyramide n'est pas une chose immobile. C'est une chose vivante... Le seul moment où elle est immobile, c'est quand vous le décidez. Tous vos corps n'en forment qu'un seul... Jusqu'à la destruction.

« J'ai dû me cacher les yeux, dit Emily. Je ne pouvais pas regarder. Je n'ai jamais su ce qu'on faisait avant aujourd'hui. Je ne le savais pas parce que je le faisais. Maintenant, je vois. »

Je ne l'écoute pas, sa voix devient de plus en plus stridente, mais je ne l'entends pas. Un mois sur la touche et voilà ce qui se passe.

Je plonge mon regard dans ses yeux bleu ciel.

« Vu de l'extérieur, dit-elle, la bouche déformée par l'effroi, c'est comme si vous cherchiez à vous entretuer et à vous suicider. »

Je la regarde, les bras croisés.

« Tu n'as jamais été des nôtres », dis-je.

28.

En passant devant le poste de police en voiture, j'aperçois celle de Matt French. Une heure plus tard, elle y est toujours.

Prine a entendu la Coach là-bas, cette nuit-là. Ça veut dire qu'elle a menti, ça veut dire qu'elle était sur place quand ce qui est arrivé à Will...

Ces mots restent suspendus dans l'air, la phrase demeure inachevée. Je ne peux pas la terminer.

Il me revient à l'esprit que, aussi dure soit-elle, j'ai vu le chagrin faire exploser son caractère de marbre. Une fois au moins, quand je l'ai tenue par la taille dans le couloir de sa chambre, le mercredi soir. J'ai senti le chagrin faire trembler son lit pendant qu'elle pleurait. Comment cette âme peut-elle être meurtrière ?

Mais y a-t-il quelqu'un qui ressemble à un meurtrier ?
J'entends la voix se tortiller dans ma tête.

Tout le monde aux yeux de Beth, évidemment.

Je les crois chacune et je n'en crois aucune. Ces histoires se sont déversées dans mon oreille, il est temps que je trouve la mienne.

À vingt-deux heures, je passe devant le Statlers. Je me souviens des textos de Beth.

Teddy a vu la Coach @ Statlers la semaine dernière.

Elle a bu et parlé au tel toute la nuit, en pleurant face juke-box.

Il dit qu'elle est ressortie en courant + elle a heurté un poteau sur le parking.

Le gars hirsute à l'entrée ne me laissera pas entrer avec mon faux permis de conduire au nom de Tiffany Rue, vingt-trois ans, mais je n'ai pas besoin d'entrer.

Au lieu de cela, je marche de poteau en poteau sur le parking, en caressant la peinture argentée qui s'écaille.

Sur le plus éloigné de l'entrée du bar, j'aperçois la trace du choc et la peinture qui brille sur l'asphalte.

« Qu'est-ce qui s'est passé ici ? » je lance au type à l'entrée.

Il me regarde en plissant les paupières.

« La vie est dure, répond-il, et tu es trop jeune même pour rester sur ce parking, miss.

— Qui a fait ça ? je demande en marchant vers lui. Qui est rentré dans ce poteau ?

— Une femme ivre, dit-il avec un haussement d'épaules.

— Proche de la trentaine, cheveux châtains, queue-de-cheval ?

— J'en sais rien, dit-il en pointant un long doigt fin sur l'écusson des Eagles sur mon bras. Mais elle avait un blouson comme le tien. »

J'essaie de faire le compte des mensonges, mais ils sont trop nombreux, et ils ne concordent pas.

Pourquoi la Coach m'aurait-elle dit qu'elle avait percuté un poteau à Buckingham Park plutôt qu'au Statlers ? Un petit mensonge, certes, mais il y en a eu tant. Si on les ajoute les uns aux autres, on dirait qu'ils vacillent à des kilomètres au-dessus de moi.

Il est vingt-trois heures quand je repasse devant la maison de la Coach.

Au moins, la voiture est là.

Je la trouve sur la terrasse, en train de fumer des cigarettes aux clous de girofle. Un genou relevé, le menton posé dessus, elle semble m'entendre avant même que je fasse un bruit.

« Hanlon. Comment s'est passé l'entraînement ? »

Avez-vous perdu la tête ? ai-je envie de lui demander. *Hein ?*

« Super, dis-je, les dents serrées. On est à fond. Vous auriez dû nous voir faire le deux-deux-un.

— Fais bien attention de ne pas te pencher en avant pour hisser la voltigeuse. Plie les jambes pour l'atteindre, sinon tout risque de s'écrouler.

— Je n'ai jamais fait ça, dis-je en grimaçant. Vous n'étiez pas là.

— Je regrette d'avoir loupé ça »«, dit-elle en rapprochant le cendrier.

N'eût été le léger tremblement de ses mains, on aurait pu croire que c'était une soirée comme les autres.

« Vous aviez une très bonne excuse. »

Je m'assois. Nos deux teddys jumeaux sont fermés jusqu'en haut.

« Je suppose que ma capitaine mène la barque ? Ou peut-être que tu n'as pas envie de parler de ça. »

Tout le froid et toute la solitude de la nuit pénètrent en moi, je n'ai qu'une envie : traverser à coups de masse et de burin cette perfection de marbre. C'est tout ce que je veux.

« Vous étiez là-bas. Vous étiez chez Will cette nuit-là. »

Elle ne dit rien.

« Vous n'avez pas percuté un poteau à Buckingham Park. Vous vous êtes disputée avec lui. Vous avez percuté un poteau devant le Statlers. Ça n'allait plus du tout entre vous deux. Il voulait vous quitter, il en avait fini avec vous. »

Elle demeure figée.

« Et vous n'avez pas découvert le corps de Will, dis-je en frappant de plus belle avec la masse. Vous étiez avec lui. Vous étiez dans son lit. Vous êtes une menteuse. Vous avez menti sur tout. »

Je me penche en avant, je hurle presque dans son oreille.

« Vous êtes une menteuse. Et quoi d'autre, encore ? »

Elle ne bouge pas, elle ne se tourne même pas vers moi. Un moment passe, mon cœur s'est arrêté.

« Oui, dit-elle finalement. J'étais chez Will plus tôt que je l'ai dit. Et j'ai percuté un poteau au parc. Et un autre devant le Statlers. J'ai percuté des poteaux, des trottoirs, des lampadaires dans toute la ville. J'ai oublié de faire dîner ma fille. J'ai oublié de me brosser les cheveux. J'ai perdu cinq kilos et je n'ai pas dormi, véritablement dormi, pendant des semaines. J'ai perdu ma fille dans des magasins, je l'ai giflée. J'ai été une mauvaise influence et une mauvaise épouse. Pendant des mois, je ne savais plus ce que je voulais.

« Mais qu'est-ce que ça change, Addy ? La seule chose qui compte, c'est que Will est mort, et tout est fini. »

Elle se tourne pour me regarder et la lumière de la véranda éclaire son visage pour la première fois. Son visage enflé, mou.

« C'est ça que tu voulais ? Ça te fait du bien, Addy ? Car c'est le plus important, t'aider à te sentir mieux, hein ? »

Je tressaille. Le reste est trop douloureux à regarder.

« Vous... » Ma voix monte. « C'est *vous* qui m'avez appelée cette nuit-là. Vous m'avez entraînée dans tout ça.

— C'est vrai, Addy. Mais tu ne penses pas que je t'en dirais plus si je le pouvais ?

— Pourquoi vous ne pouvez pas ?

— Je t'ai appelée cette nuit-là, car je savais que tu m'aiderais. Tu comprenais ce qu'il y avait entre Will et moi. Tu étais avec nous. »

J'étais. J'étais.

« Alors oui, j'étais chez Will toute la soirée, Addy. Mais je n'ai rien fait. J'étais avec lui, mais je l'ai découvert aussi. C'est la vérité. Tout est vrai. »

Je réfléchis brièvement à cette énigme. Mais je n'arrive pas à la déchiffrer, à cause de tout le reste qui s'est produit, à cause de la masse et du burin qui sont toujours dans ma main tremblante.

« Pourquoi vous ne pouvez rien me dire ? » Je ne peux m'empêcher de prendre un ton suppliant. « J'essaie de vous aider. Sincèrement. »

Soudain, une bande de lumière s'écoule de la cuisine. J'entends les pleurs inquiets de Caitlin.

La Coach tourne la tête et regarde par l'ouverture de la porte du patio.

« Tu ferais mieux de rentrer chez toi, dit-elle en se levant, sa cigarette pendant entre ses doigts.

— Non, pas tout de suite. Pourquoi vous ne pouvez rien me dire ? J'ai besoin d'en savoir plus que ça. J'ai besoin... »

Les pleurs de Caitlin se transforment en sanglots, il est question d'un cauchemar. Et les miens, alors ?

« Mais, Coach... dis-je et dans mon esprit, c'est la pagaille. Beth prétend qu'elle va aller trouver la police demain. »

Elle s'arrête à la porte du patio, une main sur la poignée de la porte.

« Pour leur dire quoi ?

— Tout ça. Les choses qu'elle a comprises. Et celles qu'elle a devinées. »

Elle tire une dernière bouffée de sa cigarette en contemplant les ténèbres du jardin.

« Elle pense que c'est vous, dis-je. Elle pense que vous avez tué Will. »

C'est la première fois que ces mots sortent de ma bouche, et ils paraissent plus monstrueux que jamais.

« Eh bien, non », dit-elle en lâchant sa cigarette sur la terrasse, en laissant à son pied le soin de l'éteindre, avec une grâce infinie.

Plus tard, dans mon lit, je parle à voix basse au téléphone, avec Beth.

« Tu n'y es pas allée aujourd'hui ? À la police ?

— Addy Hanlon, tu es un putain de disque rayé.

— Si tu es si sûre de tout savoir, dis-je en plissant les paupières, essayant de trouver un moyen de pénétrer en elle, pourquoi tu n'y es pas déjà allée ?

— Je rassemble les derniers éléments. » Je jure que j'entends sa langue tourner dans sa bouche, comme un vampire. « Je peaufine mes manœuvres de déploiement et d'encerclement. »

Je l'imagine, à l'autre bout, en train de tirer sur son lobe marqué, la cicatrice en forme de croissant, puis je m'aperçois que c'est moi qui tripote mon oreille.

« Beth, il faut que je te demande un truc.

— Je t'écoute.

— Beth… »

Sans que je l'aie voulu, ma voix glisse dans un pan de notre passé, la Addy qui a besoin de Beth, de son jean moulant, du thé à l'éphédra qu'il faut commander par correspondance, des questions du contrôle de chimie, de quelqu'un qui lui dise quoi faire pour rendre tout cela supportable.

Cette voix, ce n'est pas celle de la comédie, ça ne l'a jamais été, et c'est comme un message pour elle, pour nous deux, pour nous souvenir de certaines choses, car elle a besoin de se souvenir elle aussi. Et moi, je dois l'obliger à reculer pour voir.

« Beth, je risque de gros ennuis. Je l'ai aidée. Tu peux m'accorder un jour de plus ? Juste un jour pour voir ce que je peux découvrir. Pour voir si tu as raison.

— Tu veux dire un jour de plus pour qu'elle sauve sa peau.

— Un jour de plus, Beth. Attends mardi. Lundi, c'est le match. Demain, tu seras Top Girl. »

Un silence.

« Un jour de plus, Beth, dis-je, tout bas. Pour moi. »

Il y a un nouveau silence, au parfum dangereux.

« D'accord, dit-elle. Je t'accorde un jour. »

29.

DIMANCHE : UN JOUR AVANT LA FINALE

Elle m'a accordé un jour et je n'ai aucun plan, aucune idée.

Toutes les voix de ces derniers jours, toutes les menaces et les calamités, je n'arrive pas à me frayer un chemin au milieu de tout ça, et encore moins à travers les paroles de la Coach : *J'étais là-bas, Addy, mais je n'ai rien fait. J'étais avec lui, mais je l'ai découvert aussi.*

Tout ça est vrai.

Tout...

Enfouie sous les couvertures, le dimanche à trois heures du matin, je reprends du Tylenol à la codéine et les rêves qui suivent sont confus et grotesques.

Lorsque je parviens enfin à me faufiler dans un sommeil tremblant, je rêve de Will.

Il vient vers moi, bras tendu, poing fermé. Quand il l'ouvre, il est rempli de dents noires, comme celles que l'on vous montre dans les cours de sciences.

« Ce sont celles de Beth, dis-je, et il sourit, avec sa bouche aussi noire qu'un trou.

— Non, dit-il, ce sont les tiennes. »

Quand je me réveille, il y a en moi une énergie nouvelle qui me propulse hors du lit, c'est la sensation du jour qui précède un Grand Match. Cette sensation de pouvoir. Le jour de la préparation.

Debout devant le miroir, avec ma brosse à dents qui mousse, je sens que certaines choses vont se produire, et peut-être que cette fois, je serai prête.

Je cherche un moyen de joindre le soldat de première classe Tibbs. Je me dis qu'il pourrait peut-être m'en dire plus, me révéler quelque chose, comme Prine. Mais je ne trouve pas son numéro et au bureau régional de la Garde nationale, ça ne répond pas. Je n'ai donc aucun moyen de le contacter sans passer par Beth.

Je me rends au poste de police et me gare derrière. Pendant une heure, j'observe la porte.

J'envisage d'entrer, mais je crains que les inspecteurs me voient.

J'étais là, mais je n'ai rien fait. J'étais avec lui, mais je l'ai découvert aussi. Tout ça est vrai.

Beth ou la Coach, qui croire quand l'une des deux ne dit jamais la vérité et que l'autre ne me donne que des énigmes ?

Il y a là quelque chose qui me rappelle les cours de maths. Permutations et combinaisons. *Prenez une situation dans laquelle il existe exactement deux possibilités : la réussite ou l'échec. Oui ou non. Dedans ou dehors. Garçon ou fille.*

Gauche ou droite. Quand vous êtes base gauche, vous savez que votre seule tâche consiste à soutenir le côté gauche de la pyramide, à supporter tout ce poids et à maintenir votre équipière en l'air.

Mais suis-je du côté droit ou du côté gauche ?

Les yeux fixés sur la porte du poste de police, je réfléchis à une troisième voix. Je m'imagine entrant, pour tout leur raconter et les laisser faire le tri ensuite.

Mais je n'ai pas la bravoure du soldat.

Au moment où je m'apprête à démarrer, mon portable sonne.

Je ne reconnais pas le numéro, mais je réponds.

« Addy ? demande une voix d'homme.

— Oui ?

— C'est M. French. Matt French. »

Je coupe le moteur.

« Bonjour, monsieur French, comment ça va ? » dis-je, en pilotage automatique de baby-sitter, comme durant ces trajets en voiture de trois minutes pendant lesquels les pères veulent tout savoir sur l'activité de cheerleader, ce que ça fait à notre corps.

Sauf que là, ce n'est pas un de nos pères, c'est Matt French, et il m'appelle, moi qui ai participé à l'effondrement de sa famille.

« Désolé de te déranger, dit-il.

— Comment est-ce que... C'est la Coach qui vous a donné mon numéro ? Vous...

— Ce n'est pas un truc bizarre, d'accord ? s'empresse-t-il de préciser. Absolument pas.

— Non, je sais », dis-je, mais comment ça pourrait ne pas être bizarre ?

Matt French. Je l'imagine dans son jardin, avec son air abattu. Je l'imagine toujours comme s'il nous observait à travers une surface en verre : des pare-brise, des portes de patio... Je ne sais même pas si j'arriverais à imaginer son visage si j'essayais, mais à cet instant, j'ai en tête la vision de ses épaules voûtées.

« Je peux te poser une question, Addy ? » Sa voix est étouffée, on dirait qu'il colle sa bouche contre le téléphone.

« Oui.

— J'essaie de comprendre une chose. Si je te donne un numéro de téléphone de mon registre d'appels, tu crois que tu pourrais me dire si tu le reconnais ?

— Oui, dis-je sans réfléchir.

— OK. »

Il me donne un numéro, je le tape sur mon téléphone et un nom apparaît.

Tacy.

Je prononce son nom à voix haute.

« Tacy, répète-t-il. Tacy comment ? C'est une amie à toi ?

— Tacy Slaussen. Elle fait partie de l'équipe. C'est notre voltigeuse. Enfin, c'était. »

S'ensuit un silence, pesant. J'ai le sentiment qu'une chose monumentale est en train de se produire. Au début, je pense qu'il est en train d'assimiler ce que j'ai dit, puis je m'aperçois qu'il attend que ce soit moi qui tire des conclusions.

Il veut que je me souvienne de quelque chose, que je souligne quelque chose, que je sache quelque chose.

Comme si c'était lui qui me livrait une information.

Je ne sais pas laquelle.

« Je suis content que ce ne soit pas ton numéro, dit-il. Je suis content que ce ne soit pas toi.

— Pas moi quoi ? monsieur French, je…

— Au revoir, Addy », dit-il tout bas, d'une voix blanche.

J'entends un clic.

Le coup de téléphone me transperce la tête comme un couteau.

Matt French a découvert quelque chose, ou tout. Tout a volé en éclats et maintenant il épluche les mails de sa femme, ses appels téléphoniques, tout. Il assemble toutes les pièces, des pièces qui vont toutes nous condamner, qui vont nous condamner toutes les deux.

Femme adultère, Meurtrière et *Complice*.

Mais ça ne colle pas avec cet appel. Avec ce qu'il m'a demandé et ne m'a pas demandé. Et puis, il y avait sa façon de s'exprimer. Mal assurée, mais réservée, troublée, mais étrangement calme.

Je fais le numéro de Tacy. Je ne l'appelle presque jamais, peut-être même que je ne l'ai jamais appelée, mais nous avons toutes les numéros des autres dans nos portables. Et la Coach a tous nos numéros dans le sien. Règle de l'équipe.

C'est peut-être comme ça que Matt French a eu le numéro de Tacy.

Sauf qu'à mon avis, il n'avait pas le portable de la Coach devant les yeux quand il a lu ce numéro. Sinon, le nom « Tacy » ou « Slaussen » se serait affiché. Ou autre chose.

Mon registre d'appels, a-t-il dit. Son téléphone.

Son téléphone.

Mais pourquoi Tacy appellerait-elle M. French ? Et si elle l'appelait, pourquoi ne saurait-il pas qui elle est ?

Alors j'appelle Tacy, mais je tombe directement sur la boîte vocale.

Salut, je suis en train de m'éclater quelque part. Laissez un message. Si c'est toi, Brinnie, je t'ai jamais traitée de brute. Je t'ai traité de pute.

Je suis content que ce ne soit pas ton numéro, avait-il dit. *Je suis content que ce ne soit pas toi.*

Matt French, quelle est cette chose que vous voulez que je sache ?

Je me rends chez Tacy, mais elle n'est pas là. Sa sœur au menton en galoche, si, celle que j'entends toujours parler de créationnisme pendant des heures dans le labo de langue quand le Club de débat se réunit après les cours.

« Oh, fait-elle en me dévisageant. Tu fais partie de la bande. »

Affalée contre l'encadrement de la porte, elle mange des raisins secs tout fripés dans un petit sachet, exactement le genre de choses que ce genre de filles fait tout le temps.

« Elle n'est pas ici, dit-elle. Elle a emprunté ma voiture pour aller à l'entraînement. Pour travailler ses roulements de hanches et ses coups de bassin. »

En regardant le sachet en plastique taché dans sa main, le sinistre pull gris et l'anneau en forme de symbole de la paix dans son nez, je réponds : « On n'a pas besoin de les travailler. »

J'aperçois la cinq-portes bleu pâle sur le parking et je me gare à côté.

La porte de derrière du gymnase est maintenue ouverte par une éponge pour tableau, comme quand on veut avoir un endroit pour boire du Malibu avant une soirée. Mais maintenant, certaines d'entre nous viennent s'entraîner le week-end, en dehors des heures habituelles, depuis que la Coach a poussé nos corps vers la perfection et élevé notre équipe vers le sublime.

Je l'entends avant de la voir : ses grognements étouffés, la pression légère des Puma sur les tapis.

La joue encore enflée après la chute de jeudi, elle fait des *tumbles*. Elle enchaîne des flips arrière. Elle devrait avoir quelqu'un pour l'assurer, car sa technique laisse à désirer, comme toujours.

Je lui crie : « Ne jette pas ta tête en arrière ! Les bras collés aux oreilles ! »

Elle s'arrête en trébuchant et manque de se cogner contre le mur rembourré.

« Énergie, condition, contrôle, perfection, je récite, comme le faisait toujours la Coach.

— On s'en fout, soupire Tacy, essoufflée. Je suis sur la touche, de toute façon. Maintenant que Beth est de retour, ma vie est quasiment foutue. »

Elle se laisse glisser le long du mur et s'écroule sur le sol, en sortant des mèches de coton de sa bouche aux lèvres brillantes de gloss. Tacy la croyante, maquillée un dimanche matin, seule dans le gymnase du lycée.

« C'est juste un match », dis-je, en sachant que c'est le Grand Match, le Plus Grand de Tous, et qui a envie de faire la cheerleader pour le base-ball de printemps ?

J'ajoute : « Et puis, combien de temps Beth va pouvoir rester capitaine, à ton avis ?

— Je ne sais pas, dit Tacy en ôtant des fibres de coton sous ses ongles couleur raisin. Je pense qu'elle pourrait être capitaine à vie.

— Qu'est-ce qui te fait penser ça ?

— C'est à cause de ce qui se passe. La Coach French était la seule qui pouvait l'arrêter. Et maintenant, elle est partie…

— Elle n'est pas partie, elle…

— Elle ne reviendra pas. Il faut voir les choses en face, Addy, c'est terminé pour la Coach. » Elle me regarde, avec son visage enflé, ses joues de lapin. « Et ça craint, car la Coach était la seule à avoir vu ce qu'il y a en moi. *Mon potentiel, mes promesses.*

— Slaus, la seule raison pour laquelle elle t'a mise là-haut, c'est parce que tu pèses quarante-deux kilos et parce que tu es le larbin de Beth, je réponds, avec l'envie de tordre son cou de gamine. Si tu tiens tant que ça à la Coach, pourquoi tu continues à aider Beth ? »

Elle semble étonnée, mais elle est trop bête pour être suffisamment étonnée.

« J'aide pas Beth. Plus maintenant.

— Mais tu l'as fait. »

Elle inspire à fond.

« Tu ne sais pas ce qui s'est passé, Addy. La Coach a peut-être fait un truc très grave, dit-elle en secouant la tête. C'est la faute de Beth, d'une certaine façon. Mais c'est pas une excuse. Mon père dit qu'on vit dans une société de l'excuse maintenant.

— Tacy, dis-je d'une voix grinçante, explique-moi ce que tu veux dire. Dis-moi ce que tu sais. »

J'appuie mon pied sur sa jambe semblable à une paille coudée, j'appuie fort.

Elle me regarde, effrayée comme un lapin, et je sais qu'il faut que j'applique un peu de miel, mais je maintiens la pression de mon pied. C'est ce qu'elle aime. Ces deux choses en même temps.

« Tacy, il n'y a plus que moi qui puisse t'aider maintenant. Je suis la seule. »

Je vois venir ses larmes et résiste à l'envie de gifler ses bajoues enflées. Je résiste, car elle est sur le point de me livrer un trésor, sans même le savoir. Elle croit que ses ragots, ses récriminations mesquines ont de l'importance, mais ce ne sont que de minuscules trous d'épingle. Les choses qui les entourent, en revanche, l'étoffe des mensonges et des fictions de Beth, valent de l'or.

« La Coach couchait avec le sergent, dit-elle avec des yeux comme des soucoupes. Et elle était amoureuse de lui. Puis elle a découvert la vérité. Au sujet de Beth. De Beth et du sergent. »

Je suis adossée au mur rembourré du gymnase, et Tacy est toujours assise par terre, jambes sur le côté, les yeux levés vers moi, et elle parle, parle, parle. *Elle n'est pas ce que tu crois, et lui non plus.* Voilà ce qu'avait dit Beth. *C'est un type comme les autres, comme tous les autres.* Mais Will, Will et Beth ? Je ne peux pas convaincre ma tête d'y croire.

« C'était quand il a commencé à venir à l'école », dit Tacy. Et c'est un soulagement. Avant la Coach, avant tout ça. Will perdu, à la dérive, plein d'interrogations. « Elles avaient fait un pari, RiRi et elle. Elle voulait battre RiRi. Elle disait que RiRi, c'était juste des nichons et de l'eyeliner, et qu'elle allait n'en faire qu'une bouchée.

« Alors, un jour après les cours, elle l'a attendu près de son van. Tu sais qu'il se garait toujours derrière, plus loin que le parking du lycée, dans Ness Street ? »

J'y accompagnais la Coach. La Coach dont le visage rougissait quand elle apercevait le van garé à l'ombre du chêne, sous les feuilles parcheminées dont les ombres balayaient son visage quand elle se tournait vers moi pour dire : *Il est là, Addy, mon homme est là.*

« Ma mission, dit Tacy, c'était d'attendre près de l'arbre avec mon téléphone pour prendre une photo qui prouverait qu'elle l'avait fait. »

J'ignore ce qui va suivre, mais je sens que ça bouillonne dans mon ventre.

« Alors, elle était là, et elle l'attendait dans sa minijupe, poursuit Tacy en frôlant ma cheville avec ses doigts, sans faire attention. Et Beth, elle est plutôt canon. Et le sergent, c'était un mec, hein ? »

Un mec, oui.

« Mais il n'a pas pu aller jusqu'au bout, soupire-t-elle en posant sa main sur ma cheville. C'était un truc de gamins. Et je n'ai pu prendre qu'une seule photo ; pas terrible, on ne voyait pas grand-chose. »

Je ne dis rien.

« Mais le truc, c'est qu'elle ne l'a jamais montrée à RiRi. Peut-être qu'elle savait que ça ne suffirait pas à lui faire gagner son pari. Finalement, je lui ai posé la question, et elle m'a dit de lui envoyer la photo. Elle m'a expliqué qu'elle la gardait en réserve. Dans son téléphone. Elle adorait me la montrer. »

Cela ressemble bien à Beth, en effet, et je me demande pourquoi elle ne me l'a jamais montrée. Mais je crois connaître la réponse. À partir du jour où elle a découvert la liaison entre la Coach et Will, elle ignorait quelle était ma position. Elle n'était pas certaine que je sois dans son camp. Elle avait raison.

« Et brusquement, reprend Tacy, elle me raconte qu'elle a eu un problème avec son téléphone. Elle a perdu la photo et elle aurait besoin que je la lui renvoie. »

Un souvenir me revient : la Coach jetant le portable rouge de Beth dans la cuvette des toilettes.

« Je lui ai répondu : "Explique-moi d'abord ce que tu veux en faire" », dit Tacy, les yeux levés vers moi, en esquissant parfois un sourire tandis qu'elle essaie de lire dans mes pensées, de savoir comment je réagis, et si j'ai envie de jouer avec elle, de prendre un peu de plaisir à tout ça.

« Alors, elle a été *obligée* de me le dire, poursuit-elle en se balançant d'avant en arrière, impatiente de raconter cet épisode, de revivre cet instant. C'est là qu'elle m'a avoué qu'elle allait s'en servir pour que la Coach arrête de lui mener la vie dure. »

J'appuie mon dos contre le mur, sans poser les yeux sur Tacy, m'éloignant d'elle, de son souffle chaud sur mes jambes.

« Et c'est là qu'elle m'a parlé de la Coach et de Will. Elle était obligée. »

Cette fois, je regarde ce visage déformé par le plaisir de la conspiration, mais je ne dis rien.

« Désormais, après trois ans passés à magouiller pour cette chienne, j'avais enfin une chose que voulait Beth, dit Tacy d'une voix plus acérée, presque impressionnante. Beth avait tout perdu. Elle n'avait même pas sauvegardé la photo sur son ordinateur. Elle qui se croit tellement intelligente. C'est intelligent, ça ? Mais moi, j'avais sauvegardé la photo. Et maintenant, elle avait besoin de quelque chose venant de moi. »

Je connais si bien ce sentiment que j'ai l'impression qu'elle a appuyé son ongle sur mon cœur battant. Cela ne me la rend pas plus sympathique.

Toi et moi, Tacy ? On ne partage rien.

« À cette époque, j'étais voltigeuse, j'étais la Top Girl, dit-elle. Mais Beth m'a prévenue : j'avais intérêt à lui obéir, ou sinon elle m'en ferait baver. »

La voix de Tacy prend un ton lugubre, la panique revient tournoyer dans ses yeux.

« Elle m'a dit que je n'avais pas intérêt à la rendre malheureuse, car je devais bien savoir qu'elle n'était jamais malheureuse seule. »

Non, en effet.

« Alors, j'ai cédé, soupire Tacy. Mais j'avais de la peine pour la Coach. Et quand le sergent est mort, j'ai culpabilisé. J'ai pensé que Beth avait peut-être utilisé cette photo de manière diabolique. Et que le sergent s'était suicidé à cause de ça. C'est ce qui s'est passé, Addy ?

— Je ne sais pas ce qui s'est passé. »

Elle pose sur moi un regard vitreux.

« Tacy, dis-je, tu ferais bien de me montrer cette photo.

— Je l'ai effacée, répond-elle trop rapidement.

— Je ne te crois pas. »

En soupirant de nouveau, elle glisse la main dans la poche de son pantalon de yoga et en sort son tout petit portable d'un violet éclatant.

L'image sur l'écran semble avoir été prise à travers une vitre en verre dépoli.

On distingue l'uniforme de Will, la veste verte, les boutons dorés qui brillent, la fourragère sur la manche levée, une partie de son visage, le reste étant caché par l'arrière d'une tête de femme, une masse de cheveux bruns et des épaules nues.

Pendant une seconde, je crois que c'est la Coach. On dirait tellement la Coach.

Puis je reconnais le sweat-shirt à capuche de Beth, la paume de Will dans son dos.

L'expression de Will, comment pourrais-je la qualifier, tout se perd dans un néant pixellisé.

Mais son visage ne m'a jamais paru aussi triste.

À la fois blessé et désespéré.

Comme les photos de ces gens que l'on voit devant leurs maisons en feu, comme celle que j'ai vue un jour : ce père qui tenait dans ses bras sa petite fille en chemise de nuit et essayait de lui enfiler sa chaussure en regardant l'incendie détruire sa maison.

Et je sais que si Tacy s'était placée de l'autre côté du van, si l'appareil photo de son portable avait saisi les yeux de Beth, il aurait montré la même chose.

Je ne peux plus détacher mon regard de cette photo. Parce qu'elle me semble soudain remplie de vérité. Parce que je la trouve belle.

« Je n'ai jamais voulu que quelqu'un ait des ennuis, dit Tacy. Mais Beth, elle me fait peur. Elle m'a toujours fait peur, en fait. Mais depuis cette histoire, c'est différent. On dirait qu'elle est trois fois plus effrayante encore. »

Je cesse de regarder la photo pour me tourner vers Tacy.

Des choses commencent à apparaître dans un scintillement.

« Tu as donné la photo à Beth et c'est tout ?

— C'est ce que je t'ai dit, non ? » répond-elle en roulant sur le côté pour s'allonger sur le tapis.

Dressée sur les coudes, elle étire les cure-dents qui lui servent de jambes, en les observant, en s'admirant.

En la toisant, je ne pense qu'au temps qu'elle m'a coûté, ces connivences, sa faiblesse. Au fait que cette petite fée Clochette va devenir Top Girl.

Quelque chose dans ce visage bouffi… Je ne peux pas me retenir, mon pied s'écrase sur son visage. Il enfonce son menton détruit, encore sillonné de veines éclatées après sa chute. J'appuie fort, plus fort que j'en avais l'intention, mais c'est tout mou.

« Addy, gémit-elle en me griffant avec ses ongles. Addy, qu'est-ce que…

— Tu as envoyé cette photo à M. French, hein ? »
dis-je d'une voix enrouée.

Elle agite les bras, elle essaie de repousser ma jambe,
mais elle n'y arrive pas.

« Oui, oui », sanglote-t-elle, et les larmes coulent sous
forme de longs filaments sirupeux.

Je repose mon pied par terre. Et elle me raconte la suite.

Comment Beth a trouvé le numéro de Matt French sur
le portable de la Coach et obligé Tacy à envoyer la photo,
en affirmant qu'elle n'avait pas encore de nouveau téléphone.

Beth avait rédigé le texto elle-même : `Regardez le`
`genre de femme que vous avez épousée. Regardez à`
`quelle racaille elle ouvre ses cuisses.`

Beth a toujours su trouver les mots. Et elle sait quand il
faut faire simple.

« Mais cette photo ne voulait rien dire, insiste Tacy.
C'était une blague débile. Beth pensait certainement que
M. French l'obligerait à démissionner ou qu'elle serait
renvoyée. Mais dans ce cas, ça n'aurait pas été plus logique
de l'envoyer à Sheridan, le principal ? »

Je secoue la tête en regardant cette idiote.

Elle frotte ses yeux maquillés avec les paumes de ses
mains, en gémissant.

« Tu crois que cette petite photo floue peut avoir un
rapport avec tout ça ? Avec le sergent et le reste ? »

Je pense à Matt French lisant le texto et contemplant
cette photo. Je devine ce qu'il pensait réellement :

Non pas : *C'est un homme avec une des cheerleaders de ma*
femme.

Mais : C'est un homme avec *ma femme.*

« Et maintenant, Beth refuse de faire marche arrière. »
Elle a repris ma cheville, elle s'y accroche, mais son regard
est fixé droit devant, sur les portes des vestiaires. « Et elle
répète que je n'ai pas intérêt à dire ce qu'on a fait, à qui
que ce soit. L'autre jour, à l'entraînement, quand je suis
tombée, c'était comme si elle me montrait ce qu'elle
pouvait me faire. »

Son regard rivé sur les portes que fait vibrer le souffle de
la chaudière, elle ne me voit même pas manipuler son
portable pour m'envoyer la photo.

« Elle m'a montré ce qu'elle pouvait faire, reprend Tacy.
N'empêche, je te l'ai dit, pas vrai ? Je l'ai dit à Addy
Hanlon. Ça prouve que je ne suis pas aussi trouillarde
qu'elle le dit. »

Sa tête retombe, comme sous le poids de sa queue-
de-cheval qui glisse vers l'avant ; elle relâche tout son
corps.

« J'ai toujours eu peur de toi, avoue-t-elle en caressant sa
joue où affleure encore l'empreinte de ma chaussure.
Encore plus que de Beth. J'ai appris ce que tu lui avais fait.
Sa cicatrice à l'oreille. »

Cette fois, je ne rectifie pas. Ce que j'avais fait à Beth.
Ce que *moi*, j'avais fait à Beth, la salope la plus effrayante
qu'on ait toutes connue.

Les bras croisés, j'observe Tacy. Elle semble si petite.

« Je voulais juste être voltigeuse, dit-elle. Et je le serai
encore.

— Évidemment », dis-je en lui rendant son téléphone.

Elle me regarde en le prenant et quelque chose passe sur
son visage.

329

Après avoir glissé son portable dans sa poche, elle tend la main, comme si je devais l'aider à se relever.

« Évidemment, répète-t-elle, et son visage s'éclaire. Tu vas te payer Beth maintenant, hein ? »

Son sourire frétille et elle ajoute : « Ensuite, je redeviendrai voltigeuse. »

J'étais là, mais je n'ai rien fait. Avait dit la Coach.

J'étais avec lui, mais je l'ai découvert également. Tout ça est vrai.

Le portable de Matt French bipe, il regarde l'écran, il voit la photo, il lit ces mots : `Regardez le genre de femme que vous avez épousée. Regardez à quelle racaille elle ouvre ses cuisses.`

Une erreur qui se trouve aussi être la vérité.

Matt French voit l'uniforme et part en chasse. Il découvre qui est le recruteur. Ou bien il épluche simplement les appels de sa femme, ses mails ou autre chose. N'importe quoi.

Il découvre où vit le recruteur et il s'y rend, il se rend dans cette tour d'acier déserte construite au bord du néant et là, il trouve sa femme et l'amant de celle-ci.

Et... Et...

Et il veut que je le sache.

Et puis il y a la Coach, l'alibi qu'elle a bâti pour moi.

« Donc, lundi dernier, tu étais là-bas avec ta coach et son mari ? avait demandé l'inspecteur.

— Oui », avais-je répondu.

La Coach protège Matt French, Matt French protège la Coach. Les choses entre eux, leur histoire entremêlée et les sentiments cachés, et au lieu de se dresser l'un contre l'autre, ils élèvent des remparts. Enfermés tous les deux dans quelque chose de profond. Qui sait ce qui les unit maintenant ? Poignets croisés, tête contre tête, ils sont soudés, mais ils ont besoin de moi.

C'est sûr.

Et Beth. Il y a Beth.

30.

Travaille dur et crois en toi. Voilà ce qu'ils vous disent toujours. Mais en vérité, ce n'est pas du tout ça. Ce sont les choses que vous ne pouvez pas exprimer à voix haute, c'est savoir ce que vous faites, grimper, sauter, se jeter dans le vide, s'agripper les unes aux autres par les bras, les jambes, pour créer une chose qui s'écroulera à cause d'un genou qui cafouille ou d'un poignet qui se tord.

Vu de l'extérieur, a dit Emily, osant dire ce que vous n'êtes pas censé dire, *c'est comme si vous cherchiez à vous entretuer et à vous suicider.*

C'est savoir que ce que vous faites toutes ensemble est la construction la plus fragile qui soit, cassante comme du verre filé, animée par la magie et l'abandon, votre corps faisant des choses dont votre tête le sait incapable, vos corps soudés pour défier la pesanteur, la logique, la mort elle-même.

S'ils vous disaient tout cela, jamais vous ne deviendriez une cheerleader. Ou peut-être que si.

Le matin, il me faut un long moment sous la douche pour refaire circuler le sang. Pour réveiller ma peau à coups d'épingle. Pour me mettre dans l'état d'esprit du match.

Je m'attarde sous le jet revigorant, j'examine mon corps, je compte les bleus. Je touche tous les endroits sensibles. J'observe le tourbillon à mes pieds.

En fait, j'essaie juste de trouver du courage.

Je me dis : *C'est mon corps, je peux lui faire faire des choses. Je peux le faire bouger, se renverser, voler.*

Après la bourrasque du sèche-cheveux, je rassemble ma chevelure et j'y glisse des épingles, l'une après l'autre, pour la maintenir en place.

Je reste plantée devant la glace, le visage nu, rougi, tendu.

Lentement, mes mains se lèvent, la bombe de laque collante, les pinceaux poussiéreux, les crayons gras s'agitent devant mes yeux, des traits fuchsia barrent mes joues, mes cils sont raides, d'un noir brillant, mes cheveux durcis luisent, truffés d'épingles.

La brume parfumée, épaisse dans ma gorge, retombe.

Je me regarde dans le miroir.

C'est enfin moi, je ne ressemble à aucune personne que j'aie jamais vue.

« C'est le grand jour ! À mort les Celts ! » hurle la banderole tendue au-dessus de l'entrée de l'école ; un aigle en papier aux ailes levées et raides se dresse derrière.

Je sens mon cœur s'élever jusqu'à lui.

La matinée s'écoule, sans aucun signe de Beth, et la Coach s'est fait porter malade. Tout le monde ne parle que de ça.

Elle nous a déjà abandonnées deux fois, trois fois. On perd le compte.

Elle ne s'intéresse pas à nous.

Elle nous hait.

« Qu'est-ce qu'on a fait de mal ? sanglote la jeune recrue, le visage appuyé contre la porte de son casier. Qu'est-ce qu'on a fait ? »

Les cours défilent sans même m'effleurer, et Tacy, pâle comme un linge, évite de croiser mon regard.

Je pense à des choses, aux abîmes et à son regard obséquieux, je me dis que je ne cillerai pas. Je ne peux pas.

À quinze heures quinze, nous sommes dans le gymnase, en train de faire des bonds.

« Une recruteuse sera là ! braille RiRi. Attendez un peu qu'elle voie ce qu'on sait faire ! »

Tout le monde hurle.

Et c'est comme si je sentais la main de Dieu. Que ferais-je sans tout cela, car je suis là, propulsée vers les cieux, les pieds appuyés sur les épaules noueuses de Mindy, ou sur le sol, genoux verrouillés, soulevant Brinnie Cox, ses pieds agiles dans ma paume, pour la hisser directement vers Dieu.

Cette sensation, c'est le plus grand cadeau de Dieu.

Comme l'Adderall. Trouvé ce matin au fond de ma poche de sweat-shirt, vestige d'un très ancien geste de générosité de Beth ; il galope en moi et je sais que je peux tout faire.

Quand vous n'avez rien en vous, vous sentez mieux chaque chose, et vous sentez que vous pouvez tout contrôler.

Avec Jésus dans mon cœur et avec cette déflagration sismique, qui pourrait interrompre mon ascension ? L'une des nôtres ?

Dans les vestiaires, quarante minutes avant le match, nous sommes pailletées comme des show-girls de Las Vegas. L'atmosphère est envahie par les effluves de Biofreeze, de baume du tigre, de laque et de noix de coco des crèmes autobronzantes ; c'est comme se trouver dans un doux cocon de sucre et d'amour.

RiRi brandit son fer à friser à la manière d'un cow-boy pour donner un mouvement d'hélice à sa queue-de-cheval.

Paige Shepherd, son visage bronzé rehaussé d'un tatouage temporaire, lève haut la jambe, pivote et retombe dans les bras de Mindy, ses poignets sont enveloppés de ruban adhésif noir semblable à des manchettes de gladiateurs romains.

Voyez Cori Brisky qui masse ses poignets engourdis avec du Flexall, son sourire dévoile toutes ses dents, aiguisées, et je sais qu'il y a en elle une princesse de la jungle avide de sang chaud.

Voyez Emily elle-même, commotionnée, notre cama-
rade tombée, les doigts brillants enduits d'Icy Hot qu'elle
étale sur les omoplates robustes de Mindy, en lui murmu-
rant à l'oreille.

Et puis, il y a moi. Si vous pouviez me voir : grande,
solide, lumineuse et puissante, exécutant mes flips arrière
sur le carrelage glissant, n'ayant peur de rien, de personne.
Essayez un peu de m'arrêter pour voir.

Voilà ce que les gens ne comprennent jamais : ils nous
voient comme de jolies petites choses, laquées et brillantes,
constellées de paillettes, et ils rigolent, ils se moquent, ils
s'excitent. Ils passent à côté de tout.

Vous voyez ces paillettes, ces poudres brillantes... Ce
sont des peintures de guerre, des plumes et des griffes, un
sacrifice humain.

Mais où est notre chef redoutable ? Les deux ?

Nous avons besoin de quelqu'un pour rassembler toute
cette énergie fiévreuse, pour réunir tous ces organes qui
palpitent en un seul corps puissant et invincible.

Et si ce quelqu'un, c'était moi ?

Passant d'une fille à l'autre, je caresse des dos, je fais des
tresses, j'applique du baume du tigre, je prononce des
paroles de ralliement. *Allez, les filles, on va leur montrer ce
qu'on sait faire.*

Je m'adresse même, pour la toute première fois, à la
nouvelle recrue, celle qui devra voler ce soir si Beth ne se
montre pas, celle qui tremble comme un petit poussin.

Je sais que je peux la tenir à bout de bras.

Ce n'est pas une fille, mais un papillon posé sur mes
doigts.

Mais à cet instant, les portes de derrière claquent, des cris jaillissent en rafale, des braillements de sales gamines, et le petit agneau se réfugie sous mon bras. En me retournant, je sais que je vais la voir.

Beth.

Elle bondit sur le banc des vestiaires, les paupières couvertes de paillettes bleues, et elle projette sa voix rauque vers le faux plafond.

« Salut, les allumeuses ! » Ses pieds font trembler le banc. « Notre recruteuse, la recruteuse des régionales, je la sens tout près, qui attend. Et elle est prête à se faire sauter ! »

Notre surprise s'exprime par un hoquet sonore plein de jubilation.

« Je viens de traverser le gymnase pour jeter un coup d'œil à l'équipe des Celts et j'avoue que je n'ai jamais rien vu d'aussi épouvantable. Des filles avec des côtes en accordéon, deux ou trois patineuses style goudou avec des jambes comme des troncs d'arbre avec l'écorce et des têtes à la Charlie Brown. Et ces basketteuses qui piaillent en se prenant pour les reines du monde ? Pathétique. »

Toutes les filles, survoltées, tournent autour de Beth, comme dans le temps, quand elle se pavanait en exhibant ses tatouages bleus des Eagles :

« Vous savez qui c'est, les stars ? C'est nous. Pourquoi ? Parce qu'on ne s'amuse pas à lancer en l'air une putain de balle en caoutchouc. Vous savez ce qu'on lance en l'air, nous ? Des filles vivantes ! Qui est-ce qui vole ? Nous ! Qu'est ce qu'on balance vers les tribunes ? Nous ! »

J'entends le petit hoquet d'Emily dans mon dos, les cliquetis de son attelle, et le cri étouffé de la nouvelle.

337

« Ce soir, vous devez leur faire la peau, dit Beth, un bras levé, ses tempes et son cou palpitant. Sinon, je vous promets qu'elles ne vous louperont pas. »

Un nuage noir passe au-dessus de Beth et commence à se répandre parmi nous. Nous la laissons faire.

« Bras toniques. Genoux verrouillés. Regardez la foule comme si vous alliez leur offrir l'orgasme de leur vie ! »

Les sentiments qui traversent la pièce sont complexes et inflammables, et aucune d'entre nous, pas même moi, ne peut tous les nommer. Tout en Beth, dans son énergie sombre, est à la fois repoussant et fascinant...

« Les soutiens, gardez les yeux fixés sur votre voltigeuse, elle est à vous. Serrez-la contre votre cœur. Si vous la lâchez, il y a aura son sang sur le tapis. Elle a besoin de vous. »

Toutes les queues-de-cheval s'agitent à l'unisson, comme si elles savaient, comme si chacune d'entre nous savait ce que Beth, les veines saillantes sur ses bras tendus, veut dire ou pourrait vouloir dire.

« Toi, la nouvelle, dit-elle en pointant son doigt de sorcière sur le yearling blotti sous mon bras, parce que personne ne connaît vraiment son nom. Si tu te plantes, tu nous plantes toutes. Alors tu ne te planteras pas. »

La nouvelle secoue la tête, on dirait qu'elle va pleurer.

« Petite, reprend Beth, il est temps que tu sortes de ton œuf. Montre-moi que tu as des dents maintenant. » Elle glisse ses doigts sous le débardeur de la gamine pour l'obliger à monter sur le banc avec elle. « Ce soir, c'est le grand soir. Tu vas briser ta coquille. »

Beth la coince sous son bras bronzé en la toisant, c'est tout juste si elle ne lui lèche pas le visage.

« Alors tonifie tes muscles, rassemble ton courage. On est là pour les enterrer. On est là pour creuser leur tombe au coup de sifflet final. »

Elle tape du pied pour faire vibrer le banc, et nos corps avec.

« C'est le jour de la récolte, les filles ! » Sa voix crépite comme un éclair. « Quand le blé est mûr, il faut en mettre un coup. »

Je me laisse presque convaincre par le vaudou pompeux de Beth.

Notre capitaine, semblable à la Beth d'avant, notre noble, fière et valeureuse Beth, et cette Beth également, une guerrière presque vaincue, mais pas totalement, jamais.

De cette poignée, cette heureuse poignée, pourrait-elle dire, *de cette bande de sœurs. Car celle qui aujourd'hui verse son sang avec moi sera ma sœur pour toujours.*

Ne pourrais-je pas me contenter de ça pour ces deux heures ?

Mais Tacy arrive en bredouillant, en retard, le visage encore marbré de bleus, le regard éteint, maudite.

Et tout me revient.

Y compris la sensation de mon pied sur son visage, ce qu'elle m'a obligée à faire.

Ce sentiment, cette extase, ce n'est pas réel. C'est cet amour de Jésus qui m'a envahie, et j'entends par là l'Adderall, l'Hydroxycut Pro Clinical avec des extraits de thé vert et le régime exclusivement composé de sucettes de hoodia.

Et surtout, l'extase qui provient des réserves obscures de Beth.

Je n'en veux pas.

Dix minutes avant le match, et pas de Coach pour contrôler l'équipe, tout le monde enfreint les règles en sillonnant le haut des gradins pour essayer de repérer la recruteuse.

Assise dans les vestiaires, j'essaie de me concentrer.

RECRUTEUSE ! 3ᵉ rang en partant du haut à g. femme avec casquette + lunettes miroir ! m'envoie RiRi.

J'entends des bruits dans la rangée suivante. C'est Beth, les mains dans son casier, qui retire tous ses bracelets de l'amitié et resserre sa queue-de-cheval bien raide. Les yeux fixés sur son reflet dans son miroir autocollant, le visage bleu, effrayant.

Sans cet angle de la porte de son casier et la façon dont les lumières du parking entraient par les fenêtres hautes, je ne l'aurais peut-être jamais vu.

Mais je l'ai vu.

L'éclat brûlant d'un mauvais œil, caché entre une pile d'élastiques à cheveux et de socquettes.

Un bracelet Hamsa. Le bracelet Hamsa de la Coach. Mon bracelet Hamsa.

Mes mains sur ses bras enduits de beurre de karité, je l'attrape par surprise et la fais se retourner.

« Et alors, tu pensais que je ne viendrais pas ? » dit-elle. Tout son sang est monté dans ses joues et ses tempes. « Jamais je ne laisserais tomber l'équipe. »

Ma poitrine tangue. D'une main je me saisis du bracelet, de l'autre, je la pousse dans les douches.

« C'est toi. C'est toi qui l'as pris. Tu as menti ! » Ma voix haletante résonne conte le plafond suintant. « Il n'a jamais été dans l'appartement de Will, hein ?

— Non, répond-elle avec un drôle de sourire qui ressemble à un bégaiement. Bien sûr que non.

— Pourquoi tu m'as dit que la police l'avait trouvé ?

— Pour que tu comprennes. Elle te cachait tout. Elle ne s'est jamais intéressée à toi.

— Mais tu l'as volé. Tu voulais essayer de le mettre quelque part, dis-je en la serrant si fort que je sens un de mes ongles qui commence à céder. Bon Dieu, Beth.

— Oh, Addy, dit-elle sans cesser de rire, en balançant sa tête d'avant en arrière. Je l'ai pris il y a longtemps. La fois où on a dormi chez elle. »

J'y repense maintenant. Cette soirée lointaine, la fête au Comfort Inn. Beth, le chaton blessé. Ces heures pendant lesquelles je l'avais abandonnée sur le canapé de la Coach, la laissant libre de rôder dans la maison, de se faufiler comme une vipère. Des ombres furtives toute la nuit.

« Mais c'était avant tout ça, dis-je. Pourquoi ?

— Elle ne le mérite pas, dit Beth d'une voix qui monte, éraillée, d'où le rire a disparu. Elle l'avait lancé sur un rebord de fenêtre, comme une vieille éponge. Elle ne le méritait pas. »

Elle se libère en se débattant et me repousse brutalement, son visage n'est plus qu'une tache bleue.

« Maintenant, son temps est écoulé, dit-elle d'un ton grave et menaçant. Elle va voir de quoi je suis capable. »

Son visage est tout près du mien, des étoiles filantes peintes balafrent ses tempes, elle s'est chauffée avec ses propres paroles. Mais je sens quelque chose d'humide et froid, de moisi, sur elle, comme si elle avait dû ramper dans une terre riche. Comme s'il ne lui restait presque plus rien.

Ça signifie que c'est mon heure.

« Tu n'iras pas voir la police, dis-je, du ton le plus froid, le plus dur dont je sois capable. Tu n'as jamais voulu y aller. Tu ne veux pas qu'ils découvrent ce que tu as fait. »

Peut-être pensais-je ne jamais revoir de l'étonnement sur son visage, mais il est là. Il me fait presque peur.

« Ce que j'ai fait ? dit-elle. Je t'ai accordé la foutue journée que tu voulais et tu t'en es servie pour la laisser cracher un peu plus de venin dans ton oreille. Quand je pense à l'emprise de yogi que cette salope a sur toi, j'ai envie de gerber.

— Beth, je sais tout maintenant, dis-je en me rapprochant d'elle pour la toiser. Tu as utilisé Tacy pour envoyer cette photo de toi avec Will au mari de la Coach. Tacy m'a tout raconté. »

Une ride de panique apparaît sur son grand front, son dos frotte contre le rideau en vinyle, et soudain je m'aperçois que je mesure douze centimètres de plus que cet arbuste, ce petit Napoléon. Je ne l'avais jamais ressenti.

« Slaussen, j'aurais dû m'en douter, dit-elle avec un sourire ironique. Je n'ai jamais vu un renard manger un lapin. J'aimerais bien. Elle avait quel goût ? »

« Tu espérais que Matt French te prendrait pour la Coach en voyant cette photo ?

342

— Je me foutais de ce qu'il pensait, répond-elle en redressant le menton et en semant des graviers dans sa voix. Tout ce que je voulais, c'était me débarrasser d'elle. Il fallait bien que quelqu'un nous... »

C'est comme ça parfois avec Beth et moi, la proximité qui naît du fait d'être main dans la main, bras dessus, bras dessous, corps à corps, toujours à nous assurer mutuellement. Je connais son corps, la façon dont il bouge, ce qui la fait trembler.

« C'est toi qui as provoqué tout ça, dis-je en resserrant l'étau de ma main. C'est toi. »

Elle immisce ses doigts entre les miens, repousse la main qui tenait ses cheveux, et elle roule des yeux avec une magnitude comique.

« Nom de Dieu, ne me dis pas que le mari de la Coach a cru que sa femme se faisait baiser par le recruteur de la Garde nationale ? Oh, attends un peu... C'était *vrai*.

— Tu as tout déclenché », dis-je. Puis j'abats une autre carte cachée. « Tu savais que la Coach était avec le sergent ce soir-là. Prine m'a tout raconté. »

Elle ne dit rien, elle se contente de me regarder, les peintures de guerre bleues hurlent de colère.

Je reprends : « Si tu voulais me convaincre que la Coach avait tué Will, pourquoi tu ne m'as pas dit qu'elle était là-bas ? »

Puis je comprends.

« Tu avais peur que je le dise à la Coach. Que je la prévienne.

— Je n'avais pas *peur* que tu la préviennes. Je *savais* que tu le ferais. Tu es sa petite chérie, depuis le début. »

343

Je la pousse à l'épaule et elle rit, un rire douloureux, un rire qui me rappelle les pires moments de Beth, les moments les plus effrayants, après de mauvaises nuits avec des garçons ou avec sa mère. J'essayais de dire des choses tendres et elle riait, ce qui était sa façon de pleurer.

« Prine fera ce que je lui demande, Addy, dit-elle en refermant sa main sur la mienne, en l'enfonçant dans son épaule saillante. Il pense que je pourrais l'accuser de viol sur mineure.

— Tu savais depuis le début, dis-je en sentant ses veines battre sous mon étau. Tous tes mensonges…

— Mes mensonges ? Tu n'as jamais cessé de me mentir. Tu n'as fait que ça. Mais tu as toujours été le renard. D'une froideur de pierre.

— Je vais tout dire, Beth ».

C'est comme si j'avais de la fièvre dans le cerveau, ou Jésus dans mon cœur, mes mains se sont posées sur elle de nouveau, je plaque ses épaules contre le carrelage de la douche, ses yeux envoient des éclairs, sa bouche dessine un rictus.

Elle essaie de sourire, mais il y a de l'effroi dans ce sourire. Pousse plus fort, pousse plus fort.

« Qu'est-ce que tu peux dire ? Tu as juste Slaussen, c'est tout, réplique-t-elle. Tu crois que je ne suis pas capable de regagner son petit cœur de lapin ? J'y ai planté mes deux dents de devant. Et je peux raconter certaines choses sur elle, sur la Coach, sur toi… »

Ma main gifle son visage, si vite que j'en ai le souffle coupé.

344

Mais elle ne cille pas. Son regard s'assombrit, et elle glisse le long du mur, en frottant son visage contre le carrelage humide, effaçant son masque pailleté.

Elle ne dit rien pendant un long moment, et le silence pèse des tonnes. Je ne sais pas quoi faire, à part écouter le bruit de ma respiration.

« Il disait qu'il s'écœurait à cause de ça, lâche-t-elle, tout doucement, énigmatique. »

Il me faut plusieurs secondes pour comprendre qu'elle parle de Will.

« Comme si j'étais une chose dégoûtante qu'il avait faite. »

Elle glisse sa main derrière sa tête et la masse avec une douceur inquiétante, comme si elle se mouvait au ralenti. « De quel droit est-ce qu'il me traite de dégoûtante ? »

Des paillettes tombent de ses cils.

Je repense à cette photo de tous les deux, l'expression de Will.

« Tu aurais dû voir comment il me regardait après, dit-elle. Comme tu me regardes maintenant. »

Je ne sais pas quoi répondre.

« Et puis je l'ai vu avec la Coach, dit-elle. La façon dont ils jubilaient en baisant. Ils étaient totalement captivés l'un par l'autre, et toi tu étais captivée par eux. Par elle. »

Il y a en moi une chanson secrète qui parle d'une ancienne Beth, une Beth de cour d'école, de terrain de jeu, de sac de couchage et de vélos ornés de fanions. La Beth qui ne voulait jamais coucher chez Katie Lerner et qui m'attendait toujours devant chez moi le soir quand je rentrais des grandes vacances. La Beth qui, menton à la hauteur de mon épaule, veillait toujours sur moi, comme moi sur elle. Nos deux corps imbriqués.

« Mais tu peux tout arrêter, Beth. Tu peux arrêter tout ça. »

Quelque chose s'éveille sur son visage et elle regarde mes mains couvertes d'une couche de paillettes, serrées autour de ses bras.

« J'ai fait tout ça pour toi, dit-elle. Je l'ai fait pour toi, Addy. Quelqu'un devait le faire. Et ça a toujours été moi. »

Je laisse retomber mes mains et je la regarde, sans trop savoir quoi faire, ni ce qu'elle veut dire.

« Le plus drôle, Addy, c'est que c'était toi la plus dangereuse, en réalité », dit-elle d'une voix plus ferme, en reprenant des forces.

Elle passe devant moi et, la paume plaquée sur son oreille gauche scarifiée, elle ajoute : « C'était toi, la plus dure, la plus cruelle. Le renard. Simplement, tu refusais de l'admettre. Tu as toujours fait tout ce que tu voulais. C'était toujours toi. »

Et elle s'en va.

Je l'entends traverser les vestiaires en sifflotant, et sa voix, lugubre, mais sonore maintenant.

« Une flèche dans le carquois, chantonne-t-elle. À couteaux tirés… »

31.

Nous sommes disposées en phalange, sur quatre rangées. Oh, ce rugissement, si vous saviez. C'est comme se trouver au creux du vacarme, submergé par ce vacarme.

Nous sommes des soldats rassemblés. Mes yeux nous balaient à toute vitesse : quinze reproductions de la même fille aux yeux brillants, débardeur bleu nuit et minijupe ourlée d'argent, jambes fines et baskets immaculées, cheveux tirés en arrière, attachés en queues-de-cheval uniformes, nœuds bleus scintillants.

Nous avons toutes le regard fixé sur la femme à la casquette rouge et aux lunettes miroir, en haut des gradins, sur la gauche. Qu'elle soit la recruteuse ou pas, nous lui donnons tout.

RiRi, superstitieuse, chantonne « *Jesus on my necklace, glitter on my eyes* », en cognant ses jointures contre les miennes.

Le martèlement de nos trente pieds réunis, qui résonne en nous, tandis que nous formons un V en ondulant.

Beth est à la pointe du diamant, le visage zébré de traînées indigo, et, vue de loin, elle n'a jamais autant ressemblé à la princesse sauvage qu'elle est, on pourrait croire qu'elle porte un collier de langues humaines autour du cou.

« Rompez le V ! » crie-t-elle en écartant son index et son majeur au niveau de ses hanches. Mettez le point sur le « i », et elle fait glisser ses doigts vers le bas, cuisses vibrantes. « Balancez le C-T-O-R-Y ! »

En la voyant comme ça, en la voyant avec ses baskets blanches éclatantes sur le parquet du gymnase, les jambes et les bras unis, le menton dressé fièrement vers la foule surexcitée, leurs hurlements et leurs pieds qui frappent le sol, je ressens toutes sortes de choses que je ne peux pas nommer.

Son visage est si beau, avec ce sourire de lutin parfaitement sculpté, et ce tatouage en forme d'éclair qui traverse sa pommette saillante.

À son poignet, elle porte le Hamsa, ramassé sur le sol des douches.

Nous avançons en formation, en secouant la tête et en tapant du pied, en rangs par quatre, cinq, six, le diamant se divise.

« On va écraser les Celts. »

« Nous mourrons pour toi, avant tout. »

« Non, c'est pas ça, gémit Brinnie Cox, comme si Beth s'était trompée dans le texte.

— Nous mourrons pour toi, avant tout », répète Beth.

Ces paroles, je les connais, mais je ne sais pas comment et je n'ai pas le temps d'y penser.

RiRi, Paige et moi fonçons vers les coins les plus éloignés du tapis pour le traverser en faisant des acrobaties ; tout le monde défile devant moi à toute allure, le bruit est comme un océan dans mon oreille.

Je me réceptionne et Beth est là ; je prends ma place, Mindy et Cori la soulèvent, chacune prend une jambe, ses pieds reposent dans leurs mains, elle a les bras en V.

Beth crie, je lève les yeux, son menton tremble, son cou palpite.

Elle pleure, mais moi seule peux le voir. Je suis la seule à l'avoir déjà vu. Son visage ressemble à un objet précieux fendu en deux. Un diamant craquelé, une fissure qui se répand.

Le cri perçant de Tacy me parvient : « La Coach ! La Coach ! »

Je tourne prestement la tête, je n'en crois pas mes yeux, mais elle est bien là, en sweat-shirt à capuche et pantalon de yoga en chanvre, les cheveux relevés sur la tête en un chignon serré.

La Coach.

Oh, ma Coach.

Et elle dit quelque chose, ou bien elle ne dit rien du tout, mais nous savons quoi faire et nous réalisons nos flips arrière avec une harmonie parfaite, des soldats symétriques bien alignés, puis le coup de sifflet retentit, et les joueurs entrent en bondissant, nous fonçons vers elle.

Nous fonçons vers elle.

Je vois Beth et son visage brisé, mais je ne peux pas l'aider.

Je ne peux pas.

C'est une confusion enivrante, le vacarme des pieds des joueurs qui martèlent le plancher, et la Coach qui est là, qui pose doucement la main derrière nos têtes, allant même, dans un geste qui lui ressemble si peu, jusqu'à tirer sur les nattes blondes de Mindy, et quand retentit la corne annonçant la mi-temps, j'ai totalement perdu Beth.

Dans les vestiaires, les grandes fenêtres ouvertes par la Coach à l'aide d'une baguette métallique purifient l'air.

Nous ne sommes pas vraiment à genoux, mais nous avons cette impression. Nous avons l'impression d'être à genoux, tels des joueurs de football du Sud très croyants.

Nous nous inclinons toutes intérieurement devant elle.

Coach, vous ne nous avez pas abandonnées.

« Je suis heureuse d'être ici », dit-elle, et même si elle parle tout bas, malgré le chaos prétentieux qui provient de la salle, nous l'entendons, nous entendons chaque battement.

« J'ai de la chance d'être en votre compagnie, ajoute-t-elle. Et je parle de vous toutes. Vous êtes des femmes fortes. »

Ma gorge se serre. *Coach.*

Je sens une main se refermer sur mon bras, c'est RiRi, ses boucles tremblent, et à côté d'elle, Emily, toujours plâtrée, à moitié appuyée contre les casiers, et nous toutes debout, tendant le cou, regroupées autour des yeux clairs de la Coach, de son visage clair, de sa voix claire.

Pourquoi ces choses qui nous feraient rire en dehors d'ici, qui provoqueraient nos moqueries et notre mépris, nous émeuvent-elles autant dans ces vestiaires ? Parce que c'est la Coach.

« Pour toutes sortes de raisons, dit-elle d'une voix qui tremble de manière si légère que je suis sûre d'être la seule à m'en apercevoir, nous nous souviendrons toutes de cette soirée. »

Nous nous avançons en cercle, pour réchauffer nos mains, nos corps.

« C'est le dernier match de la saison, après tous ces mois de sueur et de sang. Et après tout cela, je veux que vous soyez capables de vous exprimer avec fierté, de retrousser vos manches pour montrer vos cicatrices, de parler de ce que vous avez fait ce soir. »

Ses paroles vibrent en moi, jusqu'au point le plus profond.

« Une fois cette soirée terminée, dit-elle en élevant la voix, quand vous aurez obtenu votre diplôme et que vous serez parties à l'université, ou ailleurs, dans dix ans, votre fille prendra votre album de photos des Eagles sur l'étagère et vous demandera comment vous étiez au lycée.

« Vous ne serez pas obligées de tousser, de détourner le regard et de répondre : "Eh bien, ma chérie, ta maman faisait partie du Club de français et chantait dans la chorale." Vous ne serez même pas obligées de dire : "Ta maman agitait des pompons en remuant son cul." Car vous saurez ce que vous étiez, ce que vous serez toujours.

« *Prenez cet instant* et scellez-le dans votre cœur. »

Le calme parmi nous, le silence pieux commence à se fissurer, nous nous sentons transportées, les sentiments, les halètements, les cris d'impatience, les *yeah !* plus rauques, et les bruissements, les grondements et, surtout, ce sentiment de grandeur qui monte de l'intérieur et s'élève très haut.

« Vous regarderez votre fille droit dans les yeux et vous lui direz : "Ma chérie, ta maman est montée jusqu'au toit. Ta maman a soulevé trois filles dans ses mains, sans jamais cesser de sourire", dit-elle, et nos voix forment un aboiement, ensemble.

« "Ta maman a construit des pyramides et elle a volé dans le ciel, et là-bas, à Sutton Grove, ils parlent encore des merveilles qu'ils ont vues ce soir-là, ils racontent encore comment ils nous ont vues atteindre les cieux."

« Vous ne voulez pas être capables de leur dire ça ? »

Nos êtres intimes, en pleine ascension magnifique, et un fracas lorsque certaines filles sautent sur les bancs, en criant, submergées.

Mais pas moi… Moi qui veux me délecter éternellement du caractère sacré de cet instant.

« Vous avez peut-être des corps de jeunes filles, reprend-elle d'une voix grave et bénite, mais vous avez des cœurs de guerrières. Ce soir, montrez-moi vos cœurs de guerrières.

« C'est tout. »

Sur ce, elle pousse les portes des vestiaires pour ressortir dans le couloir violemment éclairé.

Mais au lieu de tourner vers le vacarme du gymnase, où l'excitation s'est transformée en folie, elle marche droit vers les portes du quai de déchargement et la nuit étoilée.

C'est comme quand vous avez de la fièvre, et vous ne savez pas ce qui s'est passé, ni ce que signifiaient toutes ces voix dans votre tête, mais l'équipe des Celts effectue son programme de la mi-temps, et je vois juste des corps qui volent, des cris, et une impression grandissante de champ de bataille jonché d'ennemies sur lesquelles nous allons marcher.

Et je m'aperçois, Beth ayant disparu de nouveau, que je ne sais même pas qui est la Top Girl.

« Il faut que ce soit la nouvelle, hein ? chuchote RiRi. C'est elle qu'on va lancer en l'air, non ? »

Mais nous n'avons plus le temps, voilà que déjà nous courons sur le parquet du gymnase, et je sens mon corps exécuter un flip et les jambes de Brinnie Cox vriller à côté de moi, et soudain, nous en sommes à vingt secondes et je m'entends crier :

… shah shah shah shah shah booty
Clap-Clap-Clap
shah shah shah shah shah booty

Je cherche la nouvelle, mais je ne la vois pas.

Pas besoin de musique
Pas besoin d'orchestre.
Tout ce qu'il nous faut, c'est des fans qui tapent dans leurs mains !
Shah shah shah shah booty

Je la sens avant de la voir.

Cheveux bruns scintillants, l'éclair marqué au fer rouge sur son visage.

Beth, à la place de la nouvelle. En position de voltigeuse pour le deux-deux-un.

Si vous pouviez comprendre comment le temps peut s'arrêter, c'est ce qui m'est arrivé.

Mindy me tient par la taille, mes mains agrippent des épaules molles, mon orteil se glisse dans le creux de son genou plié, je pousse avec mon pied droit et lève mon autre genou, le plus haut possible, pour l'appuyer sur son épaule, assurée par Paige au-dessous, je balance mon autre pied.

RiRi et moi sommes face à face, les pieds fixés sur les épaules de Mindy et de Cori ; leurs mains enserrent nos chevilles.

Je crie : « Qui compte ? »

Shah shah shah shah booty

Emily longe le premier rang en traînant son attelle, le regard avide, libérée de sa peur.

« Moi ! s'écrie-t-elle. Je vais compter. Personne ne sait le faire aussi bien que moi. Personne... »

Nous sommes maintenant à plus de trois mètres du sol, mes yeux sont fixés sur les yeux verts et affolés de RiRi, son visage peint en bleu cobalt, extatique, sa bouche qui articule : « B-E-T-H ! »

Shah shah shah shah booty.

« Un-deux, trois-quatre. »

Le compte acharné d'Emily est une pulsation dans mon cerveau, un marteau qui frappe mon cœur.

Toute la pyramide ondule, élastique comme il se doit, créature vivante, cœur qui bat.

En bas, je vois les cheveux noirs de Beth ; elle rejette la tête en arrière, les yeux fermés de toutes ses forces.

Je mourrai uniquement pour toi, par-dessus tout.

Voilà ce qu'elle avait dit, je m'en souvenais maintenant, il y a longtemps. À l'âge de neuf ou dix ans, alors qu'on feuilletait un album de *Time-Life* dans la bibliothèque de mon père, une vieille photo d'un pilote japonais en train de nouer son bandeau autour de sa tête, le regard déterminé, mâchoire serrée.

Et la légende : « Je mourrai uniquement pour toi, par-dessus tout. »

Beth adorait cette photo, elle avait déchiré la page et l'avait collée à l'intérieur de son casier avec du latex liquide. À la fin de l'année, nous avions essayé de la retirer, mais elle s'était déchirée, sans que Beth puisse rien y faire.

Je mourrai uniquement pour toi, par-dessus tout.

Six mains sur elle, et elle se trouve propulsée entre RiRi et moi. Allongée, les bras écartés, et nous la redressons en position verticale.

Je refoule les sinistres mises en garde d'Emily décrivant ce qu'elle voit des gradins quand nous nous élançons dans le vide, au mépris de la pesanteur, de la logique, des lois de la physique elles-mêmes, je sais que je ne dois penser qu'à une chose : le poignet de Beth dans l'étau de ma main...

Un

Shah shah shah shah booty.

... je la fais basculer vers l'avant, je la ressuscite, je la soulève encore et l'immobilise, bras écartés comme les branches d'une étoile.

Deux
Shah shah shah shah booty.

Je sens battre les veines de Beth sous mes doigts, le rythme est trop lent, et je me dis...

Trois
Tu n'y arriveras pas

... ses Puma en équilibre sur les mains jointes au-dessous, une corde raide pincée, et elle sourit, oh, elle sourit.

Attendant qu'Emily compte HUIT, puis le SAUT DE LA MORT, nous lâchons les poignets de Beth, elle bascule en arrière, les membres écartés, dans les bras qui attendent en bas... voilà ce qu'elle va...

Quatre
Tu n'y arriveras pas, tu n'y arriveras pas, tu n'y arriveras pas.

Elle est tellement haut, cinq mètres, six, sept, mille... et toute la salle qui vibre sous les applaudissements et les cris, son corps raide comme une flèche ardente, quand, soudain, je sens qu'elle arrache son poignet à ma prise.

Mon corps bascule vers l'avant, mais Mindy, terrorisée, m'a retenue, et RiRi cafouille en voulant tenir l'autre poignet de Beth.

Mes yeux ne quittent pas Beth, je crois que je l'appelle, son nom reste coincé dans ma poitrine, elle ne se retourne pas, elle ne peut pas là ou elle est...

Cinq
... et je sais que je ne vais pas pouvoir la retenir, il est impossible de la retenir.

Après tout, c'est ce qu'elle veut.

Six et... Avec deux temps d'avance, elle se propulse en arrière, avec une force incroyable.

Le hoquet de stupeur venu des gradins fouette l'air.

La puissance avec laquelle elle lance son corps en arrière.

La force avec laquelle elle vrille son corps, le fait tournoyer, avant de balancer ses jambes.

RiRi et moi, nous chancelons sur nos bases, nous manquons de tomber l'une sur l'autre…

… toutes nos mains se saisissent d'elle, et la volonté avec laquelle Beth projette son corps, en balançant les jambes, si loin en arrière.

Je n'ai plus d'air dans les poumons, il n'y a plus aucun bruit dans le monde.

Pendant une seconde, son corps semble se soulever, danser jusqu'au toit, puis tout bascule, tous nos corps plongent dans le vide, et je me sens tomber, je sens Beth tomber.

On dirait qu'elle ne pèse plus rien, et qu'elle ne va jamais atteindre le sol, jusqu'à ce qu'elle atterrisse.

Avec un craquement à vous soulever le cœur, et sa tête qui se tord en arrière, comme une tête de poupée.

Mais il faut le comprendre :

Elle n'a jamais voulu autre chose.

Les abîmes te contemplent, Addy.

32.

Je suis assise dans l'aile est de l'hôpital, dans une salle d'attente, derrière un mur de pavés de verre.

La mère de Beth apparaît sur le seuil peu après vingt et une heures, elle lance son sac à main Coach couleur fauve sur la banquette et laisse éclater des larmes tachées d'encre qui semblent jaillir par saccades depuis des heures.

Elle parle tristement de ses échecs, de ses faiblesses, et surtout de la vie difficile des jolies filles qui ne connaissent pas leur chance.

Finalement, elle s'endort à force de pleurer, enfoncée à l'intérieur de son manteau telle une chauve-souris en plein sommeil.

Je m'éloigne de trois sièges.

Le téléviseur, perché dans un coin, diffuse des images de Beth emmenée sur une civière, un bras pendant dans le vide.

Viennent ensuite les interviews, et la tête de lapin de Tacy Slaussen.

« Je veux juste que tout le monde sache qu'on réussit toutes nos figures d'habitude, dit-elle en tirant sur sa queue-de-cheval et en montrant toutes ses dents. Mais bien sûr, ça peut être dangereux. L'autre jour, je me suis blessée. C'est moi qui aurais dû être à sa place. »

Emily sanglote à l'arrière-plan.

« Je ne me suis pas trompée en comptant, je ne me suis pas trompée. »

Je lève le bras pour passer sur une autre chaîne, mais Tacy y est aussi.

« Beth nous répétait toujours : vivre, c'est prendre des risques, on peut mourir à tout moment, dit-elle avec ses dents pointues, le front luisant. On s'engage pour ça. »

Brinnie Cox lui succède, en pleurant comme elle a pleuré quelques heures plus tôt quand elle a loupé son test de chimie, et quelques heures plus tôt encore quand Greg Lurie l'a traitée de Petits Nichons.

« Elle est tellement douée, gémit-elle avec des yeux de raton laveur. On se nourrit toutes de sa nature positive. »

Peu de temps après, j'apprends la nouvelle de l'arrestation.

Le bandeau en bas de l'écran indique : *Le mari de la coach des cheerleaders inculpé de meurtre.*

Une façon simple de résumer ce qui est tout sauf simple.

La photo qu'ils montrent semble provenir d'un monde que je ne connais pas. La Coach et Matt French, ivres de joie, un long voile de mariée couleur crème flotte autour d'elle.

Je repense à lui dans le jardin, l'autre jour, immobile. Mais n'était-il pas toujours immobile, une ombre qui passait devant notre énergie extravagante ? C'est étrange de songer à tout ce qui couvait en lui. Ce que nous avions pris pour du vide, de l'ennui, pour un Grand Néant, était tout, en réalité. Un cœur meurtri, furieux.

« C'est quoi, ça, la chaîne des cheerleaders ? » braille un futur père épuisé assis à côté de moi, puis il remarque mon uniforme, les paillettes collées sur ma jambe.

Plus tard, la mère de Beth revient après avoir parlé avec le médecin et fumé douze cigarettes sur le parking.

Elle annonce qu'il s'agit d'une triple fracture du crâne.

« Je l'attendais. » Voilà ce que Beth ne cessait de répéter, couchée sur le sol du gymnase, le regard noir. « Elle est partie où ? »

Jusqu'à ce qu'on l'emmène, en boucle. « Quand va-t-elle revenir ? Je l'attendais. »

Inutile de rester assise là, alors je me rends au poste de police à deux heures du matin et je m'assois.

Une heure s'écoule avant que je voie la Coach, terrée sur le parking de derrière avec un paquet de Kool – le moment se prête mal aux cigarettes aux clous de girofle –, son souffle forme des volutes en forme de dragons.

« Hé ! » fait-elle en me voyant.

Nous nous installons dans ma voiture, ses yeux ne cessent de revenir se poser sur la porte arrière, comme si elle attendait que les flics s'aperçoivent qu'elle ne devrait pas être seule dehors.

Je ne lui parle pas de Beth, je ne lui demande pas si elle est au courant.

C'est à elle de parler maintenant, et elle le fait.

Ce soir-là, comme tous les autres soirs, me dit-elle, Matt travaillait tard et elle n'avait toujours pas de voiture.

Will veut la voir, il en a besoin, véritablement.

Il promet de venir la chercher et de la ramener si elle accepte de venir. Il ne veut jamais rester seul.

Personne n'a jamais eu besoin d'elle à ce point, pas même sa fille. Elle en est sûre.

Une fois chez lui, tout paraît différent. C'est comme ça depuis quelque temps. L'impression que c'est trop, et même effrayant, la façon dont il la serre contre lui, assez fort pour lui faire mal, répétant en permanence qu'elle seule l'empêche de ressentir ce qu'il ressent : comme si son cœur pompait de l'eau pour le noyer.

Et il y a sa façon de s'exprimer, ces derniers temps, l'unique chose à faire, c'est de le serrer dans ses bras. Certains soirs, à force de le serrer de toutes ses forces, elle a des bleus sur la paume des mains.

Ils passent un long moment dans sa chambre, et les choses ne s'arrangent que pendant une très courte minute. Elle prend peur en voyant l'expression de son visage.

Elle s'attarde sous la douche pour lui donner le temps de se ressaisir, pour chasser les horreurs nocturnes de sa chambre sombre.

Mais quand elle arrête l'eau, elle entend un homme qui parle à voix haute. En répétant toujours la même chose. Tout d'abord, elle pense que c'est Will, mais ce n'est pas lui.

Inlassablement, le même rythme, la même impression de colère paniquée, comme son père quand ça avait commencé à ne plus aller pour lui, au travail, avec sa femme, avec le monde, et parfois on aurait dit qu'il allait démolir toute la maison avec lui, la raser, l'incinérer.

Elle suppose que ça passe à travers le plafond ou le plancher. Cela n'arrive-t-il pas dans les appartements, où il n'y a aucune intimité, aucun secret ?

Pendant quelques secondes, elle n'appelle même pas Will, elle se traite d'idiote, tous ces bruits qui résonnent dans ces grands immeubles, comme le son voyage dans les gorges.

Puis le son s'amplifie rapidement, c'est un son familier maintenant, assez proche pour qu'elle puisse le toucher. C'est alors qu'elle enfile son tee-shirt, il lui colle à la peau quelque secondes, car son corps est encore tout mouillé, et elle sort de la salle de bains.

« Will ? dit-elle. Will ? »

Elle sèche ses cheveux en les secouant. Elle a la tête baissée, alors elle ne voit pas comment ça a commencé.

« Je vous en prie, écoutez-moi. Calmez-vous et... »

Will, une serviette nouée autour de la taille, parle à quelqu'un sur le ton qu'elle emploie parfois avec Caitlin quand celle-ci se fait peur toute seule la nuit en voyant des fantômes sous la porte de son placard.

Il y a une autre voix, qu'elle connaît.

« … croyez que vous pouvez faire ce qui vous plaît. Avec la femme d'un autre homme… »

C'est Matt. Comment Matt peut-il être ici ? Elle se demande si elle dort encore et si c'est comme dans un soap-opéra, quand, en sortant de la douche, vous apprenez que tout n'était qu'un rêve.

Matt.

Au début, elle croit que c'est son téléphone qu'il tient dans sa main, la forme noire courbée ressemble toujours à un scarabée dans sa paume.

Elle se souvient d'avoir entendu Will demander : « Comment avez-vous trouvé mon arme ?… »

Will la lui avait montrée la semaine précédente. Il l'avait sortie du tiroir du haut de son bureau en disant : *C'est à ça que doit ressembler la vie ?*

Il l'avait gardée sur ses genoux pendant qu'il lui avouait qu'il détestait la Garde nationale, il détestait tout, sauf elle.

Voilà comment il parlait ces derniers temps, et elle ne voulait pas entendre quelqu'un parler de cette façon, surtout après son père.

Quand elle était au lit avec lui, elle n'avait pensé qu'à ça.

Pendant qu'il dormait, elle avait ouvert le tiroir du bureau, elle avait pris l'arme et l'avait mise dans son sac à main.

Elle l'avait cachée dans son meuble de classement chez elle, tout au fond, derrière les centaines et centaines de photocopies d'enchaînements de cheerleaders. Elle essayait de ne plus y penser. Mais l'arme était là, et, quand elle essayait de dormir la nuit, elle ne pensait qu'à ça.

Mais maintenant, c'est son mari qui a l'arme, et il la tient bizarrement, comme un objet qu'il ne reconnaît pas.

Tout se passe si vite, Will demande à Matt : « Vous croyez que ça m'importe ? Vous croyez que je vais vous en empêcher ? »

Puis Will se jette sur l'arme, et les yeux de Matt se posent enfin sur elle, il la voit plantée là et, brusquement, il revient à lui, il retrouve son équilibre.

Il comprend soudain, mais pas assez vite pour contrer l'attaque.

Les deux hommes sont collés l'un à l'autre, presque comme s'ils s'étreignaient. Oui, on dirait qu'ils s'étreignent.

Tout à coup, l'arme se dresse entre leurs visages, et Will recule en inclinant l'arme vers lui, comme on donnerait le biberon à un bébé.

« C'est fini », dit Will.

Elle n'oubliera jamais ces paroles.

Ni la détonation.

L'éclair qui jaillit de la bouche de Will.

Comme un pétard de feu d'artifice.

Comme si le visage de Will était éclairé de l'intérieur.

Incandescent.

Et Will qui glisse à terre.

C'est un mouvement plein de grâce, une danse.

Elle aurait pu trouver ça beau.

Après cela, elle perd la notion du temps.

Elle se souvient essentiellement de ce sifflement aigu, dont elle finit par s'apercevoir qu'il sort de sa bouche.

Et Matt qui pleure. Elle ne l'avait jamais vu pleurer, même pas à la naissance de Caitlin, quand, assis sur une chaise à côté de son lit d'hôpital, il lui avait dit qu'il n'avait jamais été aussi heureux et que tout irait bien désormais, il y veillerait.

Ensuite, tout est une tache rouge. Matt qui frotte l'arme contre les coussins du canapé, pour effacer ses empreintes.

Elle se souvient d'avoir pensé : *Où a-t-il appris à faire à ça ?* Puis : *N'importe qui sur terre saurait faire ça.*

Elle se souvient qu'il l'avait prise dans ses bras en lui disant des choses, de son visage déformé et rouge, de la peine qu'elle ressentait pour lui, sincèrement.

Elle se souvient d'avoir baissé les yeux et remarqué que les poignets de sa chemise étaient constellés de rouge.

Il avait essayé de la convaincre de partir avec lui, mais elle avait refusé. Peut-être qu'il avait essayé. Elle ne se souvenait plus vraiment de toute cette partie.

Elle se souvient de s'être assise sur le canapé en cuir un court instant, en regardant les grandes fenêtres noircies par la nuit.

Ce n'était pas possible, mais elle pense avoir entendu Matt repartir en voiture, vingt-six étages plus bas.

Elle ne se souvient pas de m'avoir appelée.

Elle n'a jamais regardé le sol.

Quand elle achève son récit, nous sommes assises au bord d'un trottoir, il fait froid, mais nous n'avons pas envie de rentrer, ni l'une ni l'autre.

« Ensuite, je me souviens d'avoir crié : "Comment as-tu pu me faire ça ?" dit-elle avec un soupçon de sourire ironique. Mais auquel des deux est-ce que je m'adressais ? »

Comment as-tu pu me faire ça ? Sait-elle qu'elle le dit encore dans son sommeil ?

« Quand je suis rentrée chez moi ce soir-là, tous les tiroirs étaient ouverts, le meuble de classement renversé sur le sol. Il avait fouillé partout, dit la Coach. Mais j'ignore ce qui a tout déclenché. »

Je ne dis rien.

« Je ne pense pas qu'il ait jamais eu l'intention de se servir de cette arme, ajoute-t-elle. Ce n'est pas son genre.

— Si Matt explique ce qui s'est réellement passé, si vous expliquez tous les deux, dis-je en élevant la voix, peut-être qu'ils le relâcheront. »

Elle pose sur moi un regard las, comme pour dire : *Et après, Addy ? Et après ?*

« J'ai vu son visage juste avant, dit-elle. Le visage de Will. J'ai vu la manière dont il regardait Matt… Moi, il ne m'a pas regardée une seule fois. »

En imaginant Will, je comprends enfin. Je n'ai jamais pu mettre un nom dessus, la façon dont son regard fuyait en permanence, sans jamais croiser le vôtre. En sa présence, on avait toujours l'impression d'une pièce que tout le monde a désertée.

« Ce soir, reprend-elle, juste avant qu'ils viennent l'arrêter, Matt m'a dit : "Ce qu'ils ne voudront jamais croire, c'est qu'il avait envie de mourir." Il a dit : "Colette, ça semble injuste que je sache ça. Que j'aie compris ça. Mais c'est la vérité." »

Elle m'adresse un sourire triste. « Mais tu sais quoi, Addy ? Il a raison. Ce n'est vraiment pas juste qu'il sache ça. »

Son sourire se durcit. « Parce que ça ne m'aide pas. »

Nous restons muettes un long moment.

« Coach », dis-je enfin, surprise par ma propre voix. Puis je lui demande quelque chose, car j'ai l'impression que c'est ma dernière chance de poser cette question. « Je n'ai jamais su pourquoi vous aimez ça. Les cheerleaders. Comment vous en êtes venue à aimer ça ? »

Elle promène son doigt sur sa lèvre supérieure.

« Je n'ai jamais aimé ça, dit-elle en secouant la tête. C'était juste une occupation. Je ne m'y suis jamais inté-ressée. »

Je ne la crois pas.

« Et maintenant, qu'est-ce qui va se passer ? » je demande.

Elle me regarde et éclate de rire.

Quelques jours plus tard, c'est en regardant les infos, une nouvelle habitude, que je découvre les derniers déve-loppements.

« L'enquête a fait un grand bond en avant quand un témoin a identifié Matthew French comme étant l'homme qu'il avait vu sortir en courant de l'immeuble des Tours, le soir du meurtre. Selon certaines sources, le témoin aurait déclaré que, sous les lumières du parking, les vêtements de French semblaient couverts de sang. »

Un secret ne dure jamais très longtemps, et c'est RiRi qui m'apprend qui est ce témoin.

Jordy Brennan, nez crochu et baskets montantes.

En faisant un de ses joggings nocturnes, il était monté presque jusqu'à Wick Park. En voyant les lumières vives du parking des Tours, il s'était arrêté afin de chercher la chanson idéale pour le trajet du retour.

Je me demande quel effet ça devait faire de voir Matt French franchir la porte d'entrée en courant. Si Jordy était réellement assez près pour distinguer les traces de sang. S'il était assez près pour distinguer l'expression de Matt French. À quelques centaines de mètres seulement de l'endroit où il m'avait embrassée maladroitement pendant une demi-heure, ou plus, en gardant ses yeux vides fermés. Convaincu que c'était le début de quelque chose.

À cet instant, quand il s'est arrêté là-haut, pour reprendre son souffle et chercher une chanson, je me demande s'il a pensé à moi.

Je vais voir Beth à l'hôpital, une fois. Il est très tard, bien après l'heure des visites, mais je n'ai pas envie de revoir sa mère ni toutes les filles de l'équipe qui grouillent dans sa chambre, d'abord comme si elles veillaient un défunt, puis comme si elles se relayaient pour prier à son chevet. Oh, ce spectacle, assister à leurs délires, telles des sorcières de Salem qui s'arrachent les cheveux, langues pendantes.

Une fois que la Faucheuse a cessé de rôder dans les parages, quand il n'a plus été question d'hémorragie intra-cranienne ou de détériorations cognitives, elles se sont orientées vers les poèmes épiques sur la page Facebook « Tu nous manques, Beth ! » où tout le monde lui envoie des ♥ ♥ et des « Rétablis-toi vite, *sister* ! » et vers les livraisons incessantes : compositions de cookies, paniers de cupcakes ornés de smileys, petits ours en peluche coiffés d'un bonnet d'infirmière. Tout ce que Beth adore.

Alors,
je viens tard, quand l'hôpital est cafardeux, et seule.

Je me plante à côté de son lit, les mains sur les barreaux.

Ma poitrine sursaute quand je constate qu'elle est réveillée, ses yeux brillent dans l'éclat de la lune, comme s'ils m'attendaient.

Elle me dit qu'elle ne pensait pas que je viendrais, que tout le monde est venu, sauf moi.

« Même mon père, dit-elle avec un petit sourire. Il parle d'action en justice. Tu te rends compte ? »

Je lui dis que la Coach a quitté la ville, elle a emmené Caitlin chez sa mère, elle ne reviendra que pour le procès.

Mais elle ne répond pas, et un long moment s'écoule avant qu'elle reprenne la parole.

Et quand elle parle enfin, elle commence en plein milieu d'une réflexion songeuse, ses mots restent accrochés à ses lèvres.

« Je n'oublierai jamais que j'ai vu ça. Quand elle est entrée un jour et que je l'ai vue porter ça, dit-elle d'une voix cotonneuse et plaintive. Je n'en croyais pas mes yeux quand j'ai vu ça. C'était le pire, pire que tout. »

Je ne sais pas de quoi elle parle et je m'interroge sur le fonctionnement de son cerveau.

« Je n'y croyais pas, reprend-elle. Tu le lui as donné, le même, exactement le même. »

Elle ne me quitte pas des yeux, un feu à peine couvert brûle derrière ses yeux.

« Comment as-tu pu lui donner ce bracelet, Addy ? »

Le bracelet. Je n'arrive pas à croire que nous en sommes encore à parler du bracelet Hamsa après tout ce qui s'est passé. La pression du liquide dans son cerveau, c'est ça l'explication, comme quand c'est arrivé : le sang noir qui s'accumulait dans son oreille.

Je secoue la tête.

« Ce n'était qu'un bracelet, Beth. Je ne me souviens même plus d'où il venait…

— Justement, c'était ça le pire, dit-elle. Vraiment. »

Ça me revient alors.

Un cadeau pour toi, m'avait dit Beth quand elle me l'avait donné un an plus tôt, ou un peu plus. *Porte-le toujours.* Et je crois que j'avais espéré qu'il en serait de même avec la Coach.

« J'avais oublié », dis-je. C'est sûrement un mensonge, mais ça fait partie des choses que je ne regarde pas. Comme le dit Beth, je choisis ce que je regarde. Je choisis ce dont je me souviens. Beth est ma mémoire, elle se souvient pour moi.

« Tu m'as offert un tas de bracelets. On fait toutes ça, dis-je. C'est notre truc. »

C'est horrible de dire ça, j'ai honte.

« Je n'aurais pas dû le garder, dit-elle. J'aurais dû le jeter dans le ravin. Tout au fond du ravin avec les jeunes Indiennes.

— Je n'en reviens pas d'avoir oublié », dis-je tout bas.

Ses yeux se voilent et elle détourne la tête.

« C'était toi et moi, Addy. »

Quelque chose se réveille en moi, en profondeur, une chose presque oubliée.

« Addy, est-ce qu'on va faire semblant éternellement ? Je sais que tu t'en souviens », dit-elle en me tournant le dos.

Évidemment que je m'en souviens. Je sais parfaitement ce qu'elle tient solidement.

Un an plus tôt, au début du printemps, ivres et scrutant le ciel à minuit sur la crête, un temps si froid que l'on voyait notre souffle, mais Beth, la peau striée par la lune, et je courais derrière elle, mes pieds glissant sur les feuilles mouillées, ma main dans son dos, brûlant au toucher.

Nous nous sommes écroulées sur le sol moussu, nos dos s'y sont enfoncés, nos visages tendus vers le ciel. Tout juste de retour de deux semaines passées avec sa mère en Californie, elle a quelque chose pour moi, elle me demande de poser la main sur son ventre et de fermer les yeux. La sensation du cuir doux sur mon poignet, l'amulette froide, la main de Fatima.

Et elle m'a raconté l'histoire de Fatima qui était en train de remuer le contenu d'une casserole quand son mari est rentré à la maison avec une nouvelle épouse. Le cœur brisé, elle a laissé échapper la cuillère et a continué à remuer avec sa main, sans avoir conscience de la douleur.

« Cette main te protège, m'a-t-elle dit. Plus rien ne peut lui faire de mal désormais. Plus rien ne peut nous atteindre. »

Nous avons levé le bras, nous avons laissé nos poignets se toucher, le faisceau de la main réfléchissante était une promesse de protection.

En le portant, je me sentais forte et à l'abri. Puissante. Je me sentais comme elle.

Allongées là, nos shorts remontés sur nos cuisses, nous avons comparé les bleus qui marquaient nos hanches droites, les empreintes de pouce identiques, là où Mindy, Cori et d'autres filles s'accrochaient pour exécuter leurs figures.

Elle a appuyé sur les miens et j'ai appuyé sur les siens, en grimaçant, et nous avons continué, mutuellement ; la douleur était mystérieuse, apaisante et étrange.

371

Comment est-ce arrivé, nous deux enchevêtrées l'une sur l'autre ?

Mon souffle dans son cou, ma bouche sur son oreille. C'est moi qui ai commencé, mais je ne me rappelle même plus pourquoi ni comment. Nous n'avons pas ôté totalement nos shorts et nous n'avons jamais fait les choses que nous pouvions faire, mais si je me laisse aller, je sens encore ma joue contre son genou, je sens encore la pression de ses mains sur mes cuisses. Ma bouche sur sa bouche, son rire.

Nous n'en avons jamais parlé, et peut-être que les choses étaient différentes ensuite. Peut-être que je me sentais différente.

Puis la saison s'est arrêtée et il y a eu des garçons, puis le camp d'entraînement, et je me suis mise avec Casey Jaye, j'ai porté le nœud d'amour que Casey m'a offert, la situation s'est dégradée, et ça n'a plus jamais été comme avant. Et quand elle nous a vues, Casey et moi, sur le lit du haut, les jambes dans le vide, en train de rire... Son expression, et la mienne. J'imagine à quoi ressemblait la mienne.

Non, je n'y pense jamais, à cette nuit avec Beth, tout là-haut sur la crête.

Il y a du merveilleux là-dedans, et qui a besoin d'évoquer ce genre de merveilles ? Nous les enfouissons, dans la fureur qui est au plus profond de nous, là où nous pouvons tenir fermement les choses, les protéger et les chérir secrètement comme une idée spéciale à laquelle nous nous sommes accrochées à un moment, avant de devoir nous en débarrasser.

« Tu n'as jamais été capable de te regarder en face, Addy, dit-elle. Ce que tu voulais, ce que tu étais prête à faire pour l'obtenir. Mais tu as réussi. »

Oui, j'ai réussi.

« Tu le voulais. C'est à toi maintenant, ajoute-t-elle. C'est toi qui as toujours rêvé de ça. »

33.

« Pour moi, la seule chose géniale au lycée, c'étaient les cheerleaders. »

Je marche de long en large devant les quinze candidates, dans le gymnase affreusement chaud en ce premier jour de camp d'été, et je leur dis tout. Mes paroles sont vraies, authentiques.

« Il y a des gens qui disent que ce n'est pas cool, qui se moquent, mais je n'y ai jamais fait attention. Je sais qu'ils n'ont pas ce que j'ai. »

Assise sur les grands tapis, avec leurs visages duveteux, leurs yeux écarquillés, elles m'observent comme si je leur transmettais toute la sagesse du monde, ce qui est le cas.

« Être cheerleader m'a donné un but. Cela m'a donné un corps ferme et un esprit fort. Et je me suis fait des amies pour la vie. »

Accompagnée de RiRi, je parcours toute la longueur du tapis, le dos droit, le menton dressé.

« Vous n'avez pas envie de pouvoir dire ça ? je demande. Si vous en avez envie, vous devez vous serrer les coudes et être dures avec vous-mêmes. »

Elles hochent toutes la tête, sans un mot.

« Si vous ne vous faites pas confiance, ce tapis devient votre échafaud. »

Le silence redouble. Je balance mon sifflet, et le seul bruit que l'on entend, c'est le léger frottement contre mon sweat-shirt.

Emily marche derrière moi, sa jambe blessée a retrouvé son mode combatif et son esprit s'est débarrassé de ses horreurs à la Cassandre. Elle a tiré un trait sur tout ça. Je le sais. Je lui ai montré comment faire.

Elle lève le coude et le pose sur mon épaule, mâchoire en avant. Emily et RiRi, mes adjointes, mes fidèles lieutenantes.

« Nous avons cinq semaines avant l'arrivée de la nouvelle coach, dis-je. Mais j'ai choisi de ne pas perdre ces semaines. Et vous ? »

Elles font claquer leurs mâchoires, agitent leurs queues-de-cheval, se balancent d'avant en arrière dans leurs postures d'Indiennes, leurs jambes flasques attendent d'être modelées. Arrachées à la médiocrité. Sauvées.

« J'ai choisi d'exceller, pas de rivaliser… Et vous ?

« J'ai choisi d'apporter des changements, pas des excuses… Et vous ?

« D'être motivée, pas manipulée.

« D'être utile, pas utilisée. »

Beth pourrait revenir à l'automne, non ? ne cesse de demander Emily. *Elle est rentrée chez elle, elle a passé ses exams, je l'ai même vue dans sa voiture.*

Mais je sais qu'elle ne reviendra jamais. Elle ne reviendra jamais, et je lui ai pris quelque chose que je ne veux même pas regarder. Je ne regarderai pas.

« J'ai choisi de vivre en suivant mes choix, dis-je, pas le hasard. Et vous ? »

Elles se tiennent par la main, leurs doigts s'entremêlent, elles lèvent les yeux vers moi, vers RiRi et son corps magnifique, vers Emily et son sourire béat. Vers nous toutes.

« Être cheerleader m'a appris à faire confiance à mes camarades quand je tombe », dis-je, *et c'est le visage de Beth que je vois quand mon regard glisse sur elle, sur les gradins vides, pas celui de la Coach. C'est le visage de Beth, avec toute cette obscurité, cette espièglerie, ce désordre et, en dessous, ce cœur qui bat.*

Tournant le dos aux tribunes pour faire face à mes filles, je rassemble tout dans ma poitrine. Et je le garde là. Je dois le tenir solidement. Toutes ces choses que j'ai apprises.

« Cela m'a appris, dis-je en retenant mon souffle, à être une meneuse. »

REMERCIEMENTS

Je tiens à exprimer mon immense gratitude et ma reconnaissance éternelle à l'inestimable Reagan Arthur et à sa brillante équipe, particulièrement Miriam Parker, Theresa Giacopasi, Peggy Freudenthal et Sarah Murphy.

Mes plus sincères remerciements également aux merveilleuses Kate Harvey et Emma Bravo de chez Picador UK, et à Angharad Kowal, Maja Nikolic et Stephen Barr de Writers House. Et surtout à Dan Conaway, sans qui...

Pour leur soutien et leur amour permanents et inépuisables, merci à Phil et Patti Abbott ; Josh, Julie et Kevin ; Jeff, Ruth et Steve ; Darcy Lockman ; Christine Wilkinson, et à mes sœurs de sang : Alison Quinn et Sara Gran.

CET OUVRAGE A ÉTÉ COMPOSÉ PAR FACOMPO
ET ACHEVÉ D'IMPRIMER EN FRANCE
PAR CPI BUSSIÈRE
À SAINT-AMAND-MONTROND (CHER)
POUR LE COMPTE DES ÉDITIONS J.-C. LATTÈS
17, RUE JACOB — 75006 PARIS
EN OCTOBRE 2013

JC Lattès s'engage pour
l'environnement en réduisant
l'empreinte carbone de ses livres.
Celle de cet exemplaire est de :
980 g éq. CO$_2$
Rendez-vous sur
www.jclattes-durable.fr

PAPIER À BASE DE
FIBRES CERTIFIÉES

N° d'édition : 01. — N° d'impression : 2005416.
Dépôt légal : octobre 2013.